대학수학능력시험 국어 영역, 출제 경향 분석

대학수학능력시험 국어 영역은 화법, 작문, 문법, 독서(비문학), 문학의 5개 영역에서 전체 45문항이 출제됩니다.

영역별 문항 수는 화법 5, 작문 5, 문법 5, 독서(비문학) 15, 문학 15로 구성됩니다. 문항 수만 보았을 때 독서(비문학)와 문학의 비중이 상대적으로 높아 보이나, 독서(비문학)는 인문, 사회, 과학, 기술, 예술의 5개 영역으로 다시 세분화되고 문학은 고전 시가, 수필, 현대 시, 극(시나리오), 현대 소설, 고전 소설의 6개 갈래로 세분화되기 때문에 화법, 작문, 문법의 비중이 낮은 편이 아닙니다.

문학: 15문항 출제

문학의 수용과 생산, 문학과 삶에 대한 이해와 창의적 사고력 등을 평가

최신 출제 경향
- 비문학 특성을 가진 문학 이론이 문학 작품과 함께 나오는 복합 지문이 증가하였습니다.
- 다양한 갈래(시, 시나리오 등)의 내용 및 형식적 특성을 이해했는지 묻는 문제가 출제됩니다.

공부 TIP
- 문학의 다양한 갈래 특성에 맞게 공부합니다.

| 운문 | 주제, 표현법, 화자의 정서 파악 |
| 산문 | 인물 간의 관계와 갈등 구조, 시대적 배경(고전은 내용) 파악 |

독서(비문학): 15문항 출제

통합적인 독서 능력과 정보의 이해, 적용, 추론 능력 등을 평가

최신 출제 경향
- 고난도 문제가 독서(비문학)에서 많이 출제되고 있으며, 융합 지문의 증가로 난이도가 점점 높아지고 있습니다.

공부 TIP
- 지문을 문단별로 정리해서 문단과 문단의 내용을 연결하여 내용을 파악하는 훈련이 필요합니다.
- 글의 주장과 관점, 관점과 견해의 차이, 새로운 개념과 어휘 이해 및 전체 글의 맥락을 파악합니다.

국어 어휘
- 지문 안에 쓰인 어휘의 문맥적 의미를 묻는 문제가 많이 출제됩니다. 평소 어휘의 뜻을 유추하는 훈련을 자주 하는 것이 좋습니다.

배경 지식
- 국어뿐 아니라 전 과목을 아우르는 배경 지식이 출제됩니다. 평소 다양한 영역에 연관된 독서로 배경 지식을 쌓는 것이 좋습니다.

KB059974

문학 **33%**

수
국어
출ㅈ

독서(비문학) **33%**

문제

수능 국어 영역의 독해 관련 문제는 10개 정도의 유형으로 나눌 수 있습니다. 초고필 독해는 수능 문제 분석을 바탕으로 최신 출제 경향을 반영하여 문제를 구성하였습니다.

문제 유형	수능 기출		초고필		
	문제 수	비율	문제 수	비율	특징
내용 이해	27	30%	87	36%	• 어휘 문제 강화: 지문 속에서 사전적, 문맥적 의미를 찾는 어휘 문제와 관용 표현 문제 다수 출제
적용하기	13	15%	23	10%	
감상	17	19%	33	14%	
추론하기	12	13%	12	5%	
표현	10	11%	11	5%	• 문단별 정리와 핵심 요약 문제 출제: 지문별 핵심 내용을 파악할 수 있는 기초 문제 출제
어휘	6	7%	55	23%	
전개 방식	5	6%	18	8%	

대상: 비문학 독해 1과 문학 독해 1

어휘

초등 고학년 필수 어휘 유형을 크게 4가지, 세부적으로 9가지로 정리하여 수능뿐 아니라 평소 국어 학습에서도 활용할 수 있는 어휘 문제를 출제하였습니다.

낱말 이해	낱말 관계	낱말 적용	관용 표현
− 적절한 낱말 찾기 − 낱말 뜻 찾기	− 비슷한 말, 반대말 찾기 − 동음이의어/다의어 찾기	− 문맥에 어울리는 낱말 찾기 − 상황에 어울리는 낱말 찾기 − 같은 뜻 낱말 활용 찾기	− 관용어 찾기 − 속담/한자성어 찾기

단계 구성

	지문 주제	지문 난이도	지문 평균 글자 수	문제 난이도
초고필 비문학 독해 1	• 수능 경향을 반영한 주제 수록 • 인문/사회 강화	하 ~ 중상	1100자	중~중상
초고필 비문학 독해 2	• 수능 유사 주제 수록 • 과학/기술/융합 강화	중 ~ 상	1300자	중상~상
초고필 문학 독해 1	• 초 5, 6 ~ 중 1 필독 작품으로 선별 • 현대 소설/시 강화	하 ~ 중상	1200자	중~중상
초고필 문학 독해 2	• 중등 국어 교과서 작품 선별 • 고전 작품/갈래 복합 강화	중 ~ 상	1400자	중상~상

지문

수능에서 문학과 독서(비문학)의 출제 비중은 5:5로 각 15문항씩 총 30문항이 출제됩니다. 초고필 독해는 수능의 영역별 출제 비중을 반영하여 지문을 수록하였습니다.

영역별(갈래별) 수능 출제 경향(2018~2020 수능 분석)

영역		출제 수	비율
비문학	인문	13	29%
	사회	17	38%
	과학	4	9%
	기술	5	11%
	예술	0	0%
	*융합	6	13%
문학	현대 시	9	20%
	현대 소설	6	13%
	극, 수필	0	0%
	고전 시가	3	7%
	고전 소설	11	24%
	*복합	16	36%

*융합: 인문＋과학
*복합: 극(1회)/수필(2회)/고전 시가(2회)

초고필과 수능 출제 비교

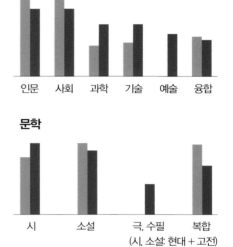

(시, 소설: 현대＋고전)

또한 수능은 영역별 전문 지식을 필요로 하는 지문이 출제되고 있으며, 고전 시가와 수필을 현대 작품과 함께 복합으로 싣는 경향이 늘고 있습니다. 초고필도 이를 반영하여 전문 배경 지식을 다루는 지문과 갈래별 복합 지문을 출제하였습니다.

구분		수능 기출	초고필
비문학	최고난도 경제 지문	• BIS 비율(규제로 살펴보는 국제적 기준의 규범성) • 환율의 현상과 관련한 정부의 정책 수단 • 보험의 고지 의무	• 기준 금리가 경제에 미치는 영향 • 기본 소득 제도의 필요성과 문제점 • 세금이 필요한 까닭
	트렌드 반영	• 장기 이식과 내인성 레트로바이러스 • 디지털 데이터의 부호화 과정 • 가능세계의 개념과 성질	• 로봇세에 대한 두 가지 입장 • 픽토그램 • 폴더블폰과 플렉서블 디스플레이
문학	고전과 복합 출제	• 월선헌십육경가 (시가)＋어촌기(고전 수필) • 박씨전(고전 소설)＋시장과 전장(현대 소설) • 비가(시조)＋풍란(수필)	• 슬견설(고전 수필)＋반통의 물(수필) • 자화상(시)＋경설(고전 수필) • 흥부가(고전)＋흥부 부부상(시) • 결혼(희곡)＋차마설(고전 수필)

구분	화법	작문	문법	독서(비문학)					문학					
				인문	사회	과학	기술	예술	고전 시가	수필	현대 시	극	현대 소설	고전 소설
문항 수	5	5	5	15					15					

*융합과 복합은 각각의 영역과 갈래로 계산

화법과 작문: 10문항 출제

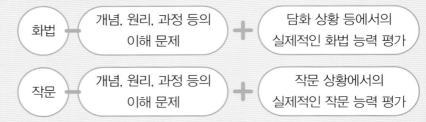

최신 출제 경향
- 최근 한 개의 지문에서 화법과 작문을 통합하여 의사소통 능력을 묻는 문제가 출제됩니다.

공부 TIP
- 화법과 작문은 본래 듣기·말하기, 쓰기 능력과 관계된 영역입니다. 그러므로 이 영역과 관련된 유형과 특징을 잘 알고 학습해야 합니다.

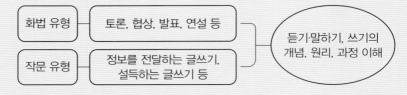

화법 11%

작문 11%

문법 11%

능 영역 율

문법: 5문항 출제

국어의 구조, 변천, 국어 생활에 관한 이해와 탐구 능력, 문장 구조 등 ＋ 문법＋어휘 문항

최신 출제 경향
- 독해 지문 내에서 문법을 묻는 문제의 출제 비율이 증가하였고, 종합적인 문법 지식을 묻는 문제가 출제되고 있습니다.

공부 TIP
- 품사나 문장 성분 등 문법의 기본 개념을 확실히 익혀야 합니다.
- 문법 개념과 함께 지문형 문법 문제 해결을 위한 독해 학습도 중요합니다.

문학 독해,
동영상 강의로 실력 UP

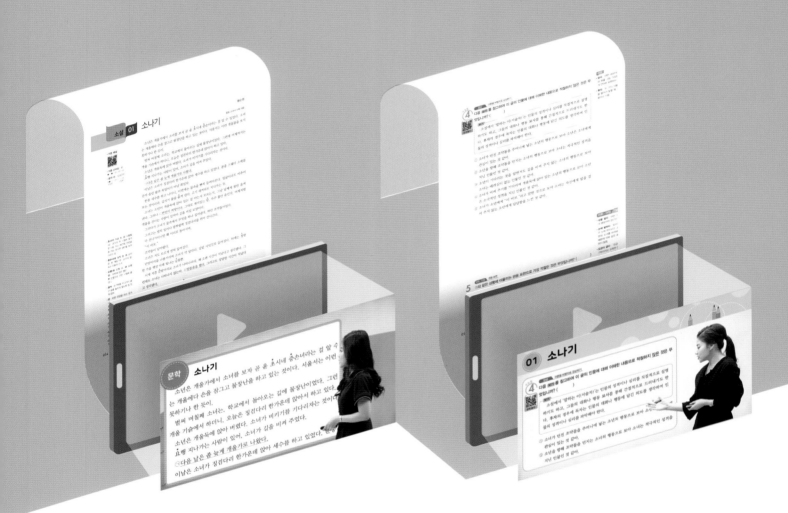

1 작품 전체 강의 제공

- 갈래별 독해 원리에 따라 작품을 정확하게 이해할 수 있는 지문 분석 강의
- 작가와 작품이 쓰인 시대 특징 설명 등 깊이 있는 배경 지식 강의

2 수능 고난도 문제 풀이 강의 제공

- 수능 고난도 문제 유형인 '감상 / 적용하기' 문제 풀이 강의

동영상 강의와 함께 중학교를 미리 준비하는 초고필 시리즈

국어 독해 지문 분석 강의 / 수능형 문제 풀이 강의

- 지문 분석 강의를 통해 작품을 제대로 이해
- 수능형 문제 풀이를 들으며 어려운 독해 문제도 완벽하게 학습

국어 문법 문법 강의

 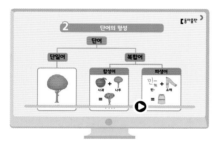

- 어려운 문법 지식도 그림으로 쉽고 재미있게 강의
- 중등 국어 문법을 위한 초등 국어 기초 완성

국어 어휘 어휘 강의

 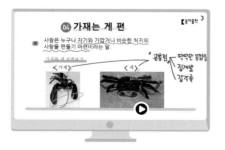

- 관용 표현과 한자어의 뜻이 한 번에 이해되는 강의
- 각 어휘의 유래와 배경 지식을 들으며 재미있게 이해

유리수의 사칙연산 / 방정식 / 도형의 각도
수학 개념 강의

 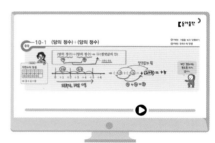

- 25일만에 끝내는 중등 수학 기초 학습
- 초등 수학과 연결하여 쉽게 중등 수학 개념 설명

한국사 자료 분석 강의 / 한국사능력검정시험 대비

 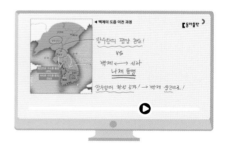

 자료 분석 한국사 개념을 더욱 완벽하게 학습할 수 있는 한국사 자료 분석 강의

한국사능력검정시험
- 개념 학습, 기출 문제, 모의 평가로 구성된 한국사능력검정시험 대비 특강
- 효과적인 10일 스케줄 강의 구성

초고필
문학 독해
2

초고필 독해는 이렇게 쓰였습니다.

문동열 선생님

말하려는 내용을 제대로 전달하는 일은 매우 어렵습니다. 상대방이 알아듣기 쉽게 표현해야 하기 때문입니다. 그런데 이보다 더 어려운 것이 있습니다. 그것은 상대방의 말을 정확하게 이해하는 것입니다.

독해력은 제대로 듣고 정확하게 말하는 능력의 바탕이 됩니다. 독해력을 기르려면 무엇보다 글을 끝까지 읽을 수 있어야 합니다. 그리고 글자가 아니라 문장을 읽어야 하며, 문장 간의 관계를 파악할 수 있어야 합니다. 그런데 의외로 많은 학생들이 문장이 아니라 한 글자 한 글자만을 읽습니다. 그러다 보니 글을 다 읽고도 주제를 스스로 정리하지 못하는 경우가 많습니다.

이런 문제가 나타나는 것은 스스로 읽고 정리하는 연습을 하지 않았기 때문입니다. 이 책은 다양한 분야의 글을 읽고 스스로 정리할 수 있는 문제들로 구성되어 있습니다. 특히 철학이나 과학 같은 어려운 분야의 글은 찬찬히 읽고 꼼꼼하게 정리하며 독해력을 키우기 바랍니다.

이석호 선생님

이 책은 '징검다리'입니다. 갑자기 중학생, 고등학생이 되고, 어쩌다 어른이 될 여러분들이 너무 당황하지 않았으면 좋겠습니다. 세상에는 기쁜 일, 예쁜 사연도 있지만, 슬픈 일, 아픈 상처도 있습니다. 한 작품 한 작품이 징검다리가 되어 더 넓은 세상을 경험할 수 있도록 도울 것입니다.

이 책은 '보물찾기'입니다. 문학 감상에는 '정해진 답'이 없습니다. 여러분이 무엇이 될지 아무도 모르는 것처럼요. 그렇지만 이 책의 문제에는 '정답'이 있습니다. 다만 그 답은, 우리들의 머릿속이 아니라 작품 안과 보기 속에 있습니다. 모두모두 숨겨진 답을 찾아내는 즐거움을 맛보길 바랍니다.

이 책에는 1960년대 교과서에 수록되었던 작품부터 반세기 후 교과서에 처음 등장한 것까지, 다양한 작품들이 있습니다. 문학을 통해 나와 다른 삶에 '공감'하고, 엄마, 아빠, 선생님과 '소통'할 수 있기를 기도합니다.

송인우 선생님

이 책은 초등학생들의 수준을 고려하여 작품을 선정하고 주제별로 제시하여 학생들이 작품을 이해하는 데 큰 도움을 줍니다. 또한 작품의 핵심을 묻는 문제를 통해 어떤 부분에 주목해서 글을 읽어야 할지 알 수 있습니다. 이 책을 바탕으로 중등은 물론 수능까지 흔들리지 않을 국어 실력을 쌓으시기 바랍니다.

초고필 독해를 추천합니다.

대학 수학 능력 시험(수능) 국어 영역은 주어진 글을 잘 읽고 이해하는 능력을 묻습니다. 이 능력은 결코 선천적으로 타고나는 것이 아닙니다. 어릴 때부터 꾸준하게 논리적으로 글 읽기 훈련을 해 온 학생들이 수능 국어 영역에서도 좋은 성적을 내는 경우가 많습니다.

'초고필 비문학 독해'와 '초고필 문학 독해'는 여러 분야의 글들을 영역별, 수준별로 두루 다루고 있어 초등학교 고학년 수준의 눈높이에서 논리적 독해력을 키우기에 좋은 교재입니다. 또한 최신 수능 경향을 반영한 트렌디한 주제를 다루고 있어서 배경 지식을 쌓고 낯선 지문도 어렵지 않게 접근할 수 있도록 해 줍니다.

메가스터디 국어 김동욱

"선생님, 우리 아이는 책을 많이 읽는데 왜 독해력이 부족할까요?" 제가 종종 듣는 질문입니다. 요즘은 독서의 중요성을 알고 있는 학부모님이 많습니다. 그래서 어렸을 때부터 아이들에게 많은 책을 읽히지만, 노력에 비해 국어 독해력이 따라 주지 않아 고민하는 경우를 종종 봅니다.

물론 독서는 독해력의 기본 바탕입니다. 그러나 무조건 많이 읽는 것만이 독해력 향상의 지름길은 아닙니다. 문학/비문학을 구별하여 다양한 영역의 독해를 골고루 해야 독해 역량이 성장합니다.

수많은 국어 독해 교재가 있지만 문학과 비문학을 나누어 체계적으로 다루는 국어 독해서는 부족했습니다. 초등 고학년부터는 영역별, 갈래별 독해가 꼭 필요합니다. '초고필 비문학 독해'와 '초고필 문학 독해'가 그 갈증을 채워 줄 것입니다.

글로 크는 아이들 논술 학원 정석영

초등 고학년은 예비 중학생에 가깝습니다. 중학교 국어 시험에서 문학 지문은 한 갈래만 나오지 않고, 비문학 지문은 묻는 문제의 깊이도 다릅니다. '초고필 국어 독해'는 다양한 지문과 문제를 다루고 있어서 실전 능력을 키우는 데 도움이 되는 교재입니다.

반포 현문 국어 학원 오성민

수능 국어 영역에서는 어휘와 개념을 잘 알고 있는지 제시문을 파악할 수 있는지 등을 평가합니다. 기본적으로 어휘력이 부족하면 문제를 풀 수 없습니다. 이 교재는 기본부터 시작하여 수능 어휘까지 접할 수 있는 문제를 출제하여 어휘 확장의 기회를 제공합니다. 중학교 교과서에 쓰이는 어휘나 문장 수준의 어휘들로 구성되어 바로바로 읽고 문제를 풀 수 있게 해 주어 큰 도움이 됩니다.

오쌤 국어 논술 오은정

'초고필 국어 독해'는 문학과 비문학의 분리 구성으로 국어 영역의 전문성을 갖춘 교재입니다. 비문학은 최근 이슈화된 주제를 지문으로 선택하여 더욱 탄탄한 구성으로 이루어져 있고, 문학은 소설의 줄거리를 그림으로 구조화하여 한눈에 쉽게 볼 수 있도록 하였습니다. 본격적으로 '국어 교과'를 대비해야 할 학생들에게 큰 도움이 되는 구성입니다.

승희쌤 국어 독서 논술 학원 이승희

같은 이동 수단이라도 자동차를 운전하는 방법과 비행기를 운전하는 방법이 전혀 다르듯이 문학과 비문학은 문제를 해결하는 데 필요한 능력이 전혀 다릅니다. '초고필 국어 독해'는 문학과 비문학을 나누어 다루는 교재로, 문학과 비문학 각각에 알맞은 독해 방법을 연습하기 가장 좋은 교재입니다.

영역별/갈래별로 나뉜 제시문과 유형별 문제를 통해 학생들이 출제 의도를 이해하고 문제를 해결하는 능력을 키울 수 있습니다.

책나무 생각숲 국어 이재진

제시문을 읽을 때에는 어휘 간, 문단 간의 관계를 파악하며 글을 읽어 나가야만 그 행간의 의미를 올바르게 잡아낼 수 있습니다. 나아가 지문 전체를 스캔하여 구조화하고, 단계별 문제로 확인하는 과정 역시 뒷받침되어야 올바른 자기 주도를 했다고 말할 수 있습니다. 작은 단위에서 큰 단위, 반대로 큰 단위에서 작은 단위로, '초고필 국어 독해'는 혼자만의 힘으로 채우기 어려운 '유기적 독해'를 보완해 주는 교재입니다.

국어자신감 정지은

요즘 아이들 독해력의 큰 걸림돌이 어휘력입니다. 그런데 '초고필 국어 독해'는 어휘 문제의 비중이 높고 어휘 활용 능력까지 키울 수 있어 중·고등 국어 실력 향상을 위한 내공을 단단하게 다져 줍니다. 또한 문제가 아이들의 사고 과정에 맞게 체계적으로 구성되어 있어 좋습니다. 체계적인 문제를 통해 사고력을 심화하고 확장할 수 있어 수능 문제에도 쉽게 적응할 수 있을 것입니다.

자우비 분당 학원 진희영

구성과 특징

[초고필 문학 독해 2] 5개 갈래 45개 지문으로 구성한 문학 전문 독해서

소설 — 시 — 수필 — 희곡 — 복합

① 갈래별 수록 작품 설명

- 짧은 소개와 그림으로 작품에 대한 흥미 유발
- 내용 요약과 인물 관계도를 통해 소설 전체 흐름 파악

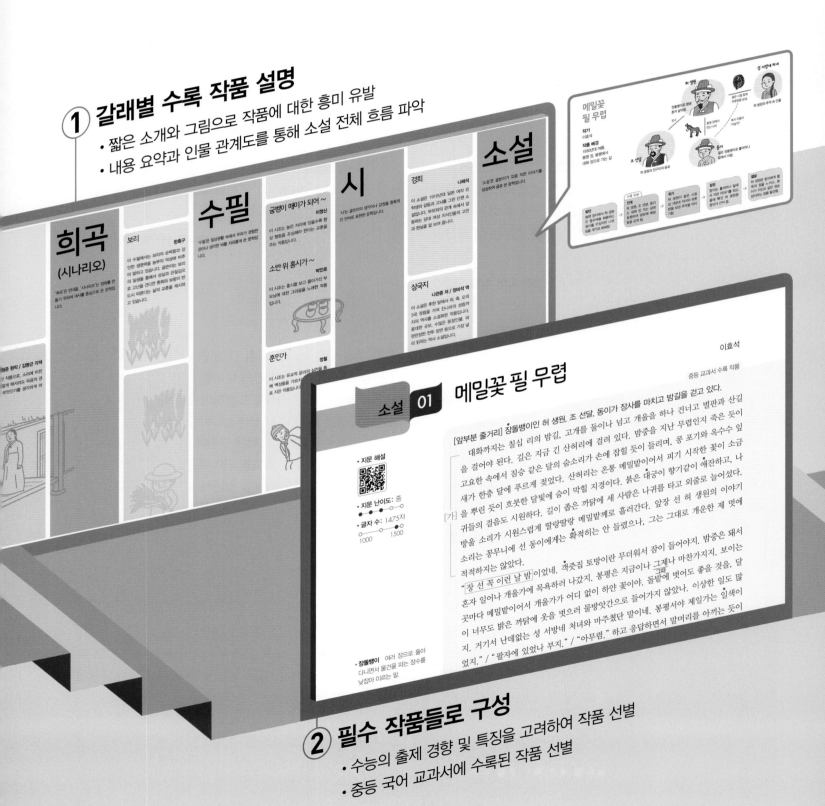

② 필수 작품들로 구성

- 수능의 출제 경향 및 특징을 고려하여 작품 선별
- 중등 국어 교과서에 수록된 작품 선별

③ **수능 출제 유형을 분석·구조화한 5문항 문제 구성**
- [1. 핵심 요약 → 2. 내용 이해 → 3. 표현 → 4. 감상 → 5. 어휘·어법]의 입체적인 문항 구성
- 수능 고난도 문제 유형 「감상」 수록

④ **유형별 어휘 학습**
[낱말 이해, 낱말 관계,
낱말 적용, 관용 표현]으로
어휘 학습 최적화

⑤ **독해 비법 수록**
갈래별 독해 원리를 통해
글을 읽는 기본 방법 학습

차례

메밀꽃 필 무렵

이효석

이 소설은 장돌뱅이의 삶을 통해 인간 본래의 욕망과 삶의 애환을 아름답게 그려 낸 작품입니다.

봄봄

김유정

이 소설은 혼인 문제를 둘러싸고 순박한 '나'와 교활한 장인이 갈등하는 모습을 해학적으로 그린 작품입니다.

춘향전

이 소설은 춘향과 몽룡의 신분 차이를 극복한 사랑을 그린 작품입니다.

폴란드의 소녀

에브 퀴리

이 소설은 폴란드의 과학자 마리 퀴리의 딸 에브 퀴리가 어머니의 삶을 기록한 전기문 '퀴리 부인'의 일부입니다. 따라서 전기 소설의 성격을 지니고 있습니다. 러시아의 지배를 받고 있는 폴란드의 상황이 일제 강점기 우리 민족의 현실을 연상하게 만듭니다.

상록수

심훈

이 소설은 일제 강점기 농촌의 계몽을 위해 애쓰는 희생적인 지식인들의 이야기를 감동적으로 보여 주는 작품입니다. 일제의 탄압으로 인한 영신의 갈등 상황이 안타깝게 전개되고 있습니다.

수난이대

하근찬

이 소설은 일제 강점기 때 징용에 끌려가 한쪽 팔을 잃은 아버지와 6·25 전쟁에 참전하여 한쪽 다리를 잃은 아들의 상처를 다룬 작품입니다.

운수 좋은 날

현진건

이 소설은 인력거꾼 '김 첨지'의 하루를 통해 1920년대 도시 하층민의 삶을 사실적으로 그려 낸 작품입니다. 운수 좋은 하루가 아내의 죽음이라는 비극적 결말로 이어지는 극적인 반전과 반어적 제목을 통해 비극을 극대화하고 있습니다.

변신

프란츠 카프카 저 / 권세훈 역

이 소설은 하루아침에 벌레로 변한 그레고르의 이야기를 통해 현대인이 느끼는 불안과 소외를 나타낸 작품입니다.

표구된 휴지

이범선

이 소설은 아들에게 쓴 아버지의 편지를 소재로 한 작품입니다. 볼품없는 종이에 서툰 글씨로 쓴 아버지의 편지를 통해 자식에 대한 부모의 소박하면서도 진솔한 사랑을 전달합니다.

허생전

박지원

이 작품은 실학자 박지원이 쓴 한문 소설입니다. 작가는 '허생'이라는 인물을 통해 당시 조선의 취약한 경제 구조와 지배 계급의 무능함을 비판하고 있습니다.

경희

나혜석

이 소설은 1910년대 일본 여자 유학생의 갈등과 고뇌를 그린 단편 소설입니다. 부모와의 관계 속에서 갈등하는 당대 여성 지식인들의 고민과 현실을 잘 보여 줍니다.

삼국지

나관중 저 / 정비석 역

이 소설은 후한 말에서 위, 촉, 오의 3국 정립을 거쳐 진나라의 성립까지의 역사를 소설화한 작품입니다. 웅대한 규모, 수많은 등장인물, 파란만장한 전투 장면 등으로 가장 널리 읽히는 역사 소설입니다.

소설

'소설'은 글쓴이가 있음 직한 이야기를 상상하여 글로 쓴 문학입니다.

어화둥둥 내 사랑

01. 메밀꽃 필 무렵
02. 봄봄
03. 춘향전

메밀꽃 필 무렵

작가
이효석

작품 배경
1930년대 여름,
봉평 장, 봉평에서
대화 장으로 가는 길

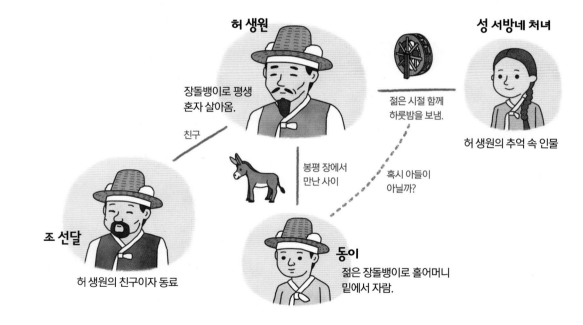

허 생원
장돌뱅이로 평생 혼자 살아옴.

친구

조 선달
허 생원의 친구이자 동료

봉평 장에서 만난 사이

젊은 시절 함께 하룻밤을 보냄.

성 서방네 처녀
허 생원의 추억 속 인물

혹시 아들이 아닐까?

동이
젊은 장돌뱅이로 홀어머니 밑에서 자람.

발단	**전개** 〔수록 부분〕	**위기**	**절정**	**결말**
봉평 장터에서 허 생원은 충주댁을 희롱하는 동이를 꾸짖지만 나귀 일을 계기로 화해함.	허 생원, 조 선달, 동이는 대화 장 가는 길에 동행하여 달밤에 메밀밭을 걷게 됨.	허 생원이 젊은 시절 성 서방네 처녀와 하룻밤을 보낸 추억을 이야기함.	동이는 홀어머니 밑에서 자란 이야기를 하고, 물에 빠진 허 생원을 동이가 건져 줌.	허 생원은 동이에게 혈육의 정을 느끼고, 동이가 자신과 같은 왼손잡이라는 점을 발견함.

봄봄

작가
김유정

작품 배경
1930년대 봄,
강원도 산골

장인(봉필)
점순의 아버지. 마름.
교활한 성격임.

점순이와 곧 혼인 시켜 줄 것처럼 말 하면서 '나'에게 일을 시킴.

'나'
순수하고 어리숙함. 3년이 넘도록 머슴 생활을 하면서 점순이와의 혼인을 기다리고 있음.

딸

혼인하기로 한 사이지만 장인 어른 때문에 혼인을 계속 미루고 있음.

점순
아직 덜 자랐다는 이유로 '나'와 혼인하지 못해서 성이 남.

발단	**수록 부분** 전개	위기	절정	결말
'나'는 점순이와 곧 혼인시켜 주겠다는 말만 믿고 3년 7개월째 사경 없이 일하고 있음.	'나'는 자꾸 혼인을 미루기만 하는 장인 때문에 고민이 많음.	'나'는 자신이 세 번째 데릴사위라는 말과 혼인을 조르는 점순이의 말을 듣고 답답해함.	'나'는 장인에게 점순이와 혼인을 시켜 달라고 따지다가 치고받으며 싸우게 됨.	'내' 편을 들어줄 줄 알았던 점순이가 장인의 편을 들자 '나'는 그만 허탈해짐.

춘향전

작가
작자 미상

작품 배경
조선 시대, 전라북도 남원

서로 사랑함.

이몽룡
양반 도련님.
나중에 암행어사가 됨.

성춘향

양반과 기생 사이에서 태어난 딸

월매

벌을 줌.

수청을 거부하다 옥에 갇힘.

수청을 들라고 강요함.

춘향의 어머니.
은퇴한 기생

변학도
새로 부임한 사또.
전형적인 탐관오리

발단	전개	위기	절정	**수록 부분** 결말
광한루에서 그네를 타다 만난 몽룡과 춘향은 서로에게 첫눈에 반해 부부가 되기로 약속함.	몽룡은 사또 임기가 끝난 아버지를 따라 한양으로 떠나고, 몽룡과 춘향은 이별을 하게 됨.	새로 부임한 변 사또의 수청을 들기를 거절한 춘향은 감옥에 갇히게 됨.	과거에 급제하여 암행어사가 된 몽룡은 거지로 변장하고 변 사또의 생일잔치에 가서 탐관오리들을 혼내 줌.	남원의 새 사또가 된 몽룡은 감옥에 갇힌 사람들을 풀어 주고, 춘향과 재회함.

메밀꽃 필 무렵

· 지문 해설

· 지문 난이도: 중
●—●—●—○—○

· 글자 수: 1475자
○——————○
1000   1500

[앞부분 줄거리] 장돌뱅이인 허 생원, 조 선달, 동이가 장사를 마치고 밤길을 걷고 있다.

[가] 대화까지는 칠십 리의 밤길, 고개를 둘이나 넘고 개울을 하나 건너고 벌판과 산길을 걸어야 된다. 길은 지금 긴 산허리에 걸려 있다. 밤중을 지난 무렵인지 죽은 듯이 고요한 속에서 짐승 같은 달의 숨소리가 손에 잡힐 듯이 들리며, 콩 포기와 옥수수 잎새가 한층 달에 푸르게 젖었다. 산허리는 온통 메밀밭이어서 피기 시작한 꽃이 소금을 뿌린 듯이 흐뭇한 달빛에 숨이 막힐 지경이다. 붉은 대궁이 향기같이 애잔하고, 나귀들의 걸음도 시원하다. 길이 좁은 까닭에 세 사람은 나귀를 타고 외줄로 늘어섰다. 방울 소리가 시원스럽게 딸랑딸랑 메밀밭께로 흘러간다. 앞장 선 허 생원의 이야기 소리는 꽁무니에 선 동이에게는 확적히는 안 들렸으나, 그는 그대로 개운한 제 멋에 적적하지는 않았다.

"장 선 꼭 이런 날 밤이었네. 객줏집 토방이란 무더워서 잠이 들어야지. 밤중은 돼서 혼자 일어나 개울가에 목욕하러 나갔지. 봉평은 지금이나 그제나 마찬가지지. 보이는 곳마다 메밀밭이어서 개울가가 어디 없이 하얀 꽃이야. 돌밭에 벗어도 좋을 것을, 달이 너무도 밝은 까닭에 옷을 벗으러 물방앗간으로 들어가지 않았나. 이상한 일도 많지. 거기서 난데없는 성 서방네 처녀와 마주쳤단 말이네. 봉평서야 제일가는 일색이었지." / "팔자에 있었나 부지." / "아무렴." 하고 응답하면서 말머리를 아끼는 듯이 한참이나 담배를 빨 뿐이었다. 구수한 자줏빛 연기가 밤기운 속에 흘러서는 녹았다.

"날 기다린 것은 아니었으나, 그렇다고 달리 기다리는 놈팽이가 있는 것두 아니었네. 처녀는 울고 있단 말야. 짐작은 대고 있었으나 성 서방네는 한창 어려워서 들고 날 판인 때였지. 한집안 일이니 딸에겐들 걱정이 없을 리 있겠나. 좋은 데만 있으면 시집도 보내련만 시집은 죽어도 싫다지……. 그러나 처녀란 울 때같이 정을 끄는 때가 있을까? 처음에는 놀라기도 한 눈치였으나, 걱정 있을 때는 누그러지기도 쉬운 듯해서 이럭저럭 이야기가 되었네……. 생각하면 무섭고도 기막힌 밤이었어."

"제천인지로 [㉠] 건 그다음 날이었나?"

"다음 장도막에는 벌써 온 집안이 사라진 뒤였네. 장판은 소문에 발끈 뒤집혀 고작해야 술집에 팔려 가기가 상수라고, 처녀의 뒷공론이 자자들 하단 말이야. 제천 장판을 몇 번이나 뒤졌겠나. 허나 처녀의 꼴은 꿩 궈 먹은 자리야. 첫날밤이 마지막 밤이었지. 그때부터 봉평이 마음에 든 것이 반평생을 두고 다니게 되었네. 평생인들 잊을 수 있겠나."

"수 좋았지. 그렇게 신통한 일이란 쉽지 않아. 항용 못난 것 얻어 새끼 낳고 걱정 늘고, 생각만 해두 진저리 나지……. 그러나 늘그막바지까지 장돌뱅이로 지내기도 힘드는 노릇 아닌가. 난 가을까지만 하구 이 생애와두 하직하려네. 대화쯤에 조그만 전방이나 하나 벌이구 식구들을 부르겠어. 사시장철 뚜벅뚜벅 걷기란 여간이래야지."

"옛 처녀나 만나면 같이나 살까……. 난 거꾸러질 때까지 이 길 걷고 저 달 볼 테야."

· 장돌뱅이 여러 장으로 돌아다니면서 물건을 파는 장수를 낮잡아 이르는 말.

· 대궁 식물의 줄기의 방언. 꽃을 받치는 줄기.

· 애잔하고 애처롭고 애틋하고.

· 확적(確 굳을 확, 的 과녁 적)히는 정확하게 맞아 조금도 틀리지 아니하게.

· 객줏집 예전에, 길 가는 나그네들에게 술이나 음식을 팔고 손님을 재우는 영업을 하던 집.

· 일색(一 한 일, 色 빛 색) 뛰어난 미인.

· 장(場 마당 장)도막 장날과 장날 사이.

· 상수(常 항상 상, 數 셀 수) 자연으로 정하여진 운명.

· 꿩 궈 먹은 자리 어떠한 일의 흔적이 전혀 없음.

· 항용(恒 항상 항, 用 쓸 용) 흔히 늘.

· 전방(廛 가게 전, 房 방 방) 물건을 늘어놓고 파는 가게.

· 사시장철(四 넉 사, 時 때 시, 長 길 장)철 봄, 여름, 가을, 겨울 중 어느 때나 늘.

주석: 그때 / 놈팽이, '사내'를 낮잡아 이르는 말. / 늙어 가는 무렵

1 핵심 요약 내용 흐름 정리하기

이 글에서 일이 일어난 시간에 따라 내용을 정리한 것입니다. 빈칸에 들어갈 적절한 말을 쓰시오.

| 현재 | (　　　　　)이 핀 밤길을 허 생원, 조 선달, 동이가 함께 걸어가는데, 허 생원이 추억 이야기를 함. |

핵심 요약 TIP

허 생원, 조 선달, 동이가 밤길을 걸으면서 이야기를 나눕니다. 허 생원이 과거에 봉평의 물방앗간에서 성 서방네 처녀를 만난 이야기를 들려주고 있습니다. 현재의 상황과 허 생원의 추억 이야기에서 일어난 일을 살피면서 읽어 봅니다.

| 과거
(허 생원의 추억) | 허 생원이 개울가에 목욕하러 갔다가 (　　　　)에서 성 서방네 처녀를 만남. |

↓

울고 있는 처녀를 달래며 하룻밤을 보냄.

↓

그다음 날 성 서방네 집안이 (　　　　)으로 도망감.

2 내용 이해 세부 내용 파악하기

장 선 꼭 이런 날 밤에 일어난 일로 적절하지 않은 것은 무엇입니까? (　　　)

① 허 생원은 더위를 식히기 위해 목욕하러 개울가로 갔다.
② 성 서방네 처녀는 어려운 집안 사정에 대해 걱정하고 있었다.
③ 허 생원은 밝은 달 때문에 옷을 벗으러 물방앗간으로 들어갔다.
④ 성 서방네 처녀는 누군가를 기다리며 물방앗간에서 울고 있었다.
⑤ 허 생원은 물방앗간에서 울고 있는 성 서방네 처녀를 위로해 주었다.

3 내용 이해 인물의 태도 파악하기

이 글에서 알 수 있는 허 생원의 태도로 가장 적절한 것은 무엇입니까? (　　　)

① 옛 인연을 잊고 새로운 인생을 살고자 한다.
② 자연과 더불어 욕심 없이 살아가기를 소망한다.
③ 불가능한 계획을 실현하려는 의지를 지니고 있다.
④ 장돌뱅이 일을 자신의 운명으로 받아들이고 있다.
⑤ 생계를 위해 일할 수밖에 없는 현실을 한탄하고 있다.

어휘

• **실현하려는** 꿈, 기대 등을 실제로 이루려는.
• **한탄하고** 원통하거나 뉘우치는 일이 있을 때 한숨을 쉬며 탄식하고.

4 감상 │ 이론을 바탕으로 감상하기

문제 풀이

보기를 참고할 때, [가]의 역할로 적절하지 **않은** 것은 무엇입니까? (   )

보기

소설의 배경은 사건이 일어나는 구체적인 시간과 장소를 말한다. 배경은 작품의 분위기를 **형성하는** 중심 요소로, 인물의 생각과 행동에 영향을 미치기도 하고, 사건이 나아갈 방향을 **암시하기도** 한다.

① '대화까지는 칠십 리의 밤길'은 이야기가 펼쳐지는 구체적인 시간과 장소를 나타낸다.

② '메밀밭'이라는 공간적 배경은 허 생원이 옛날 기억을 되살리게 만드는 데 영향을 미치고 있다.

③ '소금을 뿌린 듯이 흐붓한 달빛'은 작품의 **낭만적인** 분위기를 형성하는 역할을 한다.

④ '붉은 대궁이 향기같이 애잔하고'는 앞으로 **애틋한** 사랑 이야기가 펼쳐질 것을 암시한다.

⑤ '길이 좁은 까닭에'는 인물 사이에서 갈등이 발생하게 되는 원인을 제공한다.

어휘

• **형성하는** 어떤 일정한 모양이나 구조를 갖추게 하는.

• **암시하기도** 직접 드러나지 않게 알려 주거나 짐작하게 해 주기도.

• **낭만적인** 감미롭고 감상적인.

• **애틋한** 그리워서 마음이 슬프고 아픈.

5 어휘·어법 │ 관용어

글의 흐름을 고려할 때, ㉠에 들어갈 말로 적절한 것은 무엇입니까? (   )

① 날을 받은

② 변죽을 울린

③ 발 벗고 나선

④ 줄행랑을 놓은

⑤ 가도 오도 못한

어휘·어법 TIP

• **날을 받다** 결혼식 날짜를 정함.

• **변죽을 울리다** 바로 집어 말을 하지 않고 둘러서 말을 함.

• **발 벗고 나서다** 적극적으로 나섬.

• **줄행랑을 놓다** 낌새를 채고 피하여 달아남.

• **가도 오도 못하다** 한곳에서 자리를 옮기거나 움직일 수 없는 상태가 됨.

어휘력 완성

1 [낱말 이해] [낱말 관계] [낱말 적용] [관용 표현]

다음 그림을 보고, ㉠과 ㉡에 들어갈 알맞은 낱말을 보기 에서 각각 찾아 쓰시오.

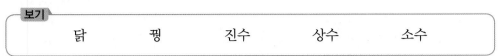

보기

| 닭 | 꿩 | 진수 | 상수 | 소수 |

어? 방금 전에 내가 먹던 치킨 다 어디 갔어? 완전히 ㉠( ) 구워 먹은 자리네.

그러니까 먹는 데 집중을 해야지. 딴 데 신경을 쓰다 보면 이런 일이 벌어지기 ㉡( )란다.

2 [낱말 이해] [낱말 관계] [낱말 적용] [관용 표현]

다음 낱말의 뜻으로 알맞은 것을 찾아 각각 선으로 이으시오.

(1) 항용 • • ㉮ 흔히. 늘.

(2) 확적하다 • • ㉯ 애처롭고 애틋하다.

(3) 애잔하다 • • ㉰ 정확하게 맞아 조금도 틀리지 아니하다.

3 [낱말 이해] [낱말 관계] [낱말 적용] [관용 표현]

다음 글의 밑줄 그은 부분을 표현할 수 있는 한자성어는 무엇입니까? ( )

> 처녀는 울고 있단 말야. 짐작은 대고 있었으나 성 서방네는 <u>한창 어려워서 들고 날 판인 때였지.</u> 한집안 일이니 딸에겐들 걱정이 없을 리 있겠나.

① 구사일생(九死一生)

② 금상첨화(錦上添花)

③ 안분지족(安分知足)

④ 야반도주(夜半逃走)

⑤ 호사다마(好事多魔)

어휘력 +

• **구사일생** 아홉 번 죽을 뻔하다 한 번 살아난다는 뜻으로, 위험한 상황에서 거의 죽을 뻔하다가 겨우 살아남.

• **금상첨화** 좋은 일에 또 좋은 일이 겹침.

• **안분지족** 편안한 마음으로 제 분수를 지키며 만족할 줄 앎.

• **야반도주** 남의 눈을 피하여 한밤중에 도망함.

• **호사다마** 좋은 일에는 흔히 방해되는 일이 많음.

소설 02 봄봄

김유정

• 지문 해설

• 지문 난이도: 중
●─●─●─●─●
• 글자 수: 1362자
─●────●─
1000   1500

[앞부분 줄거리] 점순이와의 성례 문제로 오늘 장인과 대판 싸운 '나'는 어제 일을 회상한다.

그러나 내겐 장인님이 감히 큰소리할 계제가 못 된다.

뒷생각은 못 하고 ㉠뺨 한 개를 딱 때려 놓고는 장인님은 무색해서 덤덤이 쓴 침만 삼킨다. 난 그 속을 퍽 잘 안다. 조금 있으면 갈도 꺾어야 하고, 모도 내야 하고, 한창 바쁜 때인데 나 일 안 하고 우리 집으로 그냥 가면 고만이니까. 작년 이맘때도 트집을 좀 하니까 ㉡늦잠 잔다구 돌멩이를 집어던져서 자는 놈의 발목을 삐게 해 놨다. 사날씩이나 건숭 '끙, 끙.' 앓았드니 종당에는 거반 울상이 되지 않았는가…….
<small>사나흘(3~4일)씩이나</small>

㉮"얘, 그만 일어나 일 좀 해라. 그래야 올 가을에 벼 잘되면 너 장가들지 않니?"
<small>거의</small>

그래 귀가 번쩍 뜨여서 그날로 일어나서 남이 이틀 품 들일 논을 혼자 삶어 놓으니까
<small>다른 사람이 이틀 동안 수고할 일을 혼자 하루 만에 다 끝내 놓으니까</small>
장인님도 눈깔이 커다랗게 놀랐다. 그럼 정말로 가을에 와서 혼인을 시켜 줘야 원 경우가 옳지 않겠나. 볏섬을 척척 들여쌓아도 다른 소리는 없고 물동이를 이고 들어오는 점순이를 담배통으로 가리키며,

"이 자식아, 미처 커야지. 조걸 데리구 무슨 혼인을 한다구 그러니, 원!"
하고 ㉢남 낯짝만 붉게 해 주고 고만이다. 골김에 그저 이놈의 장인님 하고 댓돌에다 메꽂고 우리 고향으로 내뺄까 하다가 꾹꾹 참고 말았다.

참말이지 난 이 꼴 하고는 집으로 차마 못 간다. 장가를 들러 갔다가 오작 못났어야
<small>오죽</small>
그대로 쫓겨 왔느냐고 손가락질을 받을 테니까…….

논둑에서 벌떡 일어나 한풀 죽은 장인님 앞으로 다가서며,

㉯"난 갈 테야유. 그동안 사경 쳐 내슈, 뭐."

㉰"너, 사위로 왔지 어디 머슴 살러 왔니?"

㉱"그러면 얼른 성례를 해 줘야 안 하지유. 밤낮 부려만 먹구 해 준다, 해 준다…….""

㉲"글쎄, 내가 안 하는 거냐, 그년이 안 크니까…….""
하고 어름어름 담배만 담으면서 늘 하는 소리를 또 늘어놓는다.

이렇게 따져 나가면 언제든지 늘 나만 밑지고 만다. ㉢이번엔 안 된다 하고 대뜸 구장님한테로 판단 가자고 소맷자락을 내끌었다.
<small>시골 동네의 우두머리</small>

"아, 이 자식이 왜 이래, 어른을."

안 간다구 뻗디디고 이렇게 호령은 제 맘대로 하지만 장인님 제가 내 기운은 못 당한다. 막 부려 먹고 딸은 안 주고, 게다 땅땅 치는 건 다 뭐야…….

그러나 내 사실 참, 장인님이 미워서 그런 것은 아니다.

그 전날, 왜 내가 새고개 맞은 봉우리 화전 밭을 혼자 갈고 있지 않었느냐. 밭 가생
<small>산이나 들의 초목을 불태우고 그 자리에 농사짓는 밭</small>
이로 돌 적마다 야릇한 꽃내가 물컥물컥 코를 찌르고 머리 위에서 벌들은 가끔 '봉, 봉.'
<small>가장자리</small>
소리를 친다. 바위틈에서 샘물 소리밖에 안 들리는 산골짜기니까 맑은 하늘의 봄볕은 이불 속같이 따스하고 꼭 꿈꾸는 것 같다. 나는 몸이 나른하고 몸살(을 아직 모르지만 병)이 날랴구 그러는지 가슴이 울렁울렁하고 이랬다.
<small>나려고</small>

• 성례(成 이룰 성, 禮 예도 례) 혼인의 예식을 지냄.

• 계제 어떤 일을 할 수 있게 된 형편이나 단계.

• 무색해서 겸연쩍고 부끄러워서.

• 갈 물가 등에 자라는 벗과의 풀.

• 건숭 '건성'의 방언. 어떤 일을 성의 없이 대충 겉으로만 함.

• 종당(從 좇을 종, 當 마땅할 당) 일의 마지막.

• 품 일하는 수고.

• 골김에 비위에 거슬리거나 마음이 언짢아서 성이 나는 김에.

• 댓돌 한국의 전통 주택에서, 마루 아래나 마당에 놓아 디디고 집 안으로 오르내리게 한 돌.

• 사경(私 사사로울 사, 耕 밭갈 경) 머슴이 주인에게서 한 해 동안 일한 대가로 받는 돈이나 물건. = 새경.

• 밑지고 손해를 보고.

• 호령 큰 소리로 꾸짖음.

• 물컥물컥 코를 찌르는 듯이 매우 심한 냄새가 자꾸 나는 듯한 모양.

핵심 요약 **TIP**

점순이와 혼인하는 문제로 장인과 대판 싸운 '내'가 그간 장인에게 당한 일들을 회상하고 있는 부분입니다. 어제, 작년, 그 전날의 일들이 시간 순서와 관계없이 나타나 있습니다. '작년 이맘때', '그 전날' 같은 표현을 잘 살펴봅니다

핵심 요약 내용 흐름 정리하기

1 이 글에 나타난 사건을 정리한 것입니다. 빈칸에 들어갈 적절한 말을 쓰시오.

어제	장인이 뒷생각은 못하고 나의 ( )을 때렸음.
작년 회상	'나'는 ( )들게 해 준다는 장인의 이야기에 속아서 일만 했음.
어제	'나'는 장인에게 성례를 요구하다 ( )에게 판단 가자고 했음.
그 전날	'나'는 봄볕 속에서 몸이 나른하고 ( )이 울렁거리는 기분을 느꼈음.

내용 이해 시간의 흐름에 따른 사건 전개

2 ㉠~㉣을 먼저 일어난 일부터 시간 순서대로 알맞게 배열한 것은 무엇입니까?

(   )

① ㉠ – ㉡ – ㉢ – ㉣

② ㉠ – ㉣ – ㉡ – ㉢

③ ㉡ – ㉢ – ㉠ – ㉣

④ ㉡ – ㉢ – ㉣ – ㉠

⑤ ㉢ – ㉡ – ㉠ – ㉣

내용 이해 인물의 심리 파악하기

3 이 글을 연극으로 공연할 때, ㉮~㉺에 어울리는 말투로 적절하지 <u>않은</u> 것은 무엇입니까? (   )

① ㉮: 부드러운 말투와 **온화한** 태도로 타이르듯이 말한다.

② ㉯: 불만스러운 마음을 드러내기 위해 퉁명스럽게 말한다.

③ ㉰: 큰소리를 지르면서 잘못을 꾸짖듯이 따끔하게 말한다.

④ ㉱: 답답한 마음을 드러내며 따지듯이 힘을 주어 말한다.

⑤ ㉲: 자신의 잘못이 아니라는 듯이 **얼버무리면서** 말한다.

어휘

• **온화한** 따뜻하고 부드러운.

• **얼버무리면서** 말끝을 흐리거나 분명하지 않게 대충 말하는.

추론하기 이론을 바탕으로 추론하기

보기를 참고할 때, 그 전날 이후에 전개될 이야기로 가장 적절한 것은 무엇입니까?

( )

어휘

• **역순행적 구성** 과거와 현재를 오가면서 사건을 전개하는 방식.

• **인과 관계** 한 현상은 다른 현상의 원인이 되고, 그 다른 현상은 먼저의 현상의 결과가 되는 관계.

> **보기**
>
> 시간의 흐름에 따라 사건이 전개되는 고전 소설과 달리, 현대 소설에서는 현재에서 과거로 시간이 뒤바뀌는 **역순행적 구성**이 자주 나타난다. 그것은 현대 소설이 사건들 사이의 **인과 관계**를 중요하게 생각하기 때문이다. 결국 역순행적 구성은 독자에게 사건의 원인을 구체적으로 제시하려는 의도에서 나오는 것이다.

① '내'가 장인을 미워할 수밖에 없게 되는 원인이 나올 것이다.

② 장인을 끌고 구장님에게 가게 된 진짜 원인이 나타날 것이다.

③ 장인이 성례를 시켜 주지 않는 진짜 원인이 드러나게 될 것이다.

④ 장인을 끌고 가는 바람에 '내'가 겪게 되는 사건이 나타날 것이다.

⑤ '나'와 장인이 갈등하게 된 원인과 그 결과가 모두 드러날 것이다.

5 **어휘·어법** 속담

이 글에 나오는 장인의 태도와 관련있는 속담으로 가장 적절한 것은 무엇입니까?

( )

① 혹 떼러 갔다 혹 붙여 온다

② 못된 송아지 엉덩이에 뿔이 난다

③ 대들보 썩는 줄 모르고 기왓장 아낀다

④ 뒷간에 갈 적 마음 다르고 올 적 마음 다르다

⑤ 물에 빠진 놈 건져 놓으니까 내 봇짐 내라 한다

어휘·어법 TIP

• **혹 떼러 갔다 혹 붙여 온다** 자기의 부담을 덜려고 하다가 다른 일까지도 맡게 됨.

• **못된 송아지 엉덩이에 뿔이 난다** 사람답지 못한 사람이 교만하게 굴거나 더욱 엇나감.

• **대들보 썩는 줄 모르고 기왓장 아낀다** 장차 크게 손해 볼 것은 모르고 당장 돈이 조금 든다고 사소한 것을 아낌.

• **뒷간에 갈 적 마음 다르고 올 적 마음 다르다** 급한 일이 끝나고 나면 언제 그랬냐는 듯이 모른 체함.

• **물에 빠진 놈 건져 놓으니까 내 봇짐 내라 한다** 남에게 은혜를 입고서도 그 고마움을 모르고 생트집을 잡음.

어휘력 완성

`낱말 이해` `낱말 관계` `낱말 적용` `관용 표현`

1 다음 그림을 보고, ㉠과 ㉡에 들어갈 알맞은 낱말을 보기에서 각각 찾아 쓰시오.

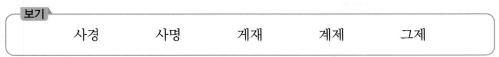

> **보기**
>
> 사경   사명   게재   계제   그제

자네 김 초시 댁에서 일하기로 했다며? 그 집은 ㉠(   )을 적게 준다고 하던데, 어쩌다 그 댁으로 갔나?

내가 지금 이것저것 가릴 ㉡(   )가 아니네. 요즘은 일할 수 있는 곳을 찾는 게 너무 어렵구만.

`낱말 이해` `낱말 관계` `낱말 적용` `관용 표현`

2 다음 낱말의 뜻으로 알맞은 것을 찾아 각각 선으로 이으시오.

(1) 품 •   • ㉮ 일의 마지막.

(2) 종당 •   • ㉯ 어떤 일에 드는 힘이나 수고.

(3) 판단 •   • ㉰ 사물을 인식하여 논리나 기준 등에 따라 판정을 내림.

`낱말 이해` `낱말 관계` `낱말 적용` `관용 표현`

3 다음 글에서 밑줄 그은 부분과 같은 말을 표현한 한자성어는 무엇입니까? (   )

> "얘, 그만 일어나 일 좀 해라. 그래야 올 가을에 벼 잘되면 너 장가들지 않니?"
> 그래 귀가 번쩍 뜨여서 그날로 일어나서 남이 이틀 품 들일 논을 혼자 삶어 놓으니까 장인님도 눈깔이 커다랗게 놀랐다.

① 감언이설(甘言利說)

② 백해무익(百害無益)

③ 소탐대실(小貪大失)

④ 자업자득(自業自得)

⑤ 사필귀정(事必歸正)

어휘력 +

- **감언이설** 남을 속이기 위하여 남의 비위를 맞추거나 이로운 듯이 꾸며서 하는 말.

- **백해무익** 해롭기만 하고 하나도 이로운 바가 없음.

- **소탐대실** 작은 것을 탐하다가 큰 것을 잃음.

- **자업자득** 스스로 지은 잘못의 나쁜 결과를 자기가 받음.

- **사필귀정** 모든 일은 반드시 바른길로 돌아감.

춘향전

· 지문 해설

· 지문 난이도: 중

· 글자 수: 1279자
1000 1500

[앞부분 줄거리] 남원 사또의 아들 이몽룡과 기생 월매의 딸 성춘향은 사랑에 빠진다. 사또 임기가 끝난 아버지를 따라 몽룡이 한양으로 가며 둘은 이별하고, 춘향은 새로 부임한 변학도의 수청을 거부하다 옥에 갇힌다. 그 뒤 장원 급제한 이몽룡이 암행어사의 신분으로 남원에 내려오고, 암행어사 출두를 하여 변학도와 탐관오리들을 잡아들인다.
_{왕의 명을 받아 백성들의 어려움을 살피던 임시 벼슬}

절차에 따라 옥의 형리를 불러 분부하되, "옥에 갇힌 죄인들을 다 올려라." 호령하니 죄인을 올리거늘 다 각각 죄를 물은 후에 죄 없는 자들을 풀어 줄 때,

"저 계집은 무엇인고?"

형리가 아뢴다. "기생 월매의 딸인데 관가에서 포악을 떤 죄로 옥중에 있사옵니다."
_{춘향의 어머니}
"무슨 죄인고?"

"본관 사또를 모시라고 불렀더니 절개를 지킨다면서 사또 명을 거역하고 사또 앞에
_{= 변 사또(변학도)}
서 악을 쓴 춘향이로소이다."

어사또 분부하되, "너만 한 년이 수절한다고 나라의 관리를 욕보였으니 살기를 바랄
_{= 암행어사(이몽룡)}
것이냐. 죽어 마땅할 것이나 기회를 한 번 더 주마. 내 수청도 거역할 테냐?"

이 어사는 춘향의 마음을 떠보려고 짐짓 한번 다그쳐 보는 것인데, 춘향은 어이가 없고 기가 콱 막힌다.

"㉠내려오는 사또마다 빠짐없이 명관이로구나! 어사또 들으시오. 층층이 높은 절벽 높은 바위가 바람이 분들 무너지며, 푸른 솔 푸른 대가 눈이 온들 변하리까. 그런 분부 마옵시고 어서 빨리 죽여 주오."

하면서 무슨 생각이 났는지 황급히 이리저리 두리번거리며 향단이를 찾는다.

"향단아, 서방님 혹시 어디 계신가 살펴보아라. 어젯밤 오셨을 때 천만당부했는데 어
_{간곡한 당부}
디를 가셨는지, 나 죽는 줄도 모르시는가? 어서 찾아보아라."

어사또 다시 분부하되, "얼굴을 들어 나를 보아라."

하시기에 춘향이 천천히 고개를 들어 위를 살펴보니, 어제 거지로 찾아왔던 낭군이 어사또로 뚜렷이 앉아 있었다. 순간, 춘향은 깜짝 놀라 눈을 질끈 감았다가 떴다.

"나를 알아보겠느냐? 네가 찾는 서방이 바로 여기 있느니라."

어사또는 즉시 춘향의 몸을 묶은 오라를 풀고 위로 모시라고 명을 내렸다. ㉢몸이 풀린 춘향은 웃음 반 울음 반으로,

"얼씨구나 좋을씨고, 어사 낭군 좋을씨고. 남원읍에 가을 들어 낙엽처럼 질 줄 알았
_{아내가 남편을 정답게 이르는 말}
더니 객사에 봄이 들어 봄바람에 핀 오얏꽃이 날 살리네. 꿈이냐 생시냐? 꿈이 깰까 염려로다."

한참 이렇게 즐길 적에 뒤늦게 달려온 춘향 모 월매도 입이 찢어져라 벙글벙글 웃으며 어깨춤을 추고, 구경 왔던 남원 고을 백성들도 얼씨구 덩실 춤을 추었다. 어사또는 춘향의 손을 잡고 놓을 줄을 모르고 쌓였던 사연의 실타래는 끝날 줄을 몰랐으니, ㉡그 한없이 즐거운 일을 어찌 일일이 말로 하겠는가.

· 수청(守 지킬 수, 廳 관청 청) 아녀자나 기생이 높은 벼슬아치의 시중을 들던 일.

· 탐관오리(貪 탐할 탐, 官 벼슬 관, 汚 더러울 오, 吏 벼슬아치 리) 재물에 대한 욕심이 많고 행실이 깨끗하지 못한 벼슬아치.

· 형리(刑 형벌 형, 吏 벼슬아치 리) 지방 관아의 형방에서 일하는 사람.

· 포악(暴 사나울 포, 惡 악할 악) 사납고 모질고 악독함.

· 본관(本 근본 본, 官 벼슬 관) 고을의 수령을 이르던 말. 이 글에서는 '변학도'를 가리킴.

· 절개(節 마디 절, 槪 대개 개) 신념이나 결심을 굽히거나 바꾸지 않고 지키는 충실한 태도나 마음.

· 수절(守 지킬 수, 節 마디 절) 정절을 지킴.

· 짐짓 마음으로는 그렇지 않으나 일부러 그렇게.

· 명관(名 이름 명, 官 벼슬 관) 정치를 잘하여 이름이 난 관리.

· 오라 죄인을 묶는 데 쓰던 굵고 붉은 줄.

정답 및 풀이 03쪽

핵심 요약 내용 흐름 정리하기

1 이 글에서 일어난 일을 인물을 중심으로 정리한 것입니다. 빈칸에 들어갈 적절한 말을 쓰시오.

| 몽룡 | ( )의 마음을 떠보기 위해 자신의 수청을 들라고 함. |

↓

| 춘향 | 어사또의 ( ) 요구를 거절하며 자신을 죽이라고 함. |

↓

| 몽룡 | 춘향에게 ( )을 들어 자신을 보라고 함. |

↓

| 춘향 | 몽룡이 ( )임을 확인하고 기뻐함. |

핵심 요약 TIP

춘향이 어사또의 정체를 알게 되고 모든 갈등이 해소되는 장면입니다. 몽룡은 죄인을 다 올리라고 한 뒤 춘향을 떠보는 질문을 하여 춘향의 마음을 확인하고, 자신이 어사또가 되었음을 알립니다. 춘향은 어사또가 된 몽룡을 보고 기뻐합니다. 몽룡과 춘향이 한 말을 중심으로 살펴봅니다.

내용 이해 세부 내용 파악하기

2 이 글을 통해 알 수 있는 내용으로 적절한 것은 무엇입니까? ( )

① 춘향은 수청을 들라는 어사또의 명령에 겁을 먹었다.
② 춘향은 본관 사또의 명을 거역하여 옥에 갇혀 있었다.
③ 월매는 어사또가 몽룡이라는 사실을 춘향보다 먼저 알았다.
④ 어사또는 춘향을 놀리기 위해 향단에게 몽룡을 찾아오라고 했다.
⑤ 어사또는 춘향이 나라의 관리를 욕보였으니 벌을 받아야 한다고 생각했다.

표현 서술상의 특징 파악하기

3 ㉠과 ㉡에 대한 설명으로 적절하지 않은 것은 무엇입니까? ( )

① ㉠과 ㉡은 같은 대상에게 하는 말이다.
② ㉠과 ㉡은 모두 주어진 상황에 대한 판단을 드러내고 있다.
③ ㉠은 등장인물의 말이지만, ㉡은 서술자의 설명에 해당한다.
④ ㉠과 달리 ㉡은 물어보는 형식을 통해 의미를 강조하고 있다.
⑤ ㉡과 달리 ㉠은 속마음과 반대로 표현하여 대상을 비꼬고 있다.

어휘
· **서술자** 이야기를 말해 주는 서술의 기능을 하는 허구적 화자.

감상 이론을 바탕으로 감상하기

보기를 참고하여 이 글의 인물을 분류할 때, 가장 적절한 것은 무엇입니까?

(   )

> **보기**
>
> 　소설의 인물은 중요도에 따라 '중심인물'과 '주변 인물'로 나눌 수 있으며, 작품 속에서 성격이 변하지 않는 '평면적 인물'과 사건의 진행에 따라 성격이 변하는 '입체적 인물'로 나눌 수도 있다. 또 작품 속에서의 역할에 따라, 사건을 **주도하여** 이끌어 가는 '주동 인물'과 그런 '주동 인물'과 **대립하는** '반동 인물'로 나누기도 한다.

① '춘향'은 '입체적 인물'이지만, '몽룡'은 '평면적 인물'로 볼 수 있다.

② '형리'는 '주변 인물'이지만, '월매', '향단'은 '중심인물'로 볼 수 있다.

③ '춘향'은 '중심인물'이지만, '몽룡'과 춘향 모 '월매'는 '주변 인물'로 볼 수 있다.

④ '춘향'과 '몽룡'은 '주동 인물'이지만, 본관 사또인 '변학도'는 '반동 인물'로 볼 수 있다.

⑤ '춘향', '몽룡', '월매', '향단', '형리'는 모두 작품 속에서 성격이 변하는 '입체적 인물'이다.

어휘

- **주도하여** 주동적인 처지가 되어 이끄는.
- **대립하는** 의견, 처지, 속성 등이 서로 반대되거나 모순되는.

5

어휘·어법 한자성어

㉮에 드러난 춘향의 상황과 어울리는 한자성어로 적절한 것은 무엇입니까?

(   )

① 희희낙락(喜喜樂樂)

② 일희일비(一喜一悲)

③ 애이불비(哀而不悲)

④ 박장대소(拍掌大笑)

⑤ 포복절도(抱腹絕倒)

어휘·어법 TIP

- **희희낙락** 매우 기뻐하고 즐거워함.
- **일희일비** 한편으로는 기뻐하고 한편으로는 슬퍼함.
- **애이불비** 슬프지만 겉으로는 슬픔을 나타내지 않음.
- **박장대소** 손뼉을 치며 크게 웃음.
- **포복절도** 배를 안고 넘어질 정도로 몹시 웃음.

1 낱말 이해 | 낱말 관계 | 낱말 적용 | 관용 표현

다음 그림을 보고, ㉠과 ㉡에 들어갈 알맞은 낱말을 보기 에서 각각 찾아 쓰시오.

보기

| 형리 | 낭군 | 본관 | 어사또 | 탐관오리 |

주상전하, 남원의 ㉠(　　　) 변학도에 대한 백성들의 원성이 자자하다 하옵니다.

변 사또가 ㉡(　　　)라는 말인가? 당장 남원에 암행어사를 내려 보내 사실을 알아보도록 하라.

2 낱말 이해 | 낱말 관계 | 낱말 적용 | 관용 표현

다음 낱말의 뜻으로 알맞은 것을 찾아 각각 선으로 이으시오.

(1) 오라 ・

(2) 짐짓 ・

(3) 포악 ・

・㉮ 사납고 모질고 악독함.

・㉯ 죄인을 묶을 때 쓰던 굵고 붉은 줄.

・㉰ 마음으로는 그렇지 않으나 일부러 그렇게.

3 낱말 이해 | 낱말 관계 | 낱말 적용 | 관용 표현

다음 말에서 드러나는 춘향의 마음을 표현하기에 알맞은 한자성어는 무엇입니까?

(　　　)

"층층이 높은 절벽 높은 바위가 바람이 분들 무너지며, 푸른 솔 푸른 대가 눈이 온들 변하리까. 그런 분부 마옵시고 어서 빨리 죽여 주오."

① 유구무언(有口無言)
② 일편단심(一片丹心)
③ 동상이몽(同床異夢)
④ 설상가상(雪上加霜)
⑤ 백척간두(百尺竿頭)

어휘력 ➕

• **유구무언** 입은 있으나 할 말이 없다는 뜻. 변명할 말이 없음.

• **일편단심** 변함이 없는 참된 충성이나 정성.

• **동상이몽** 같은 자리에 자면서 다른 꿈을 꾼다는 뜻. 겉으로는 같이 행동하면서도 속으로는 각각 딴생각을 하고 있음.

• **설상가상** 어려운 일이 계속 겹쳐서 일어남.

• **백척간두** 백 자나 되는 높은 장대 위에 올라섰다는 뜻. 몹시 어렵고 위태로움.

아픈 역사를 돌아보다

폴란드의 소녀

작가
에브 퀴리

작품 배경
1867년~1934년,
폴란드와 프랑스

소녀 마리 퀴리

러시아 제국의 지배를 받던 폴란드에서 태어났으며 애국심이 매우 강함.

시간이 흘러 마리 퀴리는 프랑스 대학에 진학함.

마리 퀴리

프랑스에서 과학자로 활약함. 라듐을 발견하고 금속 라듐을 분리하는 등 방사선 연구에 큰 업적을 남김.

수록 부분

발단
마리 퀴리는 1867년에 폴란드의 바르샤바에서 한 교육자의 딸로 태어남.

→

전개
당시 폴란드는 러시아의 지배를 받았기 때문에 폴란드어와 역사를 몰래 배움.

→

위기
프랑스 소르본 대학에서 수학과 물리학을 전공하였으며 과학자 피에르 퀴리와 결혼함.

→

절정
퀴리 부부는 우라늄 광석에서 순수한 라듐을 발견한 공로로 노벨상을 수상함.

→

결말
마리는 과도한 방사능 노출로 백혈병, 골수암 등의 병에 걸려 67세의 나이로 사망함.

상록수

작가
심훈

작품 배경
1930년대 일제 강점기,
가난하고 낙후된 농촌

동혁
일제의 탄압에 의지를 가지고 맞서는 농촌 계몽 운동가.

동혁이 세운 농우회의 회원들을 돈으로 꼬드겨 진흥회로 바꾸게 함.

강기천

동혁의 동생이 화가 나서 마을 회관에 불을 지르자 동생 대신 감옥에 수감됨.

지주의 아들로 욕심이 많으며 동혁의 농촌 계몽 운동을 방해함.

농촌 계몽 운동을 하다 인연을 맺고, 결혼을 약속함.

영신

동혁과 같은 농촌 계몽 운동가로, 아이들에게 한글을 가르침.

수록 부분

발단	**전개**	**위기**	**절정**	**결말**
동혁과 영신은 농촌 계몽 운동을 하다 인연을 맺게 되었고, 결혼을 약속함.	동혁과 영신은 일제의 방해를 받게 되지만 이를 견디며 농촌 계몽 운동을 함.	영신은 과로로 쓰러지고 동혁은 강기천의 계략으로 방화 사건에 엮이어 감옥에 갇힘.	동혁이 감옥에 가 있는 사이 영신은 계속된 피로 누적으로 병이 악화되어 세상을 떠남.	동혁은 영신의 죽음을 알게 되고 영신의 몫까지 농촌 계몽을 위해 헌신할 것을 다짐함.

수난이대

작가
하근찬

작품 배경
일제 강점기, 6·25 전쟁 직후의 경상도 시골 마을

박만도

박진수

다리를 잃고 돌아온 아들을 위로함.

아버지께 위로받고 삶의 의지를 되찾음.

아들을 업고 외나무다리를 건넘.

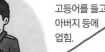

고등어를 들고 아버지 등에 업힘.

진수의 아버지. 일제 강점기 때 징용에 끌려가 팔 한쪽을 잃음.

6.25 전쟁 중 한쪽 다리를 잃고 돌아옴.

수록 부분

발단	**전개**	**위기**	**절정**	**결말**
만도는 아들이 돌아온다는 소식을 듣고 마중을 나감.	만도는 징용에 끌려가 팔 한쪽을 잃었던 일을 회상함.	만도는 전쟁에서 다리 한쪽을 잃고 돌아온 아들을 만남.	만도는 자신이 처한 상황이 괴로워 주막에서 술을 마심.	만도는 개천 둑을 지나다 마주친 외나무다리를 아들을 업고 건넘.

에브 퀴리

중등 교과서 수록 작품

• 지문 해설

• 지문 난이도: 중
●─●─●─○─○

• 글자 수: 1333자
├───┬───┤
1000 1500

교실 안은 잠잠하다. 거기에는 침묵 이상의 무엇이 있었다. 역사 교과는 굉장히 열중한 분위기를 자아낸다. 스물다섯 명의 흥분한 작은 애국자들의 눈과 투팔스카 선생의 우락부락한 얼굴에는 깊은 감격의 빛이 떠돈다.

여러 해 전에 돌아가신 왕에 대해서 이야기하며, 마리아는 더할 수 없이 격한 말씨로 딱 잘라 말한다. "불행히도 그는 용기가 없는 분이었습니다."

별로 애교가 없는 선생도, 그에게서 폴란드 말로 폴란드 역사를 배우는 매우 영리한 학생들도, 은근히 공범자요 공모자인 모양이다.

별안간, 참말 공범자인 것 같이 일동은 멈칫한다. 층대 위에 달려 있는 ㉠전기 벨이 조심스럽게 울린 것이다. 길게 두 번, 짧게 두 번.

이 신호가 들리자마자, 조용하고도 심한 동요가 일어난다. 투팔스카 선생은 급히 일어나서, 흩어진 자기 책을 빨리빨리 주워 모은다. 재빠른 손들이 책상 위에서, 폴란드 말로 쓴 교과서와 노트를 휩쓸어, 날랜 학생 다섯 명의 앞치마에 포개 놓는다. 이들은 그렇게 쓸어 담은 물건을 가지고 기숙생들의 침실로 통하는 문으로 빠져 나간다. 걸상 움직이는 소리, 책상 뚜껑을 조용히 여닫는 소리. ㉡다섯 학생이 숨을 할딱거리며 다시 자리에 돌아와 앉는다. 그러자 교실 문이 열린다.

문지방 위에는 훌륭한 제복 – 누런 바지와 반짝거리는 단추가 달린 나사 저고리 – 에 가죽 띠를 졸라맨, 바르샤바의 사립학교 담당 시학관 호른베르크가 나타난다. 머리를 짧게 깎은 뚱뚱한 사람이다. 얼굴은 기름기가 반지르르하고, 두 눈은 금테 안경 뒤에서 날카롭게 빛난다. (중략)

"황실 가족의 이름과 존호를 말해 보아라." "황후 폐하, 차레비치 전하, 대공 전하, ……."

퍽 많은 존호를 죽 부르고 났을 때에, 호른베르크의 얼굴에는 웃음이 떠올랐다. 참말이지 썩 잘 대답했다. 이 사내는, 마리아의 고민, 반항심을 감추려는 노력으로 말미암아 뻣뻣해진 그의 얼굴 같은 것은 보지 못하는 것이다. 혹은 보고도 못 본 체하는지도 모른다.

"황제의 존호는 무엇이냐?" "벨리체스트보." "그리고 내 칭호는?" "비소코로디에."

시학관은 자기 생각으로는 수학이나 문법보다도 중요하다고 보는 계급 문제를 시시콜콜히 물어보기 좋아하는 것이다. 단순히 재미를 볼 생각으로 그는 다시 물었다.

"우리를 다스리시는 분은 누구시냐?"

교장과 학생감은 활활 타는 듯한 눈을 가리기 위하여, 그들 앞에 있는 장부를 들여다보고 있다. 대답이 이내 나오지 아니하니까, 호른베르크는 안타까워서 좀 크게 뇐다.

"우리를 다스리시는 분은?" "러시아 전체의 황제 알렉산드르 2세입니다."

마리아는 얼굴이 납덩이가 되어 가지고 간신히 대답한다. 문답은 끝났다. 시학관은 의자에서 일어나 가볍게 인사한 뒤에, 시코르스카 교장의 앞장을 서서 옆 교실로 향한다.

• 공범자(共 함께 공, 犯 범할 범, 者 놈 자) 함께 계획하여 범죄를 저지른 사람.

• 공모자(共 함께 공, 謀 꾀할 모, 者 놈 자) 공동으로 좋지 못한 일을 계획한 여러 사람.

• 층대 돌이나 나무 등으로 여러 층이 지게 단을 만들어서 높은 곳을 오르내릴 수 있게 만든 설비.

• 동요(動 움직일 동, 搖 흔들릴 요) 물체 따위가 흔들리고 움직임.

• 바르샤바(Warszawa) 폴란드에 있는 도시.

• 존호(尊 높을 존, 號 부르짖을 호) 남을 높여 부르는 칭호.

• 칭호 어떠한 뜻으로 일컫는 이름.

• 시시콜콜히 자질구레한 것까지 낱낱이 따지거나 다루는 모양.

• 뇐다 지나간 일이나 한 번 한 말을 여러 번 거듭 말한다.

핵심 요약 TIP

이 글에는 러시아의 지배를 받고 있던 폴란드의 한 교실에서 벌어진 이야기가 담겨 있습니다. 폴란드어로 역사 수업을 받던 중 시학관이 들어오며 벌어진 일을 순서대로 정리해 봅니다.

1 핵심 요약   내용 흐름 정리하기

다음은 이 글에서 일어난 일을 순서대로 정리한 것입니다. 빈칸에 들어갈 적절한 말을 쓰시오.

> 역사 수업 시간에 폴란드 말로 (   )를 배우고 있음.

⬇

> (   )이 울리자 선생님과 학생들이 교과서와 노트를 급히 치움.

⬇

> (   )이 마리아에게 폴란드를 다스리는 사람에 대해 질문함.

⬇

> 마리아는 간신히 (   ) 황제라고 대답함.

2 내용 이해   세부 내용 파악하기

다음 중 이 글을 이해한 내용으로 적절한 것은 무엇입니까? (   )

① 투팔스카 선생님은 러시아 역사를 가르쳤다.

② 교장은 대답을 하지 않는 마리아를 **책망했다.**

③ 시학관은 교장의 뒤를 따라 옆 교실로 이동했다.

④ 마리아는 시학관의 질문에 대한 반항심을 **억눌렀다.**

⑤ 문지기는 시학관이 교실에 들어온 뒤에야 벨을 울렸다.

어휘

• **책망했다** 잘못을 꾸짖거나 나무라며 못마땅하게 여겼다.

• **억눌렀다** 어떤 감정이나 심리 현상 등이 일어나거나 나타나지 아니하도록 스스로 참았다.

3 내용 이해   소재의 기능 파악하기

㉠에 대한 설명으로 적절한 것은 무엇입니까? (   )

① 인물 간 갈등을 부추기는 소재이다.

② 인물이 과거를 회상하는 수단이 된다.

③ 공간적 배경이 전환되는 원인이 된다.

④ 이야기의 분위기가 바뀌는 계기가 된다.

⑤ 이야기의 비현실성을 드러내는 요소이다.

감상 외부 정보를 바탕으로 감상하기

4 다음 보기를 참고하여 이 글을 감상한 내용으로 적절하지 않은 것은 무엇입니까?

( )

보기

「폴란드의 소녀」는 폴란드의 과학자 마리 퀴리(퀴리 부인)의 전기 소설의 일부이다. 퀴리 부인의 학창 시절, 폴란드는 러시아의 지배를 받고 있었으며 러시아는 학교에서 폴란드어를 가르치지 못하도록 하였다. 이에 폴란드 학교에서는 몰래 폴란드어와 역사를 가르치며 학생들에게 **자긍심**과 역사의식을 **고취하고자** 하였다. 이 소설은 이처럼 나라를 잃은 국민의 아픔과 **빼**앗긴 나라에 대한 애국심이 잘 드러나 있다.

① 시학관의 물음에 납덩이가 된 얼굴로 간신히 대답하는 마리아의 표정에서 나라를 잃은 국민의 아픔을 느낄 수 있군.

② 벨 소리에 교과서와 노트를 급히 감춘 것은 폴란드어와 역사 수업이 금지되어 있었던 당시 시대적 상황과 관련 있겠군.

③ 시학관이 마리아의 **뻣뻣해진** 얼굴에 불쾌감을 느낀 것은 폴란드 국민들의 애국심을 대수롭지 않게 여겼기 때문이겠군.

④ 폴란드 역사 수업이 열중한 분위기 속에서 진행된 것으로 보아 폴란드 국민으로서 역사의식을 고취하고자 하는 모습을 엿볼 수 있군.

⑤ 시학관이 '우리를 다스리시는 분은 누구시냐?'고 재차 물은 것은 러시아가 폴란드를 지배하고 있다는 사실을 확인시키기 위한 것이겠군.

어휘·어법 한자성어

5 ⓛ의 상황을 한자성어로 표현한 것으로 적절하지 않은 것은 무엇입니까? ( )

① '풍전등화(風前燈火)'라더니 바람 앞의 등불 같은 상황이군.

② '정저지와(井底之蛙)'라더니 우물 안의 개구리 같은 상황이군.

③ '초미지급(焦眉之急)'이라더니 눈썹에 불이 붙은 듯한 상황이군.

④ '누란지위(累卵之危)'라더니 마치 계란을 쌓아 놓은 듯한 상황이군.

⑤ '백척간두(百尺竿頭)'라더니 높은 장대 위에 매달린 듯한 상황이군.

어휘

• **자긍심** 스스로에게 긍지를 가지는 마음.

• **고취하고자** 의견이나 사상 등을 열렬히 주장하여 불어넣고자.

어휘·어법 TIP

• **풍전등화** 바람 앞의 등불이라는 뜻으로, 사물이 매우 위태로운 처지에 놓여 있음을 비유적으로 이르는 말.

• **정저지와** 우물 안 개구리라는 뜻으로, 견문이 좁고 세상 형편에 어두운 사람을 비유적으로 이르는 말.

• **초미지급** 눈썹에 불이 붙었다는 뜻으로, 매우 급함을 이르는 말.

• **누란지위** 층층이 쌓아 놓은 알의 위태로움이라는 뜻으로, 몹시 아슬아슬한 위기를 비유적으로 이르는 말.

• **백척간두** 백 자나 되는 높은 장대 위에 올라섰다는 뜻으로, 몹시 어렵고 위태로운 지경을 이르는 말.

어휘력 완성

어휘력 ➕

• **죄고** 긴장하거나 마음을 졸이고, 또는 그렇게 되고.

• **뇌고** 지나간 일이나 한 번 한 말을 여러 번 거듭 말하고.

• **시시콜콜** 자질구레한 것까지 낱낱이 따지거나 다루는 모양.

• **시시껄렁** 신통한 데가 없이 하찮고 꼴답잖음.

1 낱말 이해 낱말 관계 낱말 적용 관용 표현
다음 그림을 보고, ㉠과 ㉡에 들어갈 알맞은 낱말을 보기 에서 찾아 각각 쓰시오.

보기

| 죄고 | 뇌고 | 시시콜콜 | 시시껄렁 |

상유야, 아까부터 뭘 중얼중얼 ㉠( ) 있는 거야?

아, 내일 역사 퀴즈가 있는데 왕들의 이름까지 ㉡( ) 한 걸 다 물어보시거든. 그래서 외우는 중이야.

2 낱말 이해 낱말 관계 낱말 적용 관용 표현
다음 ㉠과 ㉡의 관계와 같은 관계에 있는 낱말을 짝 지은 것으로 알맞지 않은 것은 무엇입니까? (   )

㉠칭호(稱號): 어떠한 뜻으로 일컫는 이름.
㉡존호(尊號): 남을 높여 부르는 칭호.

① 악기 : 피아노　　　　　② 학생 : 초등학생
③ 자동차 : 버스　　　　　④ 구기 종목 : 축구
⑤ 떡볶이 : 김밥

3 낱말 이해 낱말 관계 낱말 적용 관용 표현
다음 선생님의 질문에 대한 답으로 적절한 것은 무엇입니까? (   )

선생님 : '납덩이'는 납으로 된 덩이인데 '얼굴이 납덩이가 되어 가지고'는 진짜 '납덩이'가 된 것이 아니라, 얼굴에 핏기가 없는 모습을 비유적으로 표현하는 말이죠. 이렇게 비유적인 표현을 사용한 예를 찾아볼까요?

① 산불 현장의 여기저기에서 불덩이가 튀어 올랐다.
② 갓 태어난 핏덩이를 두고 그냥 떠날 수는 없었다.
③ 사육사는 사자에게 고깃덩이를 몇 개 던져 주었다.
④ 바람이 불 때마다 나뭇가지에서 눈덩이가 떨어졌다.
⑤ 냇물 위에는 밟을 수 있도록 돌덩이가 몇 개 있었다.

상록수

심훈

중등 교과서 수록 작품

- 지문 해설

- 지문 난이도: 상
- 글자 수: 1372자
  1000   1500

'오냐, 예배당이 터지도록 모여 오너라. 여름만 되면 나무 그늘도 좋고, 달밤이면 등불도 ㉠일없다.' 하고 들어오는 대로 받아서, 그 곳 보통학교를 졸업한 젊은 사람들의 응원을 얻어, 남자와 여자와 초급과 상급으로 반을 나누어 가르치기 시작했다. 영신을 숭배하고 일을 도와주는 순진한 청년이 서너 명이나 되지만 그 중에도 주인집의 외아들인 원재는, 영신의 말이라면 절대로 복종하는 심복이었다. 같은 집에 살기도 하지만 상급 학교에는 가지 못하는 처지라 틈틈이 영신에게서 중등 학과를 배우는 진실한 청년이다.

가뜩이나 후락한 예배당 안은 콩나물을 기르는 것처럼 아이들로 빽빽하다. 선생이 비비고 드나들 틈이 없을 만큼 꼭꼭 찼다. 아랫반에서,

"'가'자에 ㄱ 허면 '각' 허구." "'나'자에 ㄴ 허면 '난' 허구."

하면서 다리도 못 뻗고 들어앉은 아이들은 고개를 반짝 들고 칠판을 쳐다보면서 제비 주둥이 같은 입을 일제히 벌렸다 오므렸다 한다. 그러면 윗반에서는 『농민 독본』을 펴 놓고,

"잠자는 자 잠을 깨고 눈먼 자 눈을 떠라. 부지런히 일을 하야 살 길을 닦아 보세."

하며 목청이 찢어져라고 선생의 입내를 낸다. 그 소리를 가까이 들으면 귀가 따갑도록 시끄럽지만 멀리 축동 밖에서 들을 때,

'아아, 너희들이 인제야 눈을 떠 가는구나!' 하며 영신은 어깨춤이 저절로 났다.

그러던 어느 날 저녁때였다. 영신의 신변을 노상 주목하고 다니던 순사가 나와서 다짜고짜, "주임이 당신을 보자는데, 내일 아침까지 주재소로 출두를 하시오."

하고 한마디를 이르고는 말대답을 들을 사이도 없이 자전거를 되집어 타고 가 버렸다.

'무슨 일로 호출을 할까?' '강습소 기부금은 오백 원까지 모집을 해도 좋다고, 허가를 해 주지 않았는가?' 영신은 일이 손에 잡히지 않았다. 웬만한 일 같으면 출장 나온 순사에게 통지만 해도 그만일 텐데, 일부러 몇십 리 밖에서 호출까지 하는 것은 무슨 까닭이 붙은 일인지 도무지 알 수가 없었다. 영신이가 처음 내려오던 해부터 이 일 저 일에 줄곧 간섭을 받아 왔었지만, 강습소 일이나 부인 친목계며 그 밖에 하는 일을 잘 양해를 시켜 오던 터이라 더욱 의심이 나지 않을 수 없었다. (중략)

영신과 주재소 주임 사이에 주고받은 대화나 그 밖의 이야기는 기록하지 않는다. 그러나 호출한 요령만 따서 말하면, '첫째는 예배당이 좁고 후락해서 위험하니 아동을 팔십 명 이외는 한 사람도 더 받지 말라는 것과, 둘째는 기부금을 내라고 너무 강제 비슷이 청하면 법률에 저촉이 된다.'는 것을 단단히 주의시키는 것이었다. 영신은 여러 가지로 변명도 하고 오는 아이들을 안 받을 수는 없다고 사정사정하였으나, '상부의 명령이니까 말을 듣지 아니하면 강습소를 폐쇄시키겠다.'고 을러메어서 영신은 하는 수 없이 입술을 깨물고 주재소 문 밖을 나왔다.

- 보통학교 일제 강점기에, 우리나라 사람들에게 초등 교육을 하던 학교.

- 숭배하고 우러러 공경하고.

- 후락한 낡고 썩어서 못 쓰게 된.

- 농민 독본(農 농사 농, 民 백성 민, 讀 읽을 독, 本 근본 본) 일제 강점기에 농민들이 글을 익히기 위해 읽은 책.

- 입내 소리나 말로써 내는 흉내.

- 축동(築 쌓을 축, 垌 항아리 동) 물을 막기 위하여 크게 둑을 쌓음. 또는 그 둑.

- 순사(巡 돌 순, 査 사실할 사) 일제 강점기에 둔, 경찰관의 가장 낮은 계급. 지금의 순경.

- 주재소 일제 강점기에, 순사가 머무르면서 사무를 맡아보던 경찰의 말단 기관.

- 요령(要 중요할 요, 領 거느릴 령) 가장 긴요하고 으뜸이 되는 골자나 줄거리.

- 저촉(抵 거스를 저, 觸 닿을 촉) 법률이나 규칙 등에 위반되거나 어긋남.

- 을러메어서 위협적인 언동으로 남을 억눌러서.

핵심 요약 **TIP**

이 글의 마지막 문단에 영신과 주재소 주임의 갈등이 드러나 있습니다. 주임이 영신에게 어떤 요구를 하였고, 그에 대해 영신이 어떤 대답을 하였는지 그리고 영신의 대답에 주임은 다시금 어떤 요구를 하였는지 등을 순서대로 정리해 봅니다.

1 핵심 요약 · 주요 내용 정리하기

다음은 영신과 주재소 주임의 대화를 중심으로 이 글의 갈등을 정리한 것입니다. 빈칸에 들어갈 알맞은 말을 쓰시오.

> 아동 (　　　　) 명 이외에는 한 사람도 더 받지 말 것.

→

> 오는 아이들을 받지 않을 수 없음.

↓

> 상부의 명령을 듣지 않으면 강습소를 (　　　) 시킬 것임.

→

> 입술을 (　　　　) 주재소를 나옴.

➡ (　　　　　) 운영을 둘러싼 영신과 주재소 주임의 외적 갈등

2 내용 이해 · 세부 내용 파악하기

다음 중 이 글의 내용으로 적절하지 <u>않은</u> 것은 무엇입니까? (　　　)

① 영신은 예배당에서 아이들에게 한글을 가르쳤다.
② 영신은 강습소 일 이외에 다른 일도 하고 있었다.
③ 원재는 영신의 일을 도와주는 청년들 중 한 명이었다.
④ 주재소 주임은 영신의 일에 처음에는 간섭하지 않았다.
⑤ 주재소로 출두하라는 순사의 말을 듣고 영신은 의아해했다.

3 내용 이해 · 시대적 상황 파악하기

이 글을 통해 알 수 있는 시대적 상황으로 적절하지 <u>않은</u> 것을 두 가지 고르시오.

(　　　　)

① 여자들은 학교에 다니는 것이 금지되었다.
② 순사가 사람들의 행위를 일일이 감시하였다.
③ 주재소의 판단에 따라 강습소를 폐쇄할 수도 있었다.
④ 청년들은 보통학교를 졸업하면 고향에서 농사일을 했다.
⑤ 학교가 아닌 강습소에서 한글을 배우는 아이들이 많았다.

감상 외부 정보를 바탕으로 감상하기

다음 보기 를 참고하여 이 글을 감상한 내용으로 적절하지 않은 것은 무엇입니까?

( )

> **보기**
>
> 「상록수」는 일제가 식민 지배를 강화하기 위해 민족정신 말살 정책의 일환으로 한글 교육을 억압하던 1930년대를 배경으로 한 소설이다. 일제의 탄압에 맞서 지식인들은 농촌 **계몽** 운동을 통해 교육을 받지 못하는 농촌 사람들에게 한글을 가르치며 **문맹** 퇴치에 힘써 민족의식을 **고취하고자** 했다.

① 영신은 문맹 퇴치에 힘쓴 지식인을 대표하는 인물로 볼 수 있군.

② 농촌 아이들을 대상으로 한글을 가르친 것은 농촌 계몽 운동으로 볼 수 있군.

③ 강습소 기부금을 강제로 모금하려고 한 것은 일제가 농촌 계몽 운동을 탄압한 원인으로 볼 수 있군.

④ 주재소 주임이 위험하다는 이유로 강습소 인원을 제한하려는 것은 한글 교육을 억압하는 일제의 정책으로 볼 수 있군.

⑤ 정규 학교가 아닌 강습소에 많은 아이들이 공부하러 온 것은 당시 농촌의 교육 환경이 제대로 갖춰지지 않았음을 알 수 있군.

어휘

• **말살** 있는 사물을 뭉개어 아주 없애 버림.

• **일환** 서로 밀접한 관계로 연결되어 있는 여러 것 가운데 한 부분.

• **계몽** 지식 수준이 낮거나 인습에 젖은 사람들을 가르쳐서 깨우침.

• **문맹** 배우지 못하여 글을 읽거나 쓸 줄을 모름. 또는 그런 사람.

• **고취하고자** 의견이나 사상 등을 열렬히 주장하여 불어넣고자.

5

어휘·어법 어휘의 사전적 의미

다음 보기 는 ㉠의 의미를 사전에서 찾은 것입니다. 보기 를 참고할 때, ㉠과 같은 의미로 사용된 예로 적절하지 않은 것은 무엇입니까? ( )

> **보기**
>
> **일없다**
> 「1」 소용이나 필요가 없다.
>   ㉠ 아무리 발버둥 쳐 봐야 나한테는 일없다.
> 「2」 걱정하거나 개의할 필요가 없다.
>   ㉠ 약 한 첩이면 일없을 아이가 연이틀이나 설사를 하고 있다.

① 그만둬. 이런 위로 따위는 <u>일없어</u>.

② 더 이상 나에게 이야기해 봐야 <u>일없다</u>.

③ 신경 써 주셔서 고맙지만, 저는 <u>일없습니다</u>.

④ 이런 일에 자네 같은 사람 <u>일없네</u>. 돌아가게.

⑤ 월급도 <u>일없고</u> 일만 가르쳐 주시면 그만입니다.

어휘·어법 TIP

• **일없다**
「1」 소용이나 필요가 없다.
㉠ 내가 어깨를 부축하려고 하자 순미는 일없다며 내 손을 뿌리쳤습니다.
「2」 걱정하거나 개의할 필요가 없다.
㉠ 그 사람은 본인은 일없으니 네 걱정이나 하라고 말했습니다.

어휘력 완성

낱말 이해 | 낱말 관계 | 낱말 적용 | 관용 표현

1 다음 그림을 보고, ㉠과 ㉡에 알맞은 낱말을 보기 에서 찾아 각각 쓰시오.

보기
| 국민학교 | 보통학교 | 순사 | 순시 | 순찰 |

소설을 읽다 보면 쓰인 낱말을 통해 어떤 시대의 이야기인지를 알 수 있어요. 예를 들어, 초등학교를 일제 강점기 초반에는 ㉠(   )라고 했답니다. 이런 예로 무엇이 있을까요?

선생님, 일제 강점기에는 순경을 ㉡(   )라고 했습니다.

어휘력 ➕
• **국민학교** '초등학교'의 전 용어.
• **보통학교** 일제 강점기에, 우리나라 사람들에게 초등 교육을 하던 학교.
• **순사** 일제 강점기에 둔, 경찰관의 가장 낮은 계급. 또는 그 계급의 사람.
• **순시** 돌아다니며 사정을 보살핌. 또는 그런 사람.
• **순찰** 여러 곳을 돌아다니며 사정을 살피는 것.

낱말 이해 | 낱말 관계 | 낱말 적용 | 관용 표현

2 다음 낱말의 뜻으로 알맞은 것을 찾아 각각 선으로 이으시오.

(1) 숭배 •   • ㉮ 우러러 공경함.

(2) 요령 •   • ㉯ 법률이나 규칙 등에 위반되거나 어긋남.

(3) 저촉 •   • ㉰ 가장 긴요하고 으뜸이 되는 골자나 줄거리.

낱말 이해 | 낱말 관계 | 낱말 적용 | 관용 표현

3 다음 관용어의 의미로 바르지 <u>않은</u> 것은 무엇입니까? (   )

① '길을 닦다': 관계나 영역을 개척하다.
② '입술을 깨물다': 복수할 계획을 세우다.
③ '눈을 뜨다': 이치나 옳고 그름을 깨달아 알다.
④ '손에 잡히다': 일할 마음이 내키고 능률이 나다.
⑤ '귀가 따갑다': 소리가 날카롭고 커서 듣기에 괴롭다.

• 지문 해설

• 지문 난이도: 중
●─●─●─○─○

• 글자 수: 1377자
○──●──○
1000 1500

"진수야!" / "예." / "니 우짜다가 그래 댔노?"

"전쟁하다가 이래 안 됐심니꺼. 수류탄 쪼가리에 맞았심더." / "응, 그래서?"

"그래서 얼른 낫지 않고 막 썩어 들어가기 땜에 군의관이 짤라 버립디더. 병원에서 예. 아부지!" / "와?" / "이래 가지고 우째 살까 싶습니더."

"우째 살긴 뭘 우째 살아? 목숨만 붙어 있으면 다 사는 기다. 그런 소리 하지 말아."

"……." / "나 봐라. 팔뚝이 하나 없어도 잘만 안 사나. 남 봄에 좀 덜 좋아서 그렇지, 살기사 왜 못 살아."

"차라리 아부지같이 팔이 하나 없는 편이 낫겠어예. 다리가 없어노니, 첫째 걸어댕기기에 불편해서 똑 죽겠심더."

"야야. 안 그렇다. 걸어댕기기만 하면 뭐하노, 손을 지대로 놀려야 일이 뜻대로 되지." / "그러까예?" / "그렇다니, 그러니까 집에 앉아서 할 일은 니가 하고, 나댕기메 할 일은 내가 하고, 그라면 안 되겠나, 그제?" "예" (중략)

개천 둑에 이르렀다. 외나무다리가 놓여 있는 그 시냇물이다. 진수는 딱 걱정이 되었다. 물은 그렇게 깊은 것 같지 않지만, 밑바닥이 모래흙이어서 지팡이를 짚고 건너가기가 만만할 것 같지 않기 때문이다. 외나무다리는 도저히 건너갈 재주가 없고……. 진수는 하는 수 없이 둑에 퍼지고 앉아서 바짓가랑이를 걷어올리기 시작했다. 만도는 잠시 멀뚱히 서서 아들의 하는 양을 내려다보고 있다가,

"진수야, 그만두고, 자아 업자." 하는 것이었다. "업고 건느면 일이 다 되는 거 아니가. 자아, 이거 받아라." 고등어 묶음을 진수 앞으로 민다. "……."

진수는 퍽 난처해하면서, 못 이기는 듯이 그것을 받아 들었다. 만도는 등허리를 아들 앞에 갖다 대고, 하나밖에 없는 팔을 뒤로 버쩍 내밀며, "자아, 어서!"

진수는 지팡이와 고등어를 각각 한 손에 쥐고, 아버지의 등허리로 가서 슬그머니 업혔다. 만도는 팔뚝을 뒤로 돌리면서, 아들의 하나뿐인 다리를 꼭 안았다. 그리고 "팔로 내 목을 감아야 될 끼다." 했다.

진수는 무척 황송한 듯 한쪽 눈을 찍 감으면서 고등어와 지팡이를 든 두 팔로 아버지의 굵은 목줄기를 부둥켜안았다. 만도는 아랫배에 힘을 주며 끙! 하고 일어났다. 아랫도리가 약간 후들거렸으나 걸어갈 만은 했다. 외나무다리 위로 조심조심 발을 내디디며 만도는 속으로, '이제 새파랗게 젊은 놈이 벌써 이게 무슨 꼴이고. 세상을 잘못 타고나서 진수 니 신세도 참 똥이다, 똥.' 이런 소리를 주워섬겼고, 아버지의 등에 업힌 진수는 곧장 미안스러운 얼굴을 하며 '나꺼정 이렇게 되다니, 아부지도 참 복도 더럽게 없지. 차라리 내가 죽어 버렸더라면 나았을 낀데…….' 하고 중얼거렸다.

만도는 아직 술기가 약간 있었으나, ㉠용케 몸을 가누며 아들을 업고 외나무다리를 조심조심 건너가는 것이었다. 눈앞에 우뚝 솟은 용머리재가 이 광경을 가만히 내려다보고 있었다.

• **수류탄**(手 손 수, 榴 석류 류, 彈 탄알 탄) 손으로 던져 터뜨리는 작은 폭탄.

• **쪼가리** 작은 조각.

• **군의관**(軍 군사 군, 醫 의원 의, 官 벼슬 관) 군대에서 의사의 임무를 맡고 있는 장교.

• **멀뚱히** 눈빛이나 정신 등이 생기가 없고 멀겋게.

• **버쩍** 몹시 가까이 달라붙거나 세게 죄는 모양.

• **황송**(惶 두려워할 황, 悚 두려워할 송)**한** 분에 넘쳐 고맙고도 송구한.

• **용머리재** 용의 머리처럼 생긴 '재(높은 산의 마루를 이룬 곳.)'의 이름.

핵심 요약 TIP

먼저 만도와 진수가 처해 있는 신체적인 문제가 무엇인지 파악해 봅니다. 그리고 그들이 현재 어떤 상황에 처하게 되었고, 그 상황을 어떻게 해결해 가는지를 정리해 봅니다.

핵심 요약 주요 내용 정리하기

1 다음은 '만도'와 '진수'의 상황을 중심으로 이 글을 정리한 것입니다. 빈칸에 들어갈 적절한 말을 쓰시오.

만도	진수
일제 강점기에 강제 징용되었다가 한쪽 팔을 잃음.	전쟁에 나갔다가 한쪽 ( )를 잃음.

만도가 진수를 업고 ( )를 건넘.

➡ 2대에 걸친 ( )과 극복 의지

표현 서술상 특징 파악하기

2 다음 중 이 글에 대한 설명으로 가장 적절한 것은 무엇입니까? ( )

① 사투리를 사용하여 생생한 **현장감**을 드러내고 있다.
② 과거를 회상하여 인물 간 갈등의 원인을 밝히고 있다.
③ 인물의 과장된 행동을 서술하여 웃음을 **유발하고** 있다.
④ 자연 풍경을 묘사하여 환상적인 분위기를 형성하고 있다.
⑤ 인물 간의 대결 의식을 중심으로 이야기를 전개하고 있다.

어휘
• **현장감** 어떤 일이 이루어지고 있는 현장에서 느낄 수 있는 느낌
• **유발하고** 어떤 것이 다른 일을 일어나게 하고.

내용 이해 인물의 심리와 태도 파악하기

3 다음 중 '만도'와 '진수'에 대한 설명으로 적절하지 <u>않은</u> 것은 무엇입니까? ( )

① 만도는 아들의 불행을 안타까워하고 있다.
② 만도는 아들의 속 좁은 생각을 꾸짖고 있다.
③ 만도는 아들에게 용기를 주며 위로하고 있다.
④ 진수는 앞으로 어떻게 살아가야 할지 걱정하고 있다.
⑤ 진수는 아버지에게 힘이 되지 못해 죄송해하고 있다.

수능형

④ 적용하기 | 소재의 기능 파악하기

다음 보기 의 ㉮에 들어갈 말로 적절한 것은 무엇입니까? (   )

> **보기**
>
> 소설에서 소재는 이야기를 전개해 나가기 위해 사용되는 글의 재료로, 작가는 자신이 표현하고자 하는 의도를 드러내기 위해 다양한 소재들을 사용한다. 「수난이대」에서 [㉮   ]은/는 만도 부자에게 닥친 시련을 상징하면서 동시에 그 시련을 극복해 낼 수 있는 희망을 보여 주기도 한다.

① 시냇물

② 용머리재

③ 외나무다리

④ 고등어 묶음

⑤ 수류탄 쪼가리

5 어휘·어법 | 어휘의 사전적 의미

다음 보기 는 ㉠의 의미를 사전에서 찾은 것입니다. 보기 를 참고할 때, ㉠과 같은 의미로 사용된 예로 적절한 것은 무엇입니까? (   )

> **보기**
>
> 용하다
> 「1」 재주가 뛰어나고 특이하다.
>   ㉠ 용한 무당.
> 「2」 매우 다행스럽다.
>   ㉠ 태풍이 용하게 우리나라를 비껴갔다.

① 손재주가 이렇게 용한 젊은이는 처음 봅니다.

② 앞날을 그렇게 잘 맞히다니 그 점쟁이 참 용하구나.

③ 아버지는 전국 곳곳으로 용하다는 의원을 찾아다녔다.

④ 눈길에 넘어졌지만 용하게도 아무런 상처를 입지 않았다.

⑤ 어머니의 음식 솜씨는 참으로 용해서 손님이 끊이지 않았다.

어휘 · 어법 TIP

· 용하다

「1」 재주가 뛰어나고 특이하다.
㉠ 침술이 용하다.

「2」 기특하고 장하다.
㉠ 학원도 다니지 않고 공부를 잘하니 용하구나.

「3」 매우 다행스럽다.
㉠ 우리가 휴가를 떠난 날에는 용하게도 비가 내리지 않았다.

어휘력 완성

1 낱말 이해 | 낱말 관계 | 낱말 적용 | 관용 표현

다음 그림을 보고, ㉠과 ㉡에 알맞은 낱말을 보기 에서 찾아 각각 쓰시오.

보기

| 법무관 | 군의관 | 황당한 | 황송한 |

김 일병, 정신을 차려. ㉠(   )님이 곧 오실 거야. 김 일병, 내 말 듣고 있나? 김 일병!

이 병장님, ㉠(   )님이 저 때문에 여기까지 직접 오신다니. 정말 ㉡(   ) 일이네요. 근데 빨리 오시길 바라요.

2 낱말 이해 | 낱말 관계 | 낱말 적용 | 관용 표현

다음 ㉮~㉺의 사투리를 표준어로 바꾸었을 때, 적절하지 않은 것은 무엇입니까?

(   )

㉮ 니 우짜다가 그래 댔노?
㉯ 전쟁하다가 이래 안 됐심니꼬.
㉰ 걸어댕기기에 불편해서 똑 죽겠심더.
㉱ 나댕기메 할 일은 내가 하고
㉲ 그라면 안 되겠나, 그제?

① ㉮: 너, 어쩌다가 그렇게 됐니?
② ㉯: 전쟁하다가 이렇게 됐습니다.
③ ㉰: 걸어 다니기에 불편해서 똑 죽겠습니다.
④ ㉱: 나가 당기며 할 일은 내가 하고
⑤ ㉲: 그러면 되지 않겠니, 그렇지?

3 낱말 이해 | 낱말 관계 | 낱말 적용 | 관용 표현

다음 '만도'의 말과 관련된 한자성어로 적절한 것은 무엇입니까? (   )

만도: 그렇다니, 그러니까 집에 앉아서 할 일은 니가 하고, 나댕기메 할 일은 내가 하고, 그라면 안 되겠나, 그제?

① 일석이조(一石二鳥)
② 일거양득(一擧兩得)
③ 상부상조(相扶相助)
④ 각자도생(各自圖生)
⑤ 동분서주(東奔西走)

어휘력 +

• **일석이조** 돌 한 개를 던져 새 두 마리를 잡는다는 뜻으로, 동시에 두 가지 이득을 봄을 이르는 말.

• **일거양득** 한 가지 일을 하여 두 가지 이익을 얻음.

• **상부상조** 서로서로 도움.

• **각자도생** 제각기 살아 나갈 방법을 꾀함.

• **동분서주** 동쪽으로 뛰고 서쪽으로 뛴다는 뜻으로, 사방으로 이리저리 몹시 바쁘게 돌아다님을 이르는 말.

다양한 가족을 이야기해요

운수 좋은 날

작가

현진건

작품 배경

1920년대 일제 강점기 어느 겨울, 서울 중심가와 김 첨지의 집

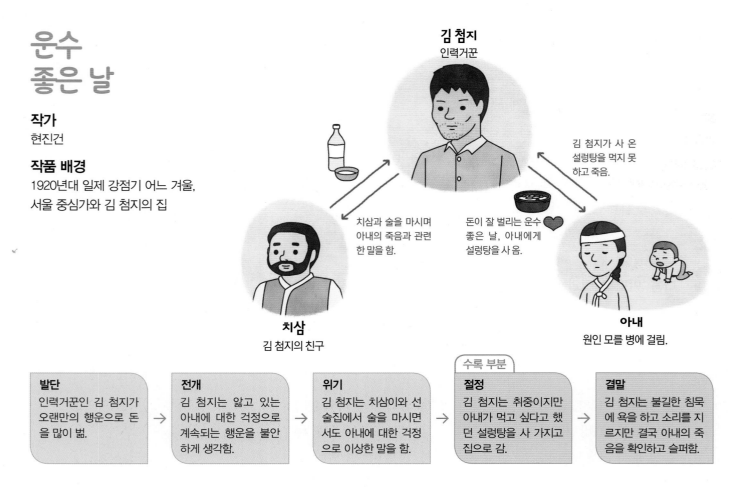

김 첨지
인력거꾼

김 첨지가 사 온 설렁탕을 먹지 못하고 죽음.

치삼과 술을 마시며 아내의 죽음과 관련한 말을 함.

돈이 잘 벌리는 운수 좋은 날, 아내에게 설렁탕을 사 옴.

치삼
김 첨지의 친구

아내
원인 모를 병에 걸림.

수록 부분

발단	전개	위기	절정	결말
인력거꾼인 김 첨지가 오랜만의 행운으로 돈을 많이 벎.	김 첨지는 앓고 있는 아내에 대한 걱정으로 계속되는 행운을 불안하게 생각함.	김 첨지는 치삼이와 선술집에서 술을 마시면서도 아내에 대한 걱정으로 이상한 말을 함.	김 첨지는 취중이지만 아내가 먹고 싶다고 했던 설렁탕을 사 가지고 집으로 감.	김 첨지는 불길한 침묵에 욕을 하고 소리를 지르지만 결국 아내의 죽음을 확인하고 슬퍼함.

변신

작가
프란츠 카프카 저 /
권세훈 역

작품 배경
20세기, 그레고르의 집

그레고르
어느 날 아침 흉측한 벌레로 변함.

쓸모없는 존재가 되어
가족으로부터 소외되며
구박을 받음.

가족들
벌레로 변한 그레고르를 골칫거리로 여기고
소홀하게 대함.

발단	전개	위기	수록 부분 절정	결말
가족을 위해 상점의 판매원으로 일하는 그레고르가 어느 날 아침 벌레로 변함.	벌레로 변한 그레고르에 대해 가족들은 동정, 불안감, 혐오 등 복잡한 심정을 느낌.	가족들이 일하게 되면서 그레고르는 점점 더 가족들로부터 소외당함.	그레고르 때문에 하숙인이 나가자 가족들은 그레고르를 원망하고 그레고르는 쓸쓸히 죽음.	가족들은 그레고르의 죽음을 다행이라고 여기며 평온을 되찾음.

표구된 휴지

작가
이범선

작품 배경
1960~1970년대, 서울의 한 화실

나
화가. 표구한 편지를 읽으며 위안을 얻음.

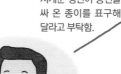

지게꾼 청년이 동전을
싸 온 종이를 표구해
달라고 부탁함.

아들을 걱정하는
마음이 담긴 편지
를 보냄.

동전을 편지에
싸서 저금함.

친구
은행원

지게꾼 청년

청년의 아버지
아들에게 편지를 보내는 인물

발단	수록 부분 전개	절정	결말
화가인 '나'의 화실에는 시골의 한 아버지가 서울에 돈 벌러 간 아들에게 쓴 편지가 표구되어 걸려 있음.	3년 전, 친구가 자신이 일하는 은행에서 휴지 같은 편지를 가져오며 국보라고 장난스럽게 말함.	'나'는 표구사에 편지를 맡기고 잊고 있다가 친구가 외국으로 전근을 가면서 편지를 찾아와 화실 벽에 걸어 둠.	그 액자는 차츰 화실의 중심이 되어 갔고, '나'는 자식에 대한 사랑과 그리움이 담긴 편지를 보며 위로 받음.

운수 좋은 날

현진건

중등 교과서 수록 작품

- **지문 해설**

- **지문 난이도: 중**
- **글자 수: 1300자**
  1000   1500

김 첨지는 취중에도 설렁탕을 사 가지고 집에 다다랐다. 집이라 해도 물론 셋집이요, 또 집 전체를 세 든 게 아니라 안과 뚝 떨어진 행랑방 한 칸을 빌려 든 것인데 물을 길어 대고 한 달에 일 원씩 내는 터이다. 만일 김 첨지가 주기를 띠지 않았던들 한 발을 대문 안에 들여놓았을 제 그곳을 지배하는 무시무시한 정적 — 폭풍우가 지나간 뒤의 바다 같은 정적에 다리가 떨리었으리라. (중략)

혹은 김 첨지도 이 불길한 침묵을 짐작했는지도 모른다. 그렇지 않으면 대문에 들어서자마자 전에 없이, "이년, 남편이 들어오는데 나와 보지도 안 해, 이년!" 이라고 고함을 친 게 수상하다. 이 고함이야말로 제 몸을 엄습해 오는 무시무시한 증을 쫓아 버리려는 [㉮] 인 까닭이다.

하여간 김 첨지는 방문을 왈칵 열었다. 구역을 나게 하는 추기 — 떨어진 삿자리 밑에서 올라온 먼지내, 빨지 않은 기저귀에서 나는 똥내와 오줌내, 가지각색 때가 켜켜이 앉은 옷 내, 병인의 땀 썩은 내가 섞인 추기가 무딘 김 첨지의 코를 찔렀다.

방 안에 들어서며 설렁탕을 한구석에 놓을 사이도 없이 주정꾼은 목청을 있는 대로 다 내어 호통을 쳤다.

"이년, 주야장천 누워만 있으면 제일이야. 남편이 와도 일어나지를 못해!" 라고 소리와 함께 발길로 누운 이의 다리를 몹시 찼다. 그러나 발길에 차이는 건 사람의 살이 아니고 나뭇등걸과 같은 느낌이 있었다. 이때에 빽빽 소리가 응아 소리로 변하였다. 개똥이가 물었던 젖을 빼어 놓고 운다. 운대도 온 얼굴을 찡그려 붙여서 운다는 표정을 할 뿐이다. 응아 소리도 입에서 나는 것이 아니고 마치 배 속에서 나는 듯하였다. 울다가 울다가 목도 잠겼고 또 울 기운조차 시진한 것 같다.

발로 차도 그 보람이 없는 걸 보자 남편은 아내의 머리맡으로 달려들어 그야말로 까치집 같은 환자의 머리를 꺼들어 흔들며,

"이년아, 말을 해, 말을! 입이 붙었어? 이년!" / "……."

"으응, 이것 봐, 아무 말이 없네." / "……."

"이년아, 죽었단 말이냐, 왜 말이 없어?" / "……."

"으응, 또 대답이 없네. 정말 죽었나 보이."

이러다가 누운 이의 흰창이 검은창을 덮은, 위로 치뜬 눈을 알아보자마자,

"이 눈깔! 이 눈깔! 왜 나를 바라보지 못하고 천장만 보느냐? 응." 하는 말끝엔 목이 메었다. 그러자 산 사람의 눈에서 떨어진 닭똥 같은 눈물이 죽은 이의 뻣뻣한 얼굴을 어룽어룽 적신다. 문득 김 첨지(김 첨지)는 미친 듯이 제 얼굴을 죽은 이의 얼굴에 한데 비비대며 중얼거렸다.

"설렁탕 을 사다 놓았는데 왜 먹지를 못하니, 왜 먹지를 못하니? 괴상하게도 오늘은 운수가 좋더니만……."

- **취중**(醉 취할 취, 中 가운데 중) 술에 취한 동안.
- **행랑방**(行 갈 행, 廊 복도 랑, 房 방 방) 대문간에 붙어 있는 방.
- **주기**(酒 술 주, 氣 기운 기) 술에 취한 기운.
- **정적**(靜 고요할 정, 寂 고요할 적) 아주 고요함.
- **엄습해** 감정, 생각, 감각 따위가 갑작스럽게 들이닥쳐.
- **추기** 송장이 썩어서 흐르는 물.
- **삿자리** 갈대를 엮어서 만든 자리.
- **주야장천**(晝 낮 주, 夜 밤 야, 長 길 장, 川 내 천) 밤낮으로 쉬지 않고 연달아.
- **시진한** 기운이 빠져 없어진.
- **꺼들어** 팔로 끼어서 들어.
- **치뜬** 눈을 위쪽으로 뜬.
- **어룽어룽** 뚜렷하지 아니하고 흐리게 어른거리는 모양.

핵심 요약 TIP

이 소설의 주인공인 '김 첨지'가 술에 취해 설렁탕을 사서 집으로 돌아와 어떤 행동을 했는지 떠올려 봅니다. 아내의 죽음을 예감한 '김 첨지'의 말과 행동을 찾아 순서대로 정리해 봅니다.

핵심 요약 내용 흐름 정리하기

1 다음은 '김 첨지'의 행동을 중심으로 이 글을 정리한 것입니다. 빈칸에 들어갈 적절한 말을 쓰시오.

> ( )을 사서 집에 다다름.

⬇

> 대문에 들어서자마자 ( )을 치고 방문을 왈칵 엶.

⬇

> 방 안에 들어서서 호통을 치며 아내를 ( )로 참.

⬇

> 아내의 머리를 흔들다가 닭똥 같은 ( )을 흘림.

내용 이해 세부 내용 파악하기

2 이 글의 내용과 일치하지 <u>않는</u> 것은 무엇입니까? ( )

① 김 첨지는 남의 집에 세 들어 살고 있다.

② 김 첨지의 방 안은 여러 냄새가 섞여 악취가 났다.

③ 김 첨지는 아기에게 젖을 물리지 않는 아내에게 화가 났다.

④ 김 첨지의 아내에 대한 행동에 아기는 젖을 빼고 울기 시작했다.

⑤ 김 첨지는 아내의 눈 상태를 확인하고 아내가 죽었음을 인정했다.

어휘
• **악취** 나쁘고 고약한 냄새.

표현 소재의 의미 파악하기

3 '설렁탕'에 대한 설명으로 가장 적절한 것은 무엇입니까? ( )

① 아내가 집안 살림에 소홀함을 뜻한다.

② 김 첨지에 대한 아내의 불만이 풀린다.

③ 아내에 대한 김 첨지의 애정을 나타낸다.

④ 김 첨지의 가정 형편이 나빠졌음을 의미한다.

⑤ 김 첨지가 가장으로서 느끼는 부담감을 나타낸다.

감상 이론을 바탕으로 감상하기

4 보기를 참고하여 이 글을 감상한 내용으로 적절하지 <u>않은</u> 것은 무엇입니까?

( )

어휘

> **보기**
>
> 「운수 좋은 날」은 1920년대 도시 **하층민**의 삶을 사실적으로 그려 낸 작품이다. 작가는 연이은 행운 뒤에 큰 불행이 닥치는 **반전**과, 가장 비참하고 슬픈 날을 **반어적**으로 표현하여 작품의 비극성을 잘 보여 주고 있다.

① 행랑방 한 칸을 빌려 살아가는 김 첨지는 도시 하층민의 삶을 보여 주는 인물이겠군.

② 이 글의 제목 「운수 좋은 날」은 김 첨지에게 가장 비참한 날을 반어적으로 표현한 것이겠군.

③ 김 첨지의 운수가 좋았던 날에 아내가 죽는다는 이야기의 설정을 통해 비극적인 삶을 강조하고 있군.

④ 설렁탕을 사 올 수 있었던 김 첨지의 행운은 아내의 죽음이라는 불행한 사건이 일어나게 된 원인으로 볼 수 있군.

⑤ 빈 젖을 빨고 기운이 없어 울음소리도 제대로 내지 못하는 개똥이의 모습에서 하층민들의 **참혹한** 생활 모습을 확인할 수 있군.

- **하층민** 계급이나 신분, 지위, 생활 수준 따위가 낮은 사람.
- **반전** 일이나 사건의 형편이 완전히 뒤바뀜.
- **반어적** 표현의 효과를 높이려고 일부러 실제와 반대되는 뜻의 말을 하는 것.
- **참혹한** 비참하고 끔찍한.

어휘·어법 한자성어

5 보기를 참고할 때, ㉮에 들어갈 한자성어로 적절한 것은 무엇입니까? ( )

> **보기**
>
> '김 첨지'는 불길한 예감을 떨쳐 내기 위해 평소와는 다르게 큰소리치며 실속 없이 겉으로 과장된 행동을 한다.

① 다다익선(多多益善)

② 소탐대실(小貪大失)

③ 일석이조(一石二鳥)

④ 허장성세(虛張聲勢)

⑤ 호가호위(狐假虎威)

어휘·어법 TIP

- **다다익선** 많으면 많을수록 더욱 좋음.
- **소탐대실** 작은 것을 탐하다가 도리어 큰 것을 잃음.
- **일석이조** 동시에 두 가지 이득을 봄.
- **허장성세** 실속은 없면서 큰 소리치거나 허세를 부림.
- **호가호위** 남의 권력을 빌려 위세를 부림.

어휘력 완성

1 낱말 이해 / 낱말 관계 / 낱말 적용 / 관용 표현

다음 그림을 보고, ㉠과 ㉡에 알맞은 낱말을 보기 에서 각각 찾아 쓰시오.

보기

| 정적 | 정직 | 역습 | 엄습 | 관습 |

아직 9시도 안 됐는데, 이 복도 가득한 ㉠(   )은 뭐지?
게다가 온몸을 ㉡(   ) 하는 이 불안감은 무엇일까?

2 낱말 이해 / 낱말 관계 / 낱말 적용 / 관용 표현

다음 낱말의 알맞은 뜻을 찾아 각각 선으로 이으시오.

(1) 껴들다 •   • ㉮ 팔로 끼어서 들다.

(2) 치뜨다 •   • ㉯ 기운이 빠져 없어지다.

(3) 시진하다 •   • ㉰ 눈을 위쪽으로 뜨다.

3 낱말 이해 / 낱말 관계 / 낱말 적용 / 관용 표현

다음 선생님의 질문에 대한 답으로 알맞은 것은 무엇입니까? (   )

선생님: '김 첨지'의 형편은 아픈 아내를 위한 약도 살 수 없을 정도로 가난합니다. 이처럼 가난한 상황을 가리키는 속담을 찾아보세요.

① 등잔 밑이 어둡다
② 목마른 놈이 우물 판다
③ 되로 주고 말로 받는다
④ 생쥐 입가심 할 것도 없다
⑤ 쥐구멍에도 볕 들 날 있다

어휘력 +

• **등잔 밑이 어둡다** 어떤 사물에서 가까이 있는 사람이 도리어 그 사물에 대해 잘 알기 어려움.

• **목마른 놈이 우물 판다** 제일 급하고 일이 필요한 사람이 그 일을 서둘러 하게 되어 있음.

• **되로 주고 말로 받는다** 조금 주고 그 대가로 몇 배나 많이 받음.

• **생쥐 입가심 할 것도 없다** 먹을 것이라고는 전혀 없고 살림이 몹시 궁함.

• **쥐구멍에도 볕 들 날 있다** 몹시 고생을 하는 삶도 좋은 운수가 터질 날이 있음.

- **지문 해설**

- **지문 난이도**: 상

- **글자 수**: 1250자
  1000   1500

[앞부분 줄거리] 상점 판매원으로 일하며 가족의 생계를 책임지던 그레고르는 어느 날 갑자기 벌레로 변한다. 그레고르 대신 가족들은 일을 하게 되지만, 흉측한 그레고르 때문에 하숙도 못하게 되자 그레고르를 원망하게 된다.

㉠누이동생이 어머니에게로 달려가 이마를 짚어 보았다. 아버지는 누이동생의 말로 인해 좀 더 분명한 생각을 갖게 된 듯이 보였다. 그는 똑바로 앉아 하숙인들의 저녁 식사 때부터 식탁에 놓여 있는 접시들 틈에서 경비원용 모자를 만지작거리며 움직임이 없는 그레고르를 가끔씩 쳐다보았다.

"우리는 ㉠저것으로부터 벗어날 길을 찾아야 해요." 누이동생이 이제는 아버지만을 향해 말했다. 어머니는 기침 때문에 아무것도 듣지 못했기 때문이다.

"저것이 두 분을 죽이고야 말 거예요. 그런 예감이 들어요. 우리 모두가 어렵게 일을 해야 하는 처지에 집에서 이런 애물단지를 감당할 수는 없어요. 저도 더 이상은 안 되겠어요."

누이동생이 너무 심하게 울음을 터뜨리는 바람에 눈물이 어머니의 얼굴로 흘러내렸다. ㉢어머니는 기계적인 손동작으로 눈물을 닦아 냈다.

"애야." ㉣아버지는 동정심과 유별난 이해심을 보이며 말했다.

"하지만 우리가 어떻게 해야 되겠니?"

㉤누이동생은 이전의 확신과는 반대로 우는 동안에 스스로를 사로잡은 무력감의 표시로 어깨를 으쓱해 보였을 뿐이다.

"㉡저 애가 우리 말을 알아듣기라도 한다면." 아버지가 반쯤 물어보는 투로 말했다. 누이동생은 우는 와중에도 그런 일은 생각할 수도 없다는 듯이 손을 세차게 흔들었다.

"저 애가 우리 말을 알아듣기라도 한다면." 아버지가 반복해서 말하고는 그것이 불가능하다는 누이동생의 확신을 받아들이듯이 두 눈을 지그시 감았다.

"저 애와 어떤 합의가 가능할 수도 있을 텐데 말이야. 하지만……."

"저건 없어져야 해요." 누이동생이 소리쳤다.

"그게 유일한 방법이에요, 엄마, 아빠. 저것이 그레고르라는 생각은 떨쳐 버려야 해요. 우리가 오랫동안 그렇게 믿어 온 것이 진짜 불행이에요. 대체 저것이 어떻게 그레고르일 수 있겠어요? 저것이 그레고르라면 인간이 그런 동물과 함께 사는 것이 불가능하다는 것을 이미 알아차리고 제 발로 나갔을 거예요. ㉥그러면 우리한테는 오빠가 없어지는 셈이지만 계속 살아가면서 그에 대한 기억을 소중히 간직할 수 있을 테죠. 그런데 이 동물은 우리를 쫓아다니는가 하면 하숙인들을 내쫓기도 해요. 분명히 온 집안을 차지하고서는 우리를 노숙자로 만들 거예요. 저것 좀 보세요, 아빠!"

누이동생이 갑자기 소리를 질렀다. "벌써 또 시작하는군요!"

- **생계**(生 날 생, 計 꾀할 계) 살림을 살아 나갈 방도. 또는 현재 살림을 살아가고 있는 형편.

- **하숙**(下 아래 하, 宿 잠잘 숙) 일정한 방세와 식비를 내고 남의 집에 머물면서 지냄.

- **애물단지** 몹시 애를 태우거나 성가시게 구는 물건이나 사람을 낮잡아 이르는 말.

- **유별**(有 있을 유, 別 다를 별)난 보통의 것과 아주 다른.

- **무력감**(無 없을 무, 力 힘 력, 感 느낄 감) 스스로 힘이 없음을 알았을 때 드는 허탈하고 맥 빠진 듯한 느낌.

- **와중** 일이나 사건 따위가 시끄럽고 복잡하게 벌어지는 가운데.

- **지그시** 슬며시 힘을 주는 모양.

- **노숙자**(露 이슬 로, 宿 잠잘 숙, 者 놈 자) 길이나 공원 등지에서 잠을 자며 생활하는 사람.

핵심 요약 **TIP**

이 소설에서 그레고르를 두고 누이동생과 아버지가 주고받는 대화를 살펴봅니다. 벌레로 변한 그레고르에 대해 누이동생은 냉정하고 부정적인 입장이고, 아버지는 어떻게 해야 할지 망설이고 있습니다.

1 핵심 요약　주요 내용 정리하기

다음은 '그레고르'를 둘러싼 가족들의 태도를 정리한 것입니다. 빈칸에 들어갈 적절한 말을 쓰시오.

| (　　　) | ― 그레고르 ― | 아버지 |

| '저것'을 없애 버려야 함. | | 딸의 주장에 망설이고 있음. |

- 모두 어렵게 일하는 상황에서 이런 (　　　)를 감당할 수 없음.
- 저것이 그레고르라면 우리를 괴롭히지 않고 나갔을 것임.

- 그레고르와 (　　　) 할 수 있다면 그렇게 하고 싶음.
- 자신의 바람이 실현될 가능성이 없음을 깨달음.

2 내용 이해　세부 내용 파악하기

이 글을 이해한 내용으로 적절하지 <u>않은</u> 것은 무엇입니까? (　　　)

① 가족들과 그레고르는 의사소통이 이루어지지 않는 상황이다.

② 어머니는 누이동생을 괴롭히는 그레고르 때문에 화가 나 있다.

③ 아버지는 누이동생의 의견에 쉽게 결정을 내리지 못하고 있다.

④ 누이동생은 벌레가 그레고르라면 집을 나갔을 것이라고 말한다.

⑤ 누이동생은 그레고르가 가족들에게 해를 끼칠 것이라고 생각한다.

3 내용 이해　인물의 태도 파악하기

㉠'저것'과 ㉡'저 애'에 대한 설명으로 적절한 것은 무엇입니까? (　　　)

	㉠ '저것'	㉡ '저 애'
①	그레고르를 불쌍히 여기는 마음	그레고르를 귀찮게 여기는 마음
②	그레고르를 사물처럼 대하는 태도	그레고르를 가족으로 여기는 태도
③	그레고르의 힘을 두려워하는 마음	그레고르가 연약한 존재라는 생각
④	그레고르가 가족들을 소중히 여긴다는 생각	그레고르가 자식들에게 도움이 된다는 생각
⑤	그레고르와 함께 살기 위해 노력해야 한다는 생각	그레고르가 스스로 집을 나갈 것이라는 생각

핵심 요약　주요 내용 정리하기

4 보기를 참고하여 ㉮~㉺를 이해한 내용으로 적절하지 **않은** 것은 무엇입니까?

(　　　)

> **보기**
>
> 　소설에서 인물의 성격이나 마음을 제시하는 방법에는 '직접 제시'와 '간접 제시'가 있다. '직접 제시'는 이야기를 전개하는 서술자가 직접 인물의 특성이나 성격에 대해 설명하는 것이고, '간접 제시'는 인물의 말이나 행동을 제시함으로써 독자가 스스로 인물의 마음을 판단하도록 하는 것이다.

① ㉮는 어머니를 걱정하는 누이동생의 마음이 드러난 '간접 제시'구나.

② ㉯는 어머니가 어떤 특별한 감정을 지니고 있지 않음을 보여 주는 '간접 제시'야.

③ ㉰는 그레고르를 안타깝게 생각하는 아버지의 마음이 나타난 '직접 제시'야.

④ ㉱는 누이동생의 태도 변화를 서술자가 구체적으로 설명하는 '직접 제시'로 볼 수 있어.

⑤ ㉲는 벌레가 된 오빠를 소중하게 여기는 누이동생의 마음이 드러난 '직접 제시' 부분이야.

5 다음 보기 속 ㉠~㉤ 중, 벗어날의 의미로 가장 적절한 것은 무엇입니까? (　　　)

> **보기**
>
> **벗어나다**
> 「1」 공간적 범위나 경계 밖으로 빠져나오다. ……………………………… ㉠
> 「2」 구속이나 장애로부터 자유로워지다. ……………………………… ㉡
> 「3」 맡은 일에서 놓여나다. ……………………………… ㉢
> 「4」 이야기의 흐름이 빗나가다. ……………………………… ㉣
> 「5」 남의 눈에 들지 못하다. ……………………………… ㉤

① ㉠　　　　② ㉡　　　　③ ㉢　　　　④ ㉣　　　　⑤ ㉤

어휘력 완성

1 낱말 이해 │ 낱말 관계 │ 낱말 적용 │ 관용 표현

다음 그림을 보고, ㉠과 ㉡에 알맞은 낱말을 보기 에서 각각 찾아 쓰시오.

보기

| 무료감 | 무력감 | 안중 | 와중 | 위중 |

요즘 아무것도 할 수가 없어. 왜 이렇게 ㉠(　　　　)만 점점 커지는지 모르겠어. 힘들다.

친구야, 기운 내. 이렇게 바이러스가 판치는 ㉡(　　　　)에 기운이 넘치면 그게 이상한 거지.

2 낱말 이해 │ 낱말 관계 │ 낱말 적용 │ 관용 표현

다음 낱말의 알맞은 뜻을 찾아 각각 선으로 이으시오.

(1) 노숙자 •

(2) 애물단지 •

(3) 유별나다 •

• ㉮ 보통의 것과 아주 다르다.

• ㉯ 길이나 공원 등지에서 잠을 자며 생활하는 사람.

• ㉰ 몹시 애를 태우거나 성가시게 구는 물건이나 사람.

3 낱말 이해 │ 낱말 관계 │ 낱말 적용 │ 관용 표현

다음 빈칸에 들어갈 한자성어로 알맞은 것은 무엇입니까? (　　　　)

> 선생님: 그동안 그레고르에게 의지하며 살아왔던 가족들이 그레고르가 아무런 물질적 이익을 주지 못하는 존재가 되자 그를 미워하게 됩니다. 이를 통해 작가는 자신에게 이익이 되는가 손해가 되는가에 따라 태도를 달리하는 현대 사회의 (　　　　)적인 관계를 비판하고 있습니다.

① 사생결단(死生決斷)

② 살신성인(殺身成仁)

③ 시시비비(是是非非)

④ 이해타산(利害打算)

⑤ 결초보은(結草報恩)

어휘력 ➕

• **사생결단** 죽고 사는 것을 돌보지 않고 끝장을 내려고 함.

• **살신성인** 자기의 몸을 희생하여 어진 일을 이룸.

• **시시비비** 옳고 그름을 따지며 다툼.

• **이해타산** 이익과 손해의 관계를 이모저모 따져 봄.

• **결초보은** 죽은 뒤에라도 은혜를 잊지 않고 갚음.

표구된 휴지

이범선

중등 교과서 수록 작품

- **지문 해설**

- **지문 난이도:** 중
- **글자 수:** 1293자

[앞부분 줄거리] 어느 날 은행에 다니는 친구가 가난한 화가인 '나'를 찾아와 휴지 같은 편지를 내밀면서 국보급이라며 표구를 부탁했다. 그 편지는 매일 은행에 저금하러 오는 허름한 차림의 지게꾼 청년이 동전을 쌌던 것이다.

"이게 바로 그 지게꾼 청년이 동전을 싸 가지고 온 종이지."

친구는 내 손의 그 편지 를 가리켰다.

"그래. 그럼 그의 집에서 그 청년에게 보낸 편지란 말인가?"

"글쎄. 반드시 그렇다고는 할 수 없겠지. 동전을 세는 여직원을 거들어 주다가 우연히 발견하고 재미있다고 생각돼서 가지고 온 것뿐이니까."

우물집할머니하루알고갔다. 모두잘갓다한다. 장손이⊙장가갓다. 색씨는너머마을곰보영감딸이다. 구장네탄실이시집간다. 신랑은읍의서기라더라. 앞집순이가어제저녁감자살마치마에가려들고왔더라. 순이는시집안갈끼라하더라. 니는빨리장가안들어야건나.

나는 비시시 웃음이 새어 나왔다. 편지 내용도 그렇고 친구의 장난기도 그랬다. 어쨌든 나는 그 창호지를 아는 표구사에 맡겼다. 그게 어떤 편지냐고 묻는 표구사 주인한테는 "굉장한 겁니다. 이건 정말 국보급입니다." 하고 얼버무렸다. 표구사 주인은 머리를 갸웃거렸다.

그 후 나는 그 창호지 편지를 감감히 잊어버리고 있었다. 그런데 은행 친구가 어느 외국 지점으로 전근이 되었다. 비행기가 떠날 때 나는 문득 그 편지 생각이 났다.

니떠나고ⓛ메칠안이서송아지ⓒ낫다.

그길로 나는 표구사로 갔다. 구겨진 휴지였던 그 편지는 깨끗이 펴져서 액자 속에 들어 있었다. 그렇게 치장하고 보니 그게 정말 무슨 국보나 되는 것 같았다.

돈조타. 그러나너거엄마는돈보다도너가ⓔ더조타한다. 밥묵고배아프면소금한줌무그라하더라.

그날부터 그 액자는 내 화실에 그냥 걸어 두었다. 그저 걸어 둔 거다. 그런데 그게 이상하게도 차츰 내 화실의 중심점이 되어 갔다. 그건 그림 같기도 하고 글 같기도 하다. 아니 그건 분명 그 둘이 합쳐진 것이었다.

나는 친구가 외국으로 떠나고 이태 동안 그 액자를 간간 바라보고 있는 사이에 차츰 그 친구의 심정을 느껴 알 것 같았다.

니무슨주변에고기묵건나.콩나물무거라. ⓜ참기름이나많이처서무그라. 순이는시집안갈끼라하더라. 니는빨리장가안들어야건나. 돈조타. 그러나너거엄마는돈보다도너가더조타한다.

그리고 채 이어지지 못하고 끊어진 맨 끝줄.

밤에는솟적다솟적다하며새는운다마는…….

- **표구(表** 겉 표, **具** 갖출 구**)** 그림의 뒷면이나 테두리에 종이 또는 천을 발라서 꾸미는 일.
- **지게꾼** 지게로 짐 나르는 일을 직업으로 하는 사람.
- **창호지(窓** 창문 창, **戶** 지게 호, **紙** 종이 지**)** 빛깔이 조금 누르스름하고 줄 진 결이 또렷한 재래식 종이.
- **표구사** 표구를 업으로 하는 집.
- **감감히** 어떤 사실을 잊은 모양.
- **치장(治** 다스릴 치, **粧** 단장할 장**)** 잘 매만져 곱게 꾸밈.
- **화실(畵** 그림 화, **室** 집 실**)** 화가나 조각가가 그림을 그리거나 조각하는 따위의 일을 하는 방.
- **이태** 두 해.
- **주변** 일이 잘되도록 애쓰거나 상황에 맞게 해결함. 또는 그런 재주.
- **솟적다 솟쩍다** 소쩍새의 울음소리를 흉내 낸 말.

핵심 요약 **TIP**

이 소설의 주인공인 '나'에게 은행에 다니는 친구가 건넨 편지가 어떤 역할을 하는지 생각해 봅니다. 편지에 대한 '나'의 생각이 변화하는 과정을 중심으로 글의 내용을 정리해 봅니다.

1 **핵심 요약** 내용 흐름 정리하기

다음은 이 글에서 일어난 일을 순서대로 정리한 것입니다. 빈칸에 들어갈 적절한 말을 쓰시오.

> 친구가 건네준 (   )를 읽고 비시시 웃음이 새어 나옴.

⬇

> 친구의 부탁으로 편지를 (   )에 맡김.

⬇

> 친구가 (   ) 가게 되자 편지가 떠올라 표구사에 가서 표구된 편지를 찾음.

⬇

> 편지를 (   )에 걸어 두고 간간이 바라보며 친구의 심정을 알게 됨.

2 **내용 이해** 세부 내용 파악하기

이 글에 대한 설명으로 적절한 것은 무엇입니까? (   )

① 생각의 차이로 인해 '나'와 친구의 갈등이 심해지고 있다.

② 편지의 내용을 직접 인용하여 독자의 흥미를 이끌고 있다.

③ '나'의 관찰을 통해 중심인물의 행동과 말을 전달하고 있다.

④ 돈만 중시하는 세상 사람들에 대한 '나'의 비판이 드러나 있다.

⑤ 지게꾼 청년이 저금을 한다는 불가능한 상황을 제시하고 있다.

3 **표현** 소재의 의미 파악하기

편지 에 대한 설명으로 적절하지 않은 것은 무엇입니까? (   )

① '나'가 친구의 마음을 이해하게 되는 계기가 된다.

② 자식을 걱정하는 부모의 염려와 사랑이 드러나 있다.

③ 자식에게 고향 마을의 소식을 전하는 내용이 담겨 있다.

④ 맞춤법에 어긋난 표현과 사투리에서 친근감을 느낄 수 있다.

⑤ 돈을 많이 벌어서 성공하기를 바라는 애틋한 마음이 담겨 있다.

감상   이론을 바탕으로 감상하기

보기를 참고할 때, 이 글을 읽고 보인 반응으로 가장 적절한 것은 무엇입니까?

(   )

어휘
• **심리**   마음의 움직임이나 상태.
• **가치**   사물이 가지고 있는 쓸 모나 중요성.

> **보기**
>
> 독자는 문학 작품 속의 다양한 상황과 인물이 겪는 사건, **심리** 등을 통해 자신이 경험해 보지 못한 세계를 알 수 있다. 따라서 문학 작품을 감상할 때에는 작품을 읽으면서 새롭게 발견한 **가치**를 자신의 삶과 관련지어 살피는 태도가 필요하다.

① 하루도 빠짐없이 은행에 저금하러 오는 청년의 모습에서 오직 돈밖에 모르는 인간들의 삶을 발견할 수 있었어.

② 편지의 상태를 확인하지 않고 외국으로 전근 간 친구를 통해 쫓기며 살아가는 현대인의 바쁜 삶을 확인할 수 있었어.

③ 아들에게 보낸 편지에서 예전 시골에서는 부모의 뜻에 따라 억지로 결혼하는 경우가 많았다는 사실을 새롭게 알게 되었어.

④ 휴지나 다름없는 편지를 표구하여 의미를 부여하는 모습을 통해 사소한 것에서도 가치 있는 삶을 발견할 수 있음을 알게 되었어.

⑤ 표구사 주인에게 편지를 국보급이라고 설명하는 '나'의 말에서 국보를 알아보지 못하는 사람들에 대한 안타까운 마음을 느낄 수 있었어.

어휘·어법   맞춤법

5 ㉠~㉤을 바르게 고친 표현으로 적절하지 <u>않은</u> 것은 무엇입니까? (   )

① ㉠: 장가갔다

② ㉡: 몇일 안 있어

③ ㉢: 낳았다

④ ㉣: 더 좋다 한다

⑤ ㉤: 참기름이나 많이 쳐서 먹어라

어휘력 완성

어휘 **09**

낱말 이해 | 낱말 관계 | 낱말 적용 | 관용 표현

1 다음 그림을 보고, ㉠과 ㉡에 알맞은 낱말을 [보기]에서 각각 찾아 쓰시오.

[보기]

| 이틀 | 이태 | 주객 | 주변 | 주권 |

서울에 올라온 지도 벌써 ㉠(   ) (이)나 되었는데, 도대체 어디에 취직할 수 있을지 모르겠구나.

쯧쯧, 저 친구 벌써 두 해째 저러고 있군. 저렇게 ㉡(   )이/가 없어서야. 일단 아무 직장에라도 부딪혀 봐야지.

낱말 이해 | 낱말 관계 | 낱말 적용 | 관용 표현

2 다음 낱말의 알맞은 뜻을 찾아 각각 선으로 이으시오.

(1) 치장 •

(2) 표구 •

(3) 창호지 •

• ㉮ 그림의 뒷면이나 테두리에 종이나 천을 발라 꾸미는 일.

• ㉯ 빛깔이 누르스름하고 줄진 결이 또렷한 재래식 종이.

• ㉰ 잘 매만져 곱게 꾸밈.

낱말 이해 | 낱말 관계 | 낱말 적용 | 관용 표현

3 다음 빈칸에 들어갈 낱말로 알맞은 것은 무엇입니까? (   )

선생님: 편지를 쓴 아버지는 아들에게 '니는빨리장가안들어야건나'라는 말을 반복하고 있습니다. 빨리 장가들기를 재촉하는 거죠. 그런데 또 '순이' 이야기를 자꾸 하네요. 감자도 삶아 왔다고 은근히 이야기하는 것이 왠지 아들이 '순이'와 (   )을 밝히기를 기대하는 것 같군요.

① 등촉   ② 화촉   ③ 연등

④ 주마등   ⑤ 청사초롱

어휘력 ➕

• **등촉** 등불과 촛불.

• **화촉** 빛깔을 들인 초로 흔히 혼례 의식에 쓰임.

• **연등** 불교의 의식인 연등놀이를 할 때 밝히는 등불.

• **주마등** 등(燈)의 하나이며 무엇이 언뜻언뜻 빨리 지나감을 비유적으로 이를 때에도 쓰임.

• **청사초롱** 촛불이 바람에 꺼지지 않도록 겉에 푸른 천과 붉은 천으로 상, 하단을 두른 등.

허생전

작가
박지원

작품 배경
조선 시대, 한양(지금의 서울)과
전북 변산

허생원
만 냥으로 장사를 시작해 큰 돈을 벎.

허생원에게 만 냥을
빌려줌.

허생에게 돈을 벌어
오라고 잔소리를 함.

빌린 돈을 열
배로 쳐서 갚음.

나라를 변화시킬
제안을 함.

낡은 예법을 중시하여
변화를 거부함.

변씨
한양 제일의 부자

부인

이완
무능한 사대부를
상징하는 인물

발단	전개	위기	절정	결말
가난한 선비인 허생이 아내의 핀잔에 독서를 중단하고 집을 나감.	허생이 변씨에게 빌린 돈으로 사재기를 하여 큰돈을 벌고, 조선의 취약한 경제 구조를 비판함.	허생이 이완에게 세 가지 계책을 제안하나, 이완은 관습에 얽매여 허생의 계책을 거절함.	허생이 명분만 중시하는 양반 사대부들의 허례허식을 비판하고 이완을 나무람.	이튿날 이완이 허생을 찾아가나 아무도 없음.

수록 부분

경희

작가
나혜석

작품 배경
1910년대, 한국

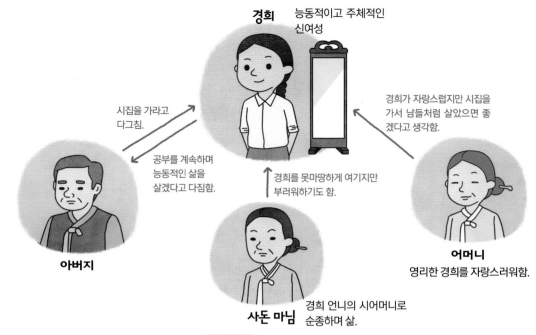

경희 능동적이고 주체적인 신여성

시집을 가라고 다그침.

공부를 계속하며 능동적인 삶을 살겠다고 다짐함.

아버지

경희가 자랑스럽지만 시집을 가서 남들처럼 살았으면 좋겠다고 생각함.

경희를 못마땅하게 여기지만 부러워하기도 함.

어머니
영리한 경희를 자랑스러워함.

사돈 마님 경희 언니의 시어머니로 순종하며 삶.

발단	전개	수록 부분 절정	결말
사돈 마님이 경희에게 공부는 그만하고 얼른 시집가라고 조언하자, 경희는 속으로 배우고 익혀야 사람이라고 생각함.	경희의 어머니는 경희를 자랑스러워하지만, 아버지는 경희가 결혼 생각이 없는 것을 걱정함.	경희는 좋은 집에 시집가 편하게 사는 길과 하고 싶은 공부를 하며 고생하는 길 사이에서 괴롭게 고민함.	결혼을 하라는 아버지에게 경희는 수동적으로 사는 삶은 하등동물과 다름없다며 자신의 삶을 살겠다고 말함.

삼국지

작가
나관중 저 / 정비석 역

작품 배경
위, 촉, 오의 3국 정립을 거쳐 진나라 성립까지

장비 — 형님/아우 — **관우** **위** **조조**

충직한 신하 / 충직한 신하 / 주군

주군 / 주군 / 충직한 신하

유비 **사마의**

주군 / 충직한 신하 **오** **주유**

촉 충직한 신하 / 주군

제갈량

손권

		수록 부분		
후한 말, 전국이 매우 혼란한 중에 황실의 먼 후손인 유비는 관우, 장비와 형제가 되기로 맹세함. (도원결의)	조조가 하북 지역을 통일한 뒤 남하하자 유비는 손권과 힘을 합쳐 조조와 맞서고, 유비의 군사 제갈량의 지략으로 조조를 물리침.	적벽대전의 패배로 조조의 위세가 꺾이고 위나라는 조조, 촉나라는 유비, 오나라는 손권이 다스리며 각자 기틀을 다짐.	관우가 조조와 손권의 연합군과의 싸움에서 사망하고, 유비는 원수를 갚기 위해 오나라를 공격하다 패배하여 숨을 거둠.	제갈량은 여러 차례 북벌을 시도했으나 위나라를 정벌하지 못한 채 죽고 사마염이 진나라를 건국하며 삼국 시대가 끝남.

박지원

중등 교과서 수록 작품

• 지문 해설

• 지문 난이도: 중

• 글자 수: 1275자

1000   1500

허생은 그 길로 변 부자를 찾아가 예를 갖춘 뒤에 한마디로 잘라 말하였다.

"내가 집이 가난해서 뭘 좀 해 보고 싶은데 밑천이 없구려. 돈 만 냥만 빌려주시오."

"그러시오." 변 부자는 대뜸 그 자리에서 만 냥을 내주었다. 허생은 돈을 받더니, 고맙다는 인사 한마디 없이 가지고 나왔다. (중략)

허생이 휭하니 나가고 나자 모두들 어리둥절해서 물었다.

"저 사람을 아시나요?" / "모르지."

"아니, 그렇다면 누군지 알지도 못하는 사람한테 선뜻 만 냥을 내주셨단 말입니까? 이름 석 자도 묻지 않고!"

변 부자는 천연덕스럽게 말하였다. "자네들이 나설 일이 아닐세. 대체로 남에게 돈을 빌리러 오는 사람은 으레 이것저것 늘어놓으면서 자기 뜻이 크고 넓다고 과장을 하게 마련이지. 약속은 꼭 지키겠다느니 어쩌겠다느니 비굴한 얼굴로 중언부언하면서 말이야. 그런데 저 사람은 옷과 신발은 비록 허술하지만, 말이 간단할 뿐 아니라 눈망울이 또록또록하고, 얼굴에는 부끄럽거나 비겁한 구석이 전혀 없네. 재물 같은 건 없어도 스스로 만족하고 사는 사람임에 틀림없어. 분명 그 사람이 한번 해 보고 싶다는 것도 쩨쩨한 일은 아닐 게야. 그래서 그 사람을 한번 시험해 보려는 거야. 안 줄 거라면 모르지만 이왕 줄 바에야 이름은 알아서 뭐하겠나."

허생은 변 부자에게 만 냥을 얻어 가지고 집에는 들르지도 않고 곧장 안성으로 내려갔다.

"안성은 경기도와 전라도의 갈림길에다 충청도, 전라도, 경상도의 길목이렷다!"

허생은 그다음 날부터 시장에 나가서 대추, 감, 배, 석류, 유자 따위 과일이란 과일은 몽땅 사들였다. 파는 사람이 부르는 대로 값을 다 주고, 팔지 않는 사람에게는 값을 배로 주고 사들였다. 그리고 사는 족족 창고 깊숙이 넣어 두었다.

얼마 안 가서 나라 안의 과일이란 과일은 모두 동나 버렸다. 잔치나 제사를 지내려고 해도 과일이 없으니 상을 제대로 차릴 수가 없었다. 이렇게 되니, 과일 장수들은 너나없이 허생한테 몰려와서 제발 과일 좀 팔라고 통사정을 하였다. 결국 허생은 처음 값의 열 배를 받고 과일을 되팔았다.

"허허, 겨우 만 냥으로 나라의 경제를 흔들어 놓았으니, 이 나라 형편이 어떤지 알 만하구나."

허생은 이렇게 탄식하고는 또 칼, 호미, 실이며 베, 솜 따위를 모조리 사들여 제주도로 건너갔다. 그리고 그것을 팔아 말총이란 말총은 모두 거두어들였다. 말총은 갓과 망건을 만드는 재료였다.

"몇 해 못 가서 이 나라 사람들은 모두 머리를 싸매지 못할 게야."

과연 얼마 가지 않아 나라의 갓 값과 망건 값이 열 배로 훌쩍 뛰었다. 그렇게 해서 허생은 엄청난 돈을 긁어모으게 되었다.

• 밑천 장사나 사업의 기초가 되는 돈이나 물건.

• 만 냥 지금의 수억 원에 해당하는 돈.

• 천연(天 하늘 천, 然 그럴 연)덕스럽게 시치미를 뚝 떼어 겉으로는 아무렇지 않은 체하여.

• 중언부언(重 거듭 중, 言 말씀 언, 復 다시 부, 言 말씀 언) 이미 한 말을 자꾸 되풀이함.

• 또록또록하고 매우 또렷하고.

• 동나 물건 따위가 다 떨어져서 남아 있는 것이 없게 되어.

• 통사정(通 통할 통, 事 일 사, 情 뜻 정) 딱하고 안타까운 형편을 털어놓고 말함.

• 말총 말의 갈기나 꼬리의 털.

• 갓 예전에, 어른이 된 남자가 머리에 쓰던 의관의 하나.

• 망건 상투를 튼 사람이 머리카락을 걷어 올려 흘러내리지 않도록 머리에 두르는 그물처럼 생긴 물건.

핵심 요약 **TIP**

이 글은 「허생전」으로 가난한 선비인 허생이 만 냥으로 시작하여 조선 경제를 뒤흔드는 이야기가 담겨 있습니다. 허생이 변 부자에게 만 냥을 빌려 어디로 가서 무엇을 했는지 순서대로 정리해 봅니다.

1 **핵심 요약** 내용 흐름 정리하기

다음은 허생이 한 일을 중심으로 내용을 정리한 것입니다. 빈칸에 들어갈 적절한 말을 쓰시오.

변 부자를 찾아가 당당하게 ( )을 빌려 달라고 요구함.

⬇

만 냥을 가지고 ( )으로 내려가 과일을 몽땅 사들임.

⬇

나라 안의 과일이 동나자 처음 값의 ( )를 받고 과일을 되팖.

⬇

제주도로 내려가 ( )을 몽땅 사들이고 되팔아 많은 돈을 벎.

2 **내용 이해** 세부 내용 파악하기

이 글에 드러난 인물의 생각과 태도로 적절하지 않은 것은 무엇입니까? ( )

① 허생은 나라의 많은 물품이 안성을 거친다고 생각했다.
② 변 부자는 겉모습만 보고 사람에 대해 판단하지 않았다.
③ 변 부자는 허생이 돈에 욕심이 없는 인물이라고 보았다.
④ 허생은 변 부자에게 빌린 돈은 반드시 갚겠다고 약속했다.
⑤ 허생은 제주도에서 칼, 호미, 베, 솜 같은 **생필품**이 잘 팔릴 것이라고 판단했다.

어휘
• **생필품** 일상생활에 반드시 있어야 할 물품.

3 **표현** 소재의 기능 파악하기

만 냥에 대한 설명으로 가장 적절한 것은 무엇입니까? ( )

① 나라에서 망건 값을 결정할 수 있는 수단이다.
② 허생이 자신의 계획을 실행할 수 있는 수단이다.
③ 허생이 안성에서 말총을 사들일 수 있는 수단이다.
④ 허생이 변 부자와 함께 장사를 할 수 있는 수단이다.
⑤ 변 부자가 허생의 인물됨을 평가할 수 있는 수단이다.

감상 이론을 바탕으로 감상하기

④ 다음 선생님의 질문에 대한 답으로 적절하지 <u>않은</u> 것은 무엇입니까? (   )

> 선생님: 문학 작품은 당시의 사회·문화적 배경을 반영하여 창작됩니다. 그래서 문학 작품에 반영된 사회·문화적 배경을 이해하면 작품을 깊이 있게 감상할 수 있지요. 그럼 「허생전」에서 확인할 수 있는 당시 사회·문화적 배경은 무엇일까요?

① 잔치나 제사를 위해 상을 차릴 때 과일을 올렸다.
② 상품을 모조리 사들이는 **사재기**를 **규제**하지 않았다.
③ 말총으로 만든 망건으로 머리를 묶는 풍습이 있었다.
④ 상품의 유통이 제대로 되지 않는 경제 구조를 지녔다.
⑤ 가난한 사람에게는 이자를 받지 않고 돈을 빌려주었다.

어휘·어법 한자성어

5 다음은 이 글을 읽은 수현이의 반응입니다. 빈칸에 들어갈 한자성어로 적절한 것은 무엇입니까? (   )

> 수현: 허생이 과일과 말총을 모조리 사들인 것은 적은 돈으로도 나라의 경제를 (   )할 수 있는 당시 조선의 경제 상황을 정확히 파악했기 때문이야.

① 결자해지(結者解之)
② 괄목상대(刮目相對)
③ 부화뇌동(附和雷同)
④ 칠전팔기(七顚八起)
⑤ 좌지우지(左之右之)

1

낱말 이해 | 낱말 관계 | 낱말 적용 | 관용 표현

다음 그림을 보고, ㉠과 ㉡에 알맞은 낱말을 보기 에서 각각 찾아 쓰시오.

보기

| 속사정 | 통사정 | 덧나 | 동나 | 축나 |

마스크 없나요? 당장 내일 쓸 마스크가 없어서 꼭 사야 해요.

어쩌지? 아무리 학생이 ㉠(   )을/를 해도 이미 ㉡(   ) 버린걸. 미안하구나.

2

낱말 이해 | 낱말 관계 | 낱말 적용 | 관용 표현

다음 물건의 알맞은 이름을 찾아 각각 선으로 이으시오.

(1) ·

(2) ·

(3) ·

· ㉮ 갓

· ㉯ 말총

· ㉰ 망건

3

낱말 이해 | 낱말 관계 | 낱말 적용 | 관용 표현

다음 선생님의 질문에 대한 답으로 알맞은 것은 무엇입니까? (   )

선생님: 변 부자는 허생을 '재물 같은 건 없어도 스스로 만족하고 사는 사람'이라고 평가하고 있습니다. 이처럼 욕심 없이 자신의 분수에 만족하는 삶을 뜻하는 한자성어를 말해 볼까요?

① 문전걸식(門前乞食)

② 삼순구식(三旬九食)

③ 안분지족(安分知足)

④ 초근목피(草根木皮)

⑤ 부정부패(不正腐敗)

어휘력 +

• **문전걸식** 이 집 저 집 돌아다니며 빌어먹음.

• **삼순구식** 삼십 일 동안 아홉 끼니밖에 먹지 못한다는 뜻으로, 몹시 가난함.

• **안분지족** 편안한 마음으로 제 분수를 지키며 만족할 줄 앎.

• **초근목피** 풀뿌리와 나무껍질이라는 뜻으로, 맛이나 영양 가치가 없는 거친 음식을 뜻함.

• **부정부패** 바르지 못하고 타락함.

• 지문 해설

• 지문 난이도: 상
● ● ● ● ●

• 글자 수: 1342자

1000   1500

• 동철(銅 구리 동, 鐵 쇠 철)
구리와 쇠를 이르는 말.

• 들씌운 이불이나 옷 따위를
위에서 아래까지 덮어쓰게 한.

• 대담스러운 담력이 크고 용
감한 데가 있는.

• 체경(體 몸 체, 鏡 거울 경)
몸 전체를 비추어 볼 수 있는
큰 거울.

• 금수(禽 날짐승 금, 獸 짐승
수) 날짐승과 길짐승이라는
뜻으로, 모든 짐승을 이르는 말.

• 영장(靈 신령 령, 長 길 장)
영묘한 힘을 가진 우두머리라
는 뜻으로, '사람'을 이르는 말.

• 안자 공자의 제자 안회를
높여 이르는 말.

• 일단사(一簞食) 일표음(一瓢
飮)에 낙역재기중(樂亦在基
中)이라 대나무로 만든 밥
그릇에 담은 밥과 표주박에
든 물을 먹어도 그중에 즐거
움이 있음. 소박한 생활에서
즐거움을 느끼는 것을 말함.

• 일반(一 하나 일, 般 가지 반)
한모양이나 마찬가지의 상태.

• 댑싸리 명아줏과의 한해살
이풀.

귀찮은 공부도 그만둘 터이다. 가지 마라시는 일본도 또다시 아니 가겠다. 이 길인가
보다. 이 길이 밟을 길인가 보다. 아, 그렇게 정하자. 그러나……

"아이구, 어찌하면 좋은가……."

경희의 눈은 말똥말똥하다. 전신이 천근만근이나 되도록 무거워졌다. 머리 위에는 큰
동철 투구를 들씌운 것같이 무겁다. 오그라졌던 두 팔 두 다리는 어느덧 나와서 척 늘어
졌다. 도로 전신이 오그라진다. 어찌하려고 그런 대담스러운 대답을 하였나 하고. 아버지
가 "계집애라는 것은 시집가서 아들딸 낳고 시부모 섬기고 남편을 공경하면 그만이니
라." 하실 때에

"그것은 옛날 말이에요. 지금은 계집애도 사람이라 해요. 사람인 이상에는 못할 것이
없다고 해요. 사내와 같이 돈도 벌 수 있고, 사내와 같이 벼슬도 할 수 있어요. 사내
가 하는 것은 무엇이든지 하는 세상이에요."

하던 생각을 하며, 아버지가 담뱃대를 드시고

"뭐 어쩌고 어째. 네까짓 계집애가 하긴 무얼 해. 일본 가서 하라는 공부는 아니하고
귀한 돈 없애고 그까짓 엉뚱한 소리만 배워 가지고 왔어?"

하시던 무서운 눈을 생각하며 몸을 흠찔한다. (중략)

이렇게 경희는 눈에 보이는 대로 그 명칭을 불러 본다. 옆에 놓인 머릿장도 만져 본
다. 그 위에 얹은 명주이불도 쓰다듬어 본다.

"그러면 내 명칭은 무엇인가? 사람이지! 꼭 사람이다."

경희는 벽에 걸린 체경 에 제 몸을 비추어 본다. 입도 벌려 보고 눈도 꿈쩍여 본다.
팔도 들어 보고 다리도 내어놓아 본다. 분명히 사람 모양이다. 그리고 드러누운 탑실개
와 굼벵이 찍으러 다니는 닭과 또 까마귀와 저를 비교해 본다. 저것들은 금수, 즉 하등
동물이라고 동물학에서 배웠다. 그러나 저와 같이 옷을 입고 말을 하고 걸어 다니고 손
으로 일하는 것은 만물의 영장인 사람이라고 배웠다. 그러면 저도 이런 귀한 사람이다.

아아, 대답 잘했다. 아버지가

"그리로 시집가면 ㉠좋은 옷에 생전 배불리 먹다 죽지 않겠니?"

하실 때에 그 무서운 아버지 앞에서 평생 처음으로 벌벌 떨며 대답하였다.

"아버지 안자(顔子)의 말씀에도 일단사(一簞食) 일표음(一瓢飮)에 낙역재기중(樂亦在基
中)이라는 말씀이 없습니까? 먹고만 살다 죽으면 그것은 사람이 아니라 금수이지
요. 보리밥이라도 제 노력으로 제 밥을 제가 먹는 것이 사람인 줄 압니다. 조상이 벌
어 놓은 밥 그것을 그대로 받은 남편의 그 밥을 또 그대로 얻어먹고 있는 것은 우리집
개나 일반이지요."

하였다. 그렇다. 먹고 죽으면 그것은 하등동물이다. (중략) 그런 자는 가죽을 잠깐 빌
어다가 쓴 것이지 조금도 사람이 아니다. 저 댑싸리 그늘 밑에 드러누우려 하여도 개가 비
웃고 그 자리가 아깝다고 할 터이다.

핵심 요약 TIP

이 소설에 등장하는 아버지는 매우 가부장적인 사람이고, 경희는 이에 대항하여 능동적인 삶을 살려는 신여성입니다. 결혼에 대한 경희와 아버지의 대화를 중심으로 이들의 생각을 정리하여 봅니다.

1 **핵심 요약** 주요 내용 정리하기

다음은 '계집애'에 대한 인물들의 생각을 정리한 것입니다. 빈칸에 들어갈 적절한 말을 쓰시오.

계집애

아버지의 생각	경희의 생각
계집애는 (　　　　)가서 아들딸 낳고 시부모 섬기고 남편을 공경하면 그만임.	계집애도 (　　　　)이며, 사내가 하는 것은 무엇이든 할 수 있음.

2 **표현** 서술상의 특징 파악하기

이 글에 대한 설명으로 적절한 것은 무엇입니까? (　　　　)

① 인물의 행동을 우스꽝스럽고 과장되게 묘사하였다.
② 인물이 살고 있는 현재와 상상 속 삶을 비교해서 제시하고 있다.
③ 인물의 행동만 보여 주고 마음은 읽는 이가 상상하게 하고 있다.
④ 사건이 일어나게 된 원인을 말하는 이가 요약하여 설명하고 있다.
⑤ 혼잣말하는 듯한 말투로 인물의 **내면** **심리**를 자세히 서술하고 있다.

어휘
• **내면**(內 안 내, 面 얼굴 면) 밖으로 드러나지 아니하는 사람의 속마음.
• **심리** 마음의 움직임이나 상태.

3 **표현** 소재의 기능 파악하기

체경 에 대한 설명으로 가장 적절한 것은 무엇입니까? (　　　　)

① 자신의 **신념**을 굳게 만드는 계기가 된다.
② 주변 상황을 원망하는 마음이 생기게 한다.
③ 인물의 생각이 달라지게 되는 원인이 된다.
④ 과거에 대한 그리움을 **유발하는** 역할을 한다.
⑤ 아버지 앞에서 대답을 못 하던 모습을 떠올리게 한다.

어휘
• **신념** 굳게 믿는 마음.
• **유발하는** 어떤 일이 원인이 되어 다른 일이 일어나는.

감상 이론을 바탕으로 감상하기

④ 보기 를 참고할 때, 이 글의 주된 갈등은 무엇이겠습니까? (   )

> **보기**
>
>   소설의 인물은 자신의 내면과 갈등하기도 하고, 자신을 둘러싼 외부적 요인과 갈등하기도 한다. 외부적 요인과의 갈등에는 인물들 사이의 가치관 차이 때문에 발생하는 인물과 인물의 갈등, 인물이 자신이 처한 사회·문화적 상황과 대립하는 인물과 사회의 갈등, 인물이 생존을 위해 자연과 싸우는 인물과 자연의 갈등, 인물이 타고난 운명에 맞서는 인물과 운명의 갈등이 있다.

① 외국에서 공부를 계속할 것을 권하는 사회·문화와의 갈등

② 공부를 그만두고 싶으면서도 쉽게 결정하지 못하는 내면과의 갈등

③ 서로 다른 가치를 추구하는 아버지와 대립하는 인물과 인물의 갈등

④ 부모의 뜻대로 시집가서 살 것이 이미 결정되어 있는 운명과의 갈등

⑤ 사람으로서 하등동물처럼 살아갈 수 없음을 드러내는 자연과의 갈등

어휘·어법 한자성어

⑤ ㉠과 같은 뜻의 한자성어는 무엇입니까? (   )

① 노심초사(勞心焦思)

② 배은망덕(背恩忘德)

③ 안분지족(安分知足)

④ 유유자적(悠悠自適)

⑤ 호의호식(好衣好食)

어휘·어법 TIP

• **노심초사** 몹시 마음을 쓰며 애를 태움.

• **배은망덕** 남에게 입은 은혜를 저버리고 배신하는 태도가 있음.

• **안분지족** 편안한 마음으로 제 분수를 지키며 만족할 줄을 아는 것.

• **유유자적** 무엇에도 얽매이지 않고 조용하고 편안하게 삶.

• **호의호식** 좋은 옷을 입고 좋은 음식을 먹음.

1 낱말 이해 낱말 관계 낱말 적용 관용 표현

다음 그림을 보고, ㉠과 ㉡에 알맞은 낱말을 보기 에서 각각 찾아 쓰시오.

보기

| 야수 | 맹수 | 금수 | 연장 | 영장 |

세상에, 이런 ㉠(   )만도 못한 인간들이 있나. 죄 없는 강아지를 저렇게 학대하다니.

강아지 학대 논란

정말 저런 사람들은 만물의 ㉡(   )(이)라는 말이 부끄러워요.

2 낱말 이해 낱말 관계 낱말 적용 관용 표현

다음 낱말의 알맞은 뜻을 찾아 각각 선으로 이으시오.

(1) 들씌우다 •

(2) 일반 •

(3) 체경 •

• ㉮ 한모양이나 마찬가지의 상태.

• ㉯ 몸 전체를 비추어 볼 수 있는 큰 거울.

• ㉰ 이불이나 옷 따위를 위에서 아래까지 덮어쓰게 하다.

3 낱말 이해 낱말 관계 낱말 적용 관용 표현

다음에서 말하는 이가 비판하는 삶의 태도와 관련있는 한자성어는 무엇입니까?

(   )

"먹고만 살다 죽으면 그것은 사람이 아니라 금수이지요. 보리밥이라도 제 노력으로 제 밥을 제가 먹는 것이 사람인 줄 압니다."

① 무위도식(無爲徒食)

② 삼순구식(三旬九食)

③ 우유부단(優柔不斷)

④ 작심삼일(作心三日)

⑤ 차일피일(此日彼日)

어휘력 ➕

• **무위도식** 하는 일 없이 놀고 먹음.

• **삼순구식** 삼십 일 동안 아홉 끼니밖에 먹지 못한다는 뜻으로, 몹시 가난함을 뜻함.

• **우유부단** 망설이기만 하고 결단성이 없음을 뜻하는 말.

• **작심삼일** 단단히 먹은 마음이 사흘을 가지 못한다는 뜻으로, 결심이 굳지 못함.

• **차일피일** 자꾸 기한을 미루는 모양을 뜻하는 말.

나관중 저 / 정비석 역

• 지문 해설

• 지문 난이도: 상
●─●─●─●─●

• 글자 수: 1360자
├──────┤
1000   1500

• 승상 중국의 역대 왕조에서 천자(황제)를 보필하는 최고 관직을 이르던 말. 여기에서는 조조를 가리킴.

• 지모(智 슬기 지, 謀 꾀할 모) 슬기로운 꾀.

• 몰살(沒 가라앉을 몰, 殺 죽일 살) 모조리 다 죽거나 죽임.

• 별고(別 나눌 별, 故 연고 고) 특별한 사고.

• 주군(主 주인 주, 君 임금 군) 군주 국가에서 나라를 다스리는 우두머리. 여기에서는 촉나라의 황제 유비를 가리킴.

• 후대(厚 두터울 후, 待 기다릴 대) 아주 잘 대접함. 또는 그런 대접.

• 정리(情 뜻 정, 理 다스릴 리) 인정과 도리를 아울러 이르는 말.

• 후은(厚 두터울 후, 恩 은혜 은) 두터운 은혜.

• 보은(報 갚을 보, 恩 은혜 은) 은혜를 갚음.

• 공사(公 공평할 공, 私 사사 사) 여러 사람을 위한 일과 개인을 위한 일.

• 목전(目 눈 목, 前 앞 전) 눈의 앞.

• 황망히 마음이 몹시 급하여 당황하고 허둥지둥하는 면이 있게.

조조가 풀밭에 앉아 산천을 살펴보았다. 그러다가 아까 모양으로 또다시 하늘을 우러러 크게 웃었다. "승상, 왜 그러십니까?" "하하하, 공명과 주유가 제아무리 지모가 능하다 해도 내가 보기에는 아직 유치할 뿐이다. 만약 이곳에 군사 수백 명만 숨겨 두었던들 우리는 몰살을 하고 말았을 게 아니냐! 그러니 내가 어찌 웃지 않을 수 있겠느냐!"

그러나 그 말이 채 끝나기도 전에 숲속에서 별안간 오백여 군사가 뛰어나와 조조를 에워싸는데, 손에 청룡도를 움켜잡고 말 위에 올라앉아 있는 장수는 바로 관우였다.

군사들은 [㉠] 했다. 그러나 조조는 마치 얼빠진 사람처럼 멍하니 바라만 보고 있다가 좌우를 돌아보며 중얼거렸다.

"이제는 이렇게 되었으니 죽기를 각오하고 싸우는 수밖에 없구나!"

그러나 정욱이 말했다. "아직 실망하실 것은 없습니다. 일찍이 운장이 허도에 있을 때 제가 가깝게 지낸 일이 있었는데, 그는 의리가 두터운 성품이었습니다. 관운장은 아직 옛날 승상이 베푼 은총을 잊지 않았을 것이니, 제가 한번 만나 볼까 합니다."

"가만 있어라. 내가 직접 만나겠다!"

조조는 무슨 결심이나 한 듯 눈을 무겁게 감았다 뜨더니, 관우 앞으로 정중히 걸어 나오며 말했다. "장군! 참 오래간만이오. 그동안 별고 없으셨소?"

관우가 그 소리를 듣고는 청룡도를 늘어뜨리며 대답했다. "오오, 뜻하지 못했던 곳에서 뵙게 되었소이다. 나는 주군의 명을 받고 이곳에서 승상을 기다린 지 오래요. 전일 승상의 후대를 받은 적이 있으나 지금은 그 시절의 관우가 아니오!"

관우는 의식적으로 냉담한 어조로 말했다. 그러나 조조는 간절히 청했다.

"내가 지금 싸움에 패하고 이곳에 이르러 다시 갈 길이 없게 되었소. 장군은 부디 지난날의 정리를 생각해서 나를 보내 주기 바라오."

[가] ["내가 비록 승상의 후은을 받았으나, 이미 승상을 위해 안량과 문추를 베는 것으로 보은은 끝났다고 생각하오. 내 어찌 사사로운 정리 때문에 공사를 그르치리오."]

그래도 조조는 포기하지 않고 간청했다. [나] ["장군, 전일의 은공을 너무 내세우는 것 같지만 현덕 공의 두 부인을 구출한 사람도 바로 내가 아니오? 또 춘추라는 책에, 죽일 수 없는 상대에게 촉 없는 화살을 쏜 이야기가 있는 것을 장군도 알지 않소?"]

관우는 워낙 의리를 중하게 여기는 사람인지라 전일의 은총과 오늘날 조조의 몰락을 목전에서 바라보며 마음이 움직이지 않을 수 없었다. 관우는 이 문제를 어떻게 처리해야 좋을지 매우 난감할 뿐이었다. 더구나 아무 죄도 없는 조조의 부하들이 살려 달라고 땅에 엎드려 애원하는 꼴을 보고서는 차마 칼을 쓸 수가 없었다.

관우는 뒤로 돌아서 부하들에게 불필요한 명을 내렸다.

"모두들 산 아래로 내려가자!"

조조는 그 사이에 달아나라는 뜻임을 깨닫고 황망히 숲속으로 도망을 치기 시작했다.

1 핵심 요약   내용 흐름 정리하기

다음은 이 글에서 일어난 일을 순서대로 정리한 것입니다. 빈칸에 들어갈 적절한 말을 쓰시오.

> (   )가 풀밭에서 공명과 주유를 비웃다가 적들에 에워싸임.

⬇

> 적의 장수가 (   )임을 알고 지난날의 정리를 생각해 보내 주기를 간청함.

⬇

> 관우가 조조에 대한 (   )은 이미 끝났다고 하며 간청을 거절함.

⬇

> 조조의 거듭된 (   )에 마음이 흔들린 관우가 조조 일행을 풀어 줌.

핵심 요약   **TIP**

「삼국지」는 위·촉·오 삼국 시대 이야기로, 이 글의 등장인물인 '조조'는 위나라의 승상이고, '관우'는 촉나라의 장군입니다. 조조와 관우가 만난 순간부터 관우가 조조를 풀어 주는 순간까지를 차례대로 정리해 봅니다.

2 내용 이해   세부 내용 파악하기

이 글의 내용과 일치하지 않는 것은 무엇입니까? (   )

① 관우는 조조의 죄 없는 군사들을 보며 측은함을 느꼈다.
② 관우는 조조 일행을 풀어 줘야 할지 말아야 할지 고민했다.
③ 조조는 관우를 설득하기 위해 자신이 스스로 나서서 행동했다.
④ 조조는 관우의 냉담한 태도를 보며 살 수 있다는 희망을 버렸다.
⑤ 정욱은 **적장**이 관우임을 확인하고 살아날 가능성이 있다고 생각했다.

어휘
• **측은함** 불쌍하고 가여움.
• **적장** 적군의 우두머리.

3 표현   말하기 방식 파악하기

[가], [나]에 나타난 인물들의 말하기 방식으로 적절한 것은 무엇입니까? (   )

① [가]는 상대의 의견에 따라 자신의 생각을 바꾸려고 한다.
② [가]는 물음의 형식을 통해 상대가 생각을 바꾸기를 요청하고 있다.
③ [나]는 옛날 책에 나오는 이야기를 인용하여 상대의 굳은 의지를 칭찬하고 있다.
④ [나]는 상대와 관계있는 인물의 정보를 제공하여 상대의 약점을 비난하고 있다.
⑤ [가]와 [나]는 모두 상대가 알고 있는 일을 말하며 자신의 생각을 드러내고 있다.

추론하기 · 외부 자료를 바탕으로 추론하기

보기를 참고할 때, 이 글의 인물들에 대한 설명으로 적절하지 않은 것은 무엇입니까? (   )

> **보기**
>
> 　고전 소설의 감상에서는 인물 사이의 관계 파악과 인물을 가리키는 말에 대한 이해가 중요하다. 이 글에서 대립하고 있는 인물은 '조조'와 '관우'이며, '조조'는 '정욱'에 의해 '승상'으로 불린다. '관우'는 촉나라의 '유비'를 주군으로 모시고 있으며, '관우'와 '유비'의 또 다른 이름은 '관운장'과 '유현덕'이다. '공명'은 촉나라의 전략가로 오나라의 '주유'와 함께 적벽의 싸움에서 조조의 군사에 큰 승리를 거둔다.

① '조조'와 부하 '정욱'은 '적벽의 싸움'에서 패하였었군.

② '정욱'은 과거 다른 지역에서 '관우'와 가깝게 지낸 적이 있었군.

③ '관우'가 '조조'를 죽이려 하는 것은 '유비'의 명에 의한 것이군.

④ '유비'의 부인이 '조조'에 의해 도움을 받았던 사건이 있었군.

⑤ '조조'가 풀밭에 앉아 산천을 살펴볼 때 이미 '공명'과 '주유'의 계획을 파악하고 있었군.

5 　어휘·어법 · 한자성어

㉠에 들어갈 한자성어로 적절한 것은 무엇입니까? (   )

① 각골난망(刻骨難忘)

② 고진감래(苦盡甘來)

③ 남부여대(男負女戴)

④ 오매불망(寤寐不忘)

⑤ 혼비백산(魂飛魄散)

어휘·어법 TIP

• **각골난망** 남에게 입은 은혜가 뼈에 새길 만큼 커서 잊히지 아니함.

• **고진감래** 쓴 것이 다하면 단 것이 온다는 뜻으로, 고생 끝에 즐거움이 옴.

• **남부여대** 남자는 지고 여자는 인다는 뜻으로, 가난한 사람들이 살 곳을 찾아 이리저리 떠돌아다님.

• **오매불망** 자나 깨나 잊지 못함.

• **혼비백산** 몹시 놀라 넋을 잃음.

어휘력 완성

낱말 이해 낱말 관계 낱말 적용 관용 표현

1 다음 그림을 보고, ㉠과 ㉡에 알맞은 낱말을 보기 에서 각각 찾아 쓰시오.

보기

| 별수 | 별고 | 별말 | 면전 | 목전 |

훈장님! 방학 동안 ㉠(   ) 없으셨습니까?

오냐, 나는 잘 지냈다. 그나저나 과거 시험일이 이제 ㉡(   )에 다가왔으니, 더욱 학업에 힘쓰거라.

낱말 이해 낱말 관계 낱말 적용 관용 표현

2 다음 낱말의 알맞은 뜻을 찾아 각각 선으로 이으시오.

(1) 후대 •

(2) 후은 •

(3) 보은 •

• ㉮ 은혜를 갚음.

• ㉯ 두터운 은혜.

• ㉰ 아주 잘 대접함.

낱말 이해 낱말 관계 낱말 적용 관용 표현

3 다음 '조조'의 말에서 드러나는 태도와 관련있는 한자성어는 무엇입니까? (   )

> 그러나 조조는 마치 얼빠진 사람처럼 멍하니 바라만 보고 있다가 좌우를 돌아보며 중얼거렸다.
>
> "이제는 이렇게 되었으니 죽기를 각오하고 싸우는 수밖에 없구나!"

① 구사일생(九死一生)

② 견물생심(見物生心)

③ 사생결단(死生決斷)

④ 승승장구(乘勝長驅)

⑤ 전화위복(轉禍爲福)

어휘력 ➕

• **구사일생** 아홉 번 죽을 뻔하다 한 번 살아난다는 뜻으로, 죽을 고비를 여러 차례 넘기고 겨우 살아남.

• **견물생심** 어떠한 물건을 보게 되면 그것을 가지고 싶은 욕심이 생김.

• **사생결단** 죽고 사는 것을 돌보지 않고 끝장을 내려고 함.

• **승승장구** 싸움에 이긴 기세를 타고 계속 몰아침.

• **전화위복** 재앙과 근심, 걱정이 바뀌어 오히려 복이 됨.

소설

소설의 인물·배경·구성

소설에 등장하는 '인물'은 작가의 상상력으로 만들어진 존재예요. 물론 작가 자신의 모습이 어느 정도 반영이 되었다고 볼 수 있지만 '나'라는 이름으로 등장하는 인물도 작가 자신은 아니랍니다. 그리고 소설의 인물은 그 비중에 따라 중심인물과 주변 인물로 나누기도 하고, 작가가 전달하려는 주제와 같은 방향으로 움직이는가 반대로 움직이는가에 따라 주동 인물과 반동 인물로 나누기도 해요.

소설에서 '배경'은 사건이 일어나고 인물이 행동하는 시간적, 공간적, 사회적 환경을 말해요. 예를 들어서 시간적 배경은 '1950년대', '추운 겨울', '깊은 밤' 같은 것이고, 공간적 배경은 '농촌', '학교' 같은 것이죠. 또 사회적 배경은 '신분 제도가 있던 사회', '일제의 억압을 받는 시대' 같은 것을 의미해요.

그리고 소설의 '구성'은 시간의 흐름에 따라 전개되는 '순행적 구성'과 그렇지 않은 '역순행적 구성'으로 나뉘어요. 현대 소설은 대부분 '역순행적 구성'인데, 작가가 사건의 원인을 보여 주고 싶을 때 현재에서 과거로 돌아가는 구성 방법을 말한답니다.

언제나 행복한 고전 소설

　고전 소설이라는 것은 조선 시대에 창작된 소설을 말해요. 그런데 현대 소설과는 많이 다른 특징이 있답니다.

　먼저 고전 소설에는 착한 사람은 복을 받고 악한 사람은 벌을 받는다는 주제의 작품이 많아요. 이런 걸 한자성어로 '권선징악(착한 일을 권하고, 악한 일을 징계함.)'이라고 하죠. 바로 그래서 고전 소설은 언제나 행복한 결말로 끝난답니다. 우리가 드라마를 볼 때 '해피 엔딩'을 기대하는 것처럼요.

　그리고 고전 소설의 또 다른 특징으로는, 우연히 벌어지는 사건이나 비현실적인 사건이 많다는 점이에요. 갑자기 문제가 해결되고, 엄청난 도술을 부리는 그런 이야기들이 나타나는 거죠. 그렇기 때문에 고전 소설의 주인공은 평범한 우리의 이웃보다는, 정말 뛰어난 능력과 빼어난 외모를 지닌 인물이 많아요. 이것도 드라마의 주인공과 비슷하네요.

　또, 고전 소설은 현대 소설과 달리 대부분 시간의 흐름에 따라 이야기가 전개되는 '순행적 구성'으로 되어 있다는 것이 특징이랍니다.

진달래꽃

김소월

이 시는 우리 민족의 전통적 정서라고 할 수 있는 이별의 정한을 노래한 작품입니다.

내 마음은

김동명

이 시는 다양한 비유적 표현으로 '그대'를 향한 '나'의 마음을 표현하고 있는 작품입니다.

모란이 피기까지는

김영랑

이 시는 화자가 지향하는 절대적 아름다움의 상징인 '모란'을 상실한 슬픔과 반복되는 기다림을 노래하고 있는 작품입니다.

엄마 걱정

기형도

이 시는 화자가 어머니를 기다렸던 가난한 어린 시절을 돌아보고 있는 작품입니다.

꽃

김춘수

이 시는 '꽃'을 통해, 사람과 사람 사이의 진정한 관계 맺음에 대한 소망을 노래하는 작품입니다.

귀뚜라미

나희덕

이 시는 뜨거운 여름 높은 가지에서 큰 소리로 울고 있는 '매미' 소리와 낮고 차가운 곳에서 서러운 울음을 토하고 있는 '나(귀뚜라미)'의 울음을 대조적으로 보여 주고 있는 작품입니다.

청포도

이육사

이 시는 다가올 '손님'을 기다리는 화자의 정성과 기쁨을 노래하고 있는 작품입니다.

해

박두진

이 시는 화합과 공존이 이루어지는 평화로운 세계에 대한 소망을 노래한 작품입니다.

풀

김수영

이 시는 부정적 현실에도 굴하지 않고 시련을 이겨 내는 강인한 풀의 모습을 노래하고 있는 작품입니다.

시

'시'는 글쓴이의 생각이나 감정을 함축적인 언어로 표현한 문학입니다.

껍데기는 가라

신동엽

이 시는 온갖 부정적인 존재들이 사라지고 민족의 순수한 아름다움으로 빛나는 통일과 화합의 시대에 대한 소망을 노래한 작품입니다.

묏버들 가려 꺾어 ~

홍랑

이 시조는 임에 대한 그리움과 사랑을 노래하고 있는 작품입니다.

산은 옛 산이로되 ~

황진이

이 시조는 '산'과 '물'의 대조를 통해 인생의 허무함을 노래하고 있는 작품입니다.

천만리 머나먼 길에 ~

왕방연

이 시조는 임(단종)과 헤어진 뒤 느끼는 비통한 마음을 표현한 작품입니다.

방 안에 켜 있는 촛불 ~

이개

이 시조는 임(단종)과 이별한 슬픔을 애절하게 노래하고 있는 작품입니다.

굼벵이 매미가 되어 ~

이정신

이 시조는 높은 자리에 있을수록 항상 행동을 조심해야 한다는 교훈을 주는 작품입니다.

소반 위 홍시가 ~

박인로

이 시조는 홍시를 보고 돌아가신 부모님에 대한 그리움을 노래한 작품입니다.

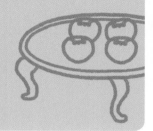

훈민가

정철

이 시조는 유교적 윤리의 실천을 통해 백성들을 가르치고 이끌 목적으로 지은 작품입니다.

진달래꽃

김소월

중등 교과서 수록 작품

- 지문 해설

- 지문 난이도: 중

나 보기가 역겨워
가실 때에는
말없이 고이 보내 드리우리다

영변(寧邊)에 약산(藥山)
진달래꽃
아름 따다 가실 길에 뿌리우리다

가시는 걸음걸음
놓인 그 꽃을
사뿐히 즈려밟고 가시옵소서.

나 보기가 역겨워
가실 때에는
죽어도 아니 눈물 흘리우리다

- **역겨워** 감각이나 느낌이 몹시 불쾌하여.

- **고이**　① 정성을 다하여. 소중하게.
　② 그대로 고스란히.

- **약산(藥 약 약, 山 뫼 산)** 평안북도 영변 서쪽에 있는 산. 진달래꽃이 산등성이에 피는 것으로 유명함.

- **아름**　두 팔에 가득히 안을 만큼.

- **즈려밟고** '지르밟고'의 방언. 위에서 내리눌러 밟고.

핵심 요약 **TIP**

이 시에는 이별의 상황에 대한 화자의 마음이 드러나 있습니다. 이 시의 화자는 이별의 상황을 체념하면서, 임에 대한 희생적인 태도를 보이고 있습니다.

핵심 요약 내용 흐름 정리하기

1 다음은 각 연의 내용을 정리한 것입니다. 빈칸에 들어갈 적절한 시어를 찾아 쓰시오.

1연	이별의 상황을 받아들임.
2연	임이 떠나는 길에 ( )을 뿌림.
3연	임이 ( )을 밟고 가기를 바람.
4연	임이 가면 죽어도 ( ) 흘리지 않을 것임.

내용 이해 시어의 의미 파악하기

2 다음 설명의 밑줄 그은 부분에 해당하는 시어로 적절한 것은 무엇입니까? ( )

> 우리는 늘 사랑을 하고 사랑을 받으면서도 궁금해한다. 도대체 나를 얼마만큼 사랑하는 걸까? 사랑은 눈에 보이지 않기 때문에, 말로 설명할 수밖에 없다. 하늘만큼, 땅만큼, 우주만큼 등등. 이 시에서 '나'도 떠나는 사람에게 바치는 사랑을 <u>자신이 할 수 있는 최대한의 크기로 표현하고 있다.</u>

① 말없이   ② 진달래꽃   ③ 아름
④ 사뿐히   ⑤ 죽어도

표현 반어적 표현 이해하기

수능형 **3** 보기를 바탕으로 화자의 태도를 정리한 것 중 적절하지 <u>않은</u> 것은 무엇입니까?

( )

> **보기**
>
> 4연 마지막 행에서는 '아니'를 '눈물' 앞에 써서 표현함으로써 울지 않겠다는 것을 강조하고 있다. 지나친 부정은 긍정의 의미가 되기도 한다는 점에서, 화자가 슬프게 울 것임을 짐작할 수 있다. 그렇다면 1연~3연은 모두 진심으로 한 말일까? 이 시는 처음부터 끝까지 화자의 마음을 반대로 이야기하는 **반어적 표현**으로 이루어진 작품이다.

어휘
• **반어적 표현** 속마음과는 반대로 말함으로써, 슬픔을 강조하거나 상대를 조롱하기 위한 표현.

	겉으로 드러난 태도	속에 숨어 있는 마음
1연	① 기꺼이 당신을 보내 드릴게요.	제발 가지 마세요.
2연	당신의 앞길을 축복해 드릴게요.	② 정말 가실 건가요?
3연	마음껏 저를 밟고 가셔도 좋아요.	③ 앞으로는 꽃길만 걸어가세요.
4연	④ 꼭 슬픔을 이겨 낼 거예요.	⑤ 저는 피눈물을 흘릴 거예요.

내 마음은

김동명

중등 교과서 수록 작품

- 지문 해설

- 지문 난이도: 중
●－●－●－○－○

내 마음은 호수요,
그대 노 저어 오오.
나는 그대의 흰 그림자를 안고, ㉠옥같이
그대의 뱃전에 부서지리다.

내 마음은 촛불이요,
그대 저 문을 닫아 주오.
나는 그대의 비단 옷자락에 떨며, 고요히
최후의 한 방울도 남김 없이 타오리다.

내 마음은 나그네요,
그대 피리를 불어 주오.
나는 달 아래 귀를 기울이며, 호젓이
나의 밤을 새이오리다.

내 마음은 낙엽이요,
잠깐 그대의 뜰에 머무르게 하오.
이제 바람이 일면 나는 또 나그네같이, 외로이
그대를 떠나오리다.

- **뱃전** 배의 양쪽 가장자리.
- **옷자락** 옷이 아래로 늘어져 처진 부분.
- **호젓이** 남과 떨어져 있어서 조용하게.

핵심 요약 **TIP**

이 시는 화자 '나'의 마음을 다양한 대상에 비유하고 있습니다. 각 연에서 '내 마음'을 무엇이라고 하였는지 찾아봅니다.

1 핵심 요약 내용 흐름 정리하기

다음은 이 시에서 비유한 '내 마음'에 대해 정리한 것입니다. 빈칸에 들어갈 적절한 시어를 찾아 쓰시오.

'내 마음'		
	1연	옥같이 그대의 뱃전에서 부서지는 ( )
	2연	고요히 최후의 한 방울도 남김 없이 타는 ( )
	3연	달 아래 귀를 기울이며 호젓이 밤을 새는 ( )
	4연	바람이 일면 외로이 그대를 떠나는 ( )

2 내용 이해 시어의 의미 파악하기

㉠의 의미로 적절하지 <u>않은</u> 것은 무엇입니까? (   )

① 자신을 희생하는 사랑
② **고결하게** 빛나는 사랑
③ 쉽게 변해 버리는 사랑
④ **열정적**으로 불타는 사랑
⑤ 그대를 향해 **헌신하는** 사랑

어휘

· **고결하게** (인격이) 매우 높고 깨끗하게.
· **열정적** 뜨거운 감정을 나타내는.
· **헌신하는** 몸과 마음을 바쳐 있는 힘을 다하는.

수능형
3 적용하기 이론을 바탕으로 적용하기

문제 풀이

보기를 참고하여 '내 마음'의 특징을 파악할 때, 적절하지 <u>않은</u> 것은 무엇입니까?
(   )

보기

시는 '나'의 마음을 노래하는 문학이다. 그런데 마음은 눈에 보이거나 귀에 들리지 않는다. 그래서 나의 마음이 어떠한가를 전달하기 위해 우리가 잘 아는 대상에 빗대어 표현하며, 이러한 방법을 비유라고 한다. 이 시에서 '호수, 촛불, 나그네, 낙엽' 등은 모두 '나'의 마음을 비유하는 대상이다.

① '그대'를 기다리는 잔잔하고 평화로운 존재이다.
② '그대'와 최후의 순간까지 빛날 영원한 존재이다.
③ '그대'의 작은 움직임에도 떨리는 여린 존재이다.
④ '그대'의 피리 소리에 귀 기울이는 외로운 존재이다.
⑤ '그대' 곁에 잠시 머물다가 떠나는 쓸쓸한 존재이다.

시 03 모란이 피기까지는

김영랑

중등 교과서 수록 작품

모란이 피기까지는,
나는 아직 나의 봄을 기다리고 있을 테요.
모란이 뚝뚝 떨어져 버린 날,
나는 비로소 봄을 여읜 설움에 잠길 테요.
오월 어느 날, 그 하루 무덥던 날,
떨어져 누운 꽃잎마저 시들어 버리고는
천지에 모란은 자취도 없어지고,
뻗쳐 오르던 내 보람 서운케 무너졌느니,
모란이 지고 말면 그뿐, 내 한 해는 다 가고 말아,
삼백예순날 하냥 섭섭해 우옵내다.
모란이 피기까지는,
나는 아직 기다리고 있을 테요, 찬란한 슬픔의 봄을.

· **뚝뚝** 큰 물체나 물방울 따위가 잇따라 아래로 떨어지는 소리. 또는 그 모양.

· **여읜** 죽어서 이별한.

· **무덥던** 찌는 듯하게 아주 덥던.

· **천지**(天 하늘 천, 地 땅 지) 하늘과 땅. 온 세상.

· **하냥** '늘'의 방언(사투리).

· **우옵내다** '웁니다'의 옛날 말투.

1

다음은 이 시의 흐름을 정리한 것입니다. 빈칸에 들어갈 적절한 시어를 찾아 쓰시오.

1~2행	모란이 피기까지 ( )을 기다림.

↓

3~10행	모란이 사라지면 내 ( )이 무너짐.

↓

11~12행	모란이 피기까지 찬란한 슬픔의 ( )을 기다림.

이 시의 화자는 모란이 피고 지는 것에 따라 다양한 감정을 드러내고 있습니다. 1행~2행에서는 기다리는 마음, 3행~10행에서는 슬픔과 절망감, 11행~12행에서는 다시 기다리는 마음이 나타납니다. 이러한 흐름을 생각하며 내용을 정리해 봅니다.

2

이 시를 읽은 학생들의 감상으로 가장 적절한 것은 무엇입니까? (   )

① 원하는 것을 간절히 소망하고 기다리는 모습에서 **인내하는** 삶을 느낄 수 있었어.
② 모든 소망이 무너진 슬픔 때문에 울고 있는 모습을 통해 **비극적인** 삶을 느꼈어.
③ 주어진 목표를 향해 하나하나 준비하는 모습을 보고 계획적인 삶에 대해 생각했어.
④ 항상 겸손한 태도로 모든 것을 받아들이는 태도를 보며 너그러운 삶에 대해 생각했어.
⑤ 자신이 처한 슬픔을 적극적으로 이겨 내는 모습을 보면서 **강인한** 삶에 대해 생각했어.

어휘
· **인내하는** 괴로움이나 어려움 등을 참고 견디는.
· **비극적인** 비극처럼 슬프고 비참한.
· **강인한** 굳세고 질긴.

3

보기 에서 설명하는 표현이 쓰인 부분으로 적절한 것은 무엇입니까? (   )

보기

우리는 가끔 시에서 앞뒤가 맞지 않는 표현을 볼 때가 있다. 이를테면 '언는다는 것은 곧 잃는 것이다' 같은 구절은 반대되는 의미의 두 시어가 함께 쓰여 앞뒤가 맞지 않는다. 이처럼 앞뒤가 맞지 않는 말을 연결하는 표현을 '역설법'이라고 한다.

① 모란이 피기까지는
② 봄을 여읜 설움
③ 그 하루 무덥던 날
④ 내 한 해는 다 가고 말아
⑤ 찬란한 슬픔의 봄

어휘
· **역설법** 앞뒤가 서로 맞지 않는 말을 연결함으로써, 그 속에 숨어 있는 더 깊은 의미와 진실을 전달하는 표현.

기형도

중등 교과서 수록 작품

• 지문 해설

• 지문 난이도: 중
●—●—●—○—○

열무 삼십 단을 이고
시장에 간 우리 엄마
안 오시네, ㉠해는 시든 지 오래
나는 찬밥처럼 방에 담겨
아무리 천천히 숙제를 해도
엄마 안 오시네, ㉡배추 잎 같은 발소리 타박타박
안 들리네, 어둡고 무서워
㉢금 간 창틈으로 고요히 빗소리
빈방에 혼자 엎드려 훌쩍거리던

아주 먼 옛날
지금도 ㉣내 눈시울을 뜨겁게 하는
어른이 된 현재
그 시절, ㉤내 유년의 윗목

• **단** 땔감·짚·채소 등의 묶
음을 세는 말.

• **타박타박** 지친 걸음으로 느
리고 맥없이 걷는 모양.

• **눈시울** 속눈썹이 있는 눈의
가장자리.

• **유년(幼** 어릴 유, **年** 해 년)
나이가 어릴 때. 어린 나이.

• **윗목** 온돌방에서 아궁이로
부터 먼 쪽의 방바닥. 불길이
잘 닿지 않아 아랫목보다 상
대적으로 차가운 쪽.

핵심 요약 TIP

이 시는 현재의 화자가 과거를 회상하는 구조로 이루어집니다. 1연에서는 과거의 경험이, 2연에서는 그 경험에 대한 현재의 마음이 드러납니다.

1

핵심 요약 내용 흐름 정리하기

다음은 이 시의 구조를 정리한 것입니다. 빈칸에 들어갈 적절한 시어를 찾아 쓰시오.

	시간	상황
1연	과거	어린 시절의 '내'가 시장에 가서 해가 지도록 돌아오지 않는 ( )를 기다림.
2연	현재	어른이 된 '내'가 외롭고 쓸쓸했던 ( ) 시절을 돌아봄.

2

내용 이해 시어의 의미 파악하기

이 시가 어린 시절을 돌아보는 내용임을 알게 해 주는 시어로 적절하지 <u>않은</u> 것은 무엇입니까? (   )

① 오래   ② 훌쩍거리던   ③ 먼 옛날

④ 지금도   ⑤ 그 시절

3
수능형

표현 표현 방식 이해하기

보기를 바탕으로 하여 ㉠~㉤을 이해한 것으로 적절하지 <u>않은</u> 것은 무엇입니까?

(   )

문제 풀이

> **보기**
>
> 시에서 화자의 생각이나 감정 등을 독자에게 생생하고 구체적인 모습으로 드러내기 위한 작업을 '**형상화**'라고 한다. 형상화는 특정 상황을 구체적인 대상에 비유하거나 그림 그리듯이 **묘사**하는 것이다. 특히 시각, 청각, 촉각 등의 감각적 **심상**(이미지)을 활용하여 독자에게 선명한 이미지를 떠올리게 하는 경우가 많다.

① ㉠에서는 '해'가 저무는 것을 열무가 시드는 것에 비유하여, 어두운 분위기를 더 생생하게 표현하고 있다.

② ㉡에서는 '타박타박'이라는 청각적 심상을 사용하여, '엄마'의 지치고 고달픈 모습을 더 선명하게 표현하고 있다.

③ ㉢에서는 '금 간 창틈'이라는 시각적 심상을 사용하여, 포근하고 아늑한 '나'의 마음을 생생하게 표현하고 있다.

④ ㉣에서는 '뜨겁게'라는 촉각적 심상을 사용하여, 어린 시절을 돌아보며 슬픔을 느끼는 '나'의 감정을 생생하게 표현하고 있다.

⑤ ㉤에서는 '윗목'이라는 촉각적 심상을 사용하여, 외롭고 쓸쓸했던 '나'의 어린 시절에 대한 안타까움을 선명하게 표현하고 있다.

어휘

• **형상화** 분명한 형체를 지니지 않는 생각이나 감정 등을 어떤 방법이나 소재를 이용하여 구체적이고 명확한 형상으로 나타내는 것.

• **묘사** 어떤 대상이나 현상을 보이는 대로 말하거나 그리는 일.

• **심상**(心 마음 심. 象 형상 상) 의식 속에 떠오르는 사물의 모습.

김춘수

중등 교과서 수록 작품

• 지문 해설

• 지문 난이도: 상
●　●　●　●　●

내가 그의 이름을 불러 주기 전에는
그는 다만
하나의 ㉠몸짓에 지나지 않았다.

내가 그의 이름을 불러 주었을 때
그는 나에게로 와서
㉡꽃이 되었다.

내가 그의 이름을 불러 준 것처럼
나의 이 ㉮빛깔과 향기에 알맞은
누가 나의 이름을 불러 다오.
그에게로 가서 나도
㉢그의 꽃이 되고 싶다.

우리들은 모두
㉣무엇이 되고 싶다.
너는 나에게 나는 너에게
잊혀지지 않는 하나의 ㉤눈짓이 되고 싶다.

• **몸짓** 무슨 뜻을 나타내려고
몸을 움직이는 것. 이 시에서
는 '의미 없는 존재'라는 뜻으
로 쓰임.

• **눈짓** 눈으로 자기의 생각을
남에게 알리는 것. 이 시에서
는 '의미 있는 존재'라는 뜻으
로 쓰임.

1 핵심 요약 내용 흐름 정리하기

다음은 이 시의 내용을 정리한 것입니다. 빈칸에 들어갈 적절한 시어를 찾아 쓰시오.

```
┌──────────┐     ┌──────────┐     ┌──────────┐
│   몸짓    │ →  │  (    )  │  =  │  (    )  │
└──────────┘     └──────────┘     └──────────┘
                 ↑
        ┌──────────────┐        ┌──────────────┐
        │ (       )을   │        │ 너와 내가 서로에게 │
        │ 부름.         │        │ 의미 있는 존재가 됨. │
        └──────────────┘        └──────────────┘
```

핵심 요약 **TIP**

이 시는 상대의 이름을 부름으로써 상대가 '꽃'이 되고 의미를 가지게 된다는 것을 노래한 시입니다. 1연에서 몸짓이었던 '그'가 2연에서 '꽃'이 되고, 3연에서 '그'도 '나'의 이름을 불러 주면서 4연에서 '우리들'이 서로에게 의미 있는 존재가 되는 흐름을 생각하며 정리해 봅니다.

2 내용 이해 시어의 의미 파악하기

㉠～㉤ 중, 상징적 의미가 <u>다른</u> 시어는 무엇입니까? (   )

① ㉠ '몸짓'

② ㉡ '꽃'

③ ㉢ '그의 꽃'

④ ㉣ '무엇'

⑤ ㉤ '눈짓'

어휘

• **상징적** 추상적인 개념이나 사물을 구체적인 사물로 나타낸.

수능형 3 적용하기 구체적인 상황에 적용하기

문제 풀이

보기 의 ⓐ～ⓔ 중, 이 시의 ㉮와 의미가 통하는 것은 무엇입니까? (   )

> **보기**
>
> 갑자기 이사 오게 된 동네는 모든 것이 낯설었지. 전학한 학교에서도 아직 마음이 통하는 친구를 사귀지 못했어. 그러던 어느 날 아파트 현관 근처에 있는 고양이를 보았어. ⓐ처음에는 날 보자마자 도망가 버렸는데, 그 후로 며칠 동안 계속 마주치게 되는 거야. 고양이는 내가 익숙해졌는지 가까이 다가가도 도망가지 않더라고. ⓑ가만히 보니까 검은 털이 너무 예뻐서 ⓒ'까미'라고 불러 주고 먹을 것도 갖다주게 되었어. 이제는 내가 집에 올 때쯤이면 까미가 아파트 현관 근처로 마중을 나와. ⓓ귀여운 울음소리로 '냐옹' 하고 인사를 하지. ⓔ이제 우리는 진짜 친구가 된 것 같아.

① ⓐ   ② ⓑ   ③ ⓒ   ④ ⓓ   ⑤ ⓔ

나희덕

중등 교과서 수록 작품

㉠높은 가지를 흔드는 매미 소리에 묻혀
내 울음 아직 노래 아니다.

㉡차가운 바닥 위에 토하는 울음,
풀잎 없고 이슬 한 방울 내리지 않는
㉢지하도 콘크리트벽 좁은 틈에서
숨 막힐 듯, 그러나 ㉮나 여기 살아 있다.
귀뚜르르 뚜르르 보내는 타전 소리가
　　　　　　무전을 발신하는 소리와 비슷한 점을 이용한 표현임.
누구의 마음 하나 울릴 수 있을까.

지금은 매미 떼가 하늘을 찌르는 시절
그 소리 걷히고 맑은 가을이
㉣어린 풀숲 위에 내려와 뒤척이기도 하고
계단을 타고 ㉤이 땅 밑까지 내려오는 날
발길에 눌려 우는 내 울음도
누군가의 가슴에 실려 가는 노래일 수 있을까.

• **토하는** 느낌이나 생각을 씩씩하게 말하는.

• **지하도** 사람들이 다니도록 땅속으로 만들어 놓은 길. 이 시에서는 가장 낮은 곳을 의미함.

• **타전**(打 칠 타, 電 번개 전) 전보로 무전을 침. 급한 소식을 전하기 위해 무전을 발신하는 소리와 '귀뚜르르 뚜르르' 우는 귀뚜라미 울음소리의 유사성을 이용한 표현임.

1 **핵심 요약** 내용 흐름 정리하기

다음은 이 시의 구조를 정리한 것입니다. 빈칸에 들어갈 적절한 시어를 찾아 쓰시오.

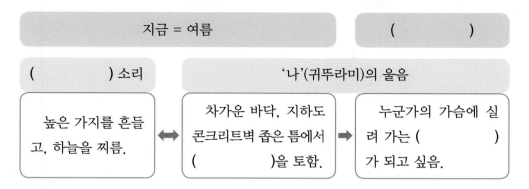

지금 = 여름	( )

( ) 소리	'나'(귀뚜라미)의 울음
높은 가지를 흔들고, 하늘을 찌름.	차가운 바닥, 지하도 콘크리트벽 좁은 틈에서 ( )을 토함.	누군가의 가슴에 실려 가는 ( )가 되고 싶음.

2 **내용 이해** 시어의 성격 파악하기

㉠~㉤ 중, 시어의 성격이 <u>다른</u> 것은 무엇입니까? ( )

① ㉠ 높은 가지   ② ㉡ 차가운 바닥 위

③ ㉢ 지하도 콘크리트벽 좁은 틈   ④ ㉣ 어린 풀숲 위

⑤ ㉤ 이 땅 밑

3 수능형 **감상** 다른 작품과 비교하기

이 시의 ㉮와 보기 의 ㉯를 비교한 설명으로 가장 적절한 것은 무엇입니까? ( )

> **보기**
> 임 그리워 꾸는 꿈에 ㉯귀뚜라미의 넋이 되어
> 가을밤 깊은 밤에 임의 방에 들어가서
> 날 잊고 깊이 든 잠을 깨워 볼까 하노라.
>
> – 박효관의 시조

① ㉮는 누군가에게 감동을 주고 싶어 하지만, ㉯는 임을 깨우고 싶어 한다.

② ㉮의 울음을 들을 사람은 정해져 있지만, ㉯의 울음을 들을 사람은 정해져 있지 않다.

③ ㉮의 울음은 맑은 가을 하늘 위에서 들리지만, ㉯의 울음은 깊은 가을밤에 들을 수 있다.

④ ㉮의 울음은 그리움의 감정을 지닌 것이지만, ㉯의 울음은 반가움의 감정을 지닌 것이다.

⑤ ㉮의 울음은 아직 누구의 마음도 울리지 못했지만, ㉯의 울음은 임에게 내 마음을 전달했다.

청포도

이육사

중등 교과서 수록 작품

- 지문 해설

- 지문 난이도: 상
●—●—●—●—○

내 고장 칠월은
청포도가 익어 가는 시절.

이 마을 전설이 주저리주저리 열리고
먼 데 하늘이 꿈꾸며 알알이 들어와 박혀

하늘 밑 푸른 바다가 가슴을 열고
흰 돛단배가 곱게 밀려서 오면

내가 바라는 손님은 ㉠고달픈 몸으로
청포를 입고 찾아온다고 했으니,

내 그를 맞아 이 포도를 따 먹으면
두 손은 함뿍 적셔도 좋으련.

아이야 우리 식탁엔 은쟁반에
하이얀 모시 수건을 마련해 두렴.

- **주저리주저리** 어지럽게 많이 매달려 있는 모양. 이 시에서는 '청포도'가 주렁주렁 매달린 모습을 통해 과거의 평화롭던 '전설' 같은 삶이 다시 돌아오는 상황을 표현함.

- **알알이** 한 알 한 알마다.

- **청포**(靑 푸를 청, 袍 두루마기 포) 관직에 있는 사람이 입던 푸른 도포. 이 시에서는 화자가 바라는 '손님'의 모습을 고귀한 희망적 이미지로 표현함.

- **함뿍** '분량이 차고도 남도록 아주 넉넉하게'의 의미를 지니는 '흠뻑'의 사투리.

- **모시** 모시풀 줄기의 질긴 껍질로 실을 만들어 짠, 희고 얇은 빳빳한 여름 옷감.

핵심 요약 TIP

이 시는 청포를 입고 찾아올 손님을 기다리는 화자의 마음이 담긴 시입니다. 1~2연에서는 청포도가 익어 가는 고향의 모습을 묘사하고, 3~6연에서는 곧 찾아올 손님의 모습과 손님을 맞이하려는 정성스러운 자세를 노래하고 있습니다. '손님'을 중심으로 전개되는 상황과 각 연의 중심 소재를 살펴봅니다.

1 핵심 요약 · 내용 흐름 정리하기

다음은 '손님'을 중심으로 이 시의 내용을 정리한 것입니다. 빈칸에 들어갈 적절한 시어를 찾아 쓰시오.

기다림의 대상 = ( )를 입고 찾아오는 '손님'		
'손님'을 기다리는 상황	'손님'을 맞는 태도	'손님'을 맞을 준비
• ( )가 익어 가는 시절 • 푸른 바다 사이로 ( )가 곱게 밀려오는 때	두 손은 함뿍 적셔도 좋음.	( )과 하이얀 ( )을 마련해 둠.

2 내용 이해 · 시어의 의미 파악하기

㉠에 대한 설명으로 가장 적절한 것은 무엇입니까? ( )

① 꿈을 이루지 못하고 실패한 모습
② 꿈과 현실 사이에서 고민하는 모습
③ 꿈이 무엇이었는지를 잊어버린 모습
④ 꿈을 위해 고난을 겪으며 헌신하는 모습
⑤ 꿈에 가까이 가지 못하고 포기하는 모습

어휘

• 고난 매우 괴롭고 어려운 것.
• 헌신하는 몸과 마음을 바쳐 일하는.

수능형
3 감상 · 상징적 의미 파악하기

이 시를 보기 와 같이 이해할 때, ㉮~㉲에 들어갈 말로 적절하지 <u>않은</u> 것은 무엇입니까? ( )

문제 풀이

보기

　이 시는 우리나라가 일제의 식민 지배로 고통 받던 때 지어진 작품으로, 작가인 이육사는 일제에 저항한 시인이자 독립운동가이다. 따라서 화자가 바라고 기다리는 4연의 '손님'은 (㉮)을 상징한다고 할 수 있다. '손님'이 찾아올 그날의 상황을 표현한 1연의 '청포도'는 (㉯)를 의미하며, 3연의 '푸른 바다'는 (㉰)와 색채 대비를 이루어 선명한 인상을 준다. 또한 5연의 '두 손은 함뿍 적셔도 좋으련'이라는 말은 (㉱)을 의미하는 것으로 볼 수 있고, 6연의 '하이얀 모시 수건'은 '손님'을 맞기 위한 (㉲)을 상징한다.

① ㉮ – 조국의 독립　　　　② ㉯ – 평화롭고 풍요로운 세계
③ ㉰ – 청포　　　　　　　④ ㉱ – 독립을 맞은 기쁨
⑤ ㉲ – 정성

어휘

• 색채 대비 서로 다른 색채 이미지를 나란히 제시함으로써, 시적 의미나 분위기를 더욱 선명하게 전달하는 표현 방법.
예 아 아버지가 눈을 헤치고 따 오신 / 그 붉은 산수유 열매
→ '눈'의 흰색과 '산수유 열매'의 붉은색을 대비시킴으로써, 산수유 열매에 담긴 사랑의 의미를 강조함.

해

박두진

중등 교과서 수록 작품

해야 솟아라. 해야 솟아라. 말갛게 씻은 얼굴 고운 해야 솟아라. 산 넘어 산 넘어서 어둠을 살라 먹고 산 넘어서 밤새도록 어둠을 살라 먹고, 이글이글 앳된 얼굴 고운 해야 솟아라.
순수한

달밤이 싫어, 달밤이 싫어, 눈물 같은 골짜기에 달밤이 싫어, 아무도 없는 뜰에 달밤이 나는 싫어…….

해야, 고운 해야, 네가 오면, 네가사 오면, 나는 나는 청산이 좋아라. 훨훨훨 깃을 치는 청산이 좋아라. 청산이 있으면 홀로라도 좋아라.

┌ 사슴을 따라 사슴을 따라, 양지로 양지로 사슴을 따라, 사슴을 만나면 사슴과 놀고,
㉠
└ 칡범을 따라 칡범을 따라, 칡범을 만나면 칡범과 놀고…….

해야, 고운 해야. 해야 솟아라. 꿈이 아니래도 너를 만나면, 꽃도 새도 짐승도 한자리 앉아, 워어이 워어이 모두 불러 한자리 앉아, 앳되고 고운 날을 누려 보리라.

· **말갛게** 깨끗하고 아주 맑게.

· **살라** 어떤 것을 남김없이 없애 버려. = 불살라.

· **이글이글** 뜨거운 볕이 내리쬐는 모양.

· **깃을 치는** 날개를 세차게 흔드는.

· **양지**(陽 볕 양, 地 땅 지) 볕이 쪼여 밝고 따뜻한 곳.

· **칡범** 몸에 칡덩굴 같은 어룽어룽한 줄무늬가 있는 범. 호랑이를 표범과 구별하여 부르는 말.

1 핵심 요약 내용 흐름 정리하기

다음은 이 시에 나타난 시어의 의미에 따라 내용을 정리한 것입니다. 빈칸에 들어갈 적절한 시어를 찾아 쓰시오.

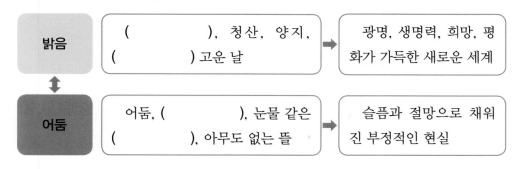

밝음 → (   ), 청산, 양지, (   ) 고운 날 → 광명, 생명력, 희망, 평화가 가득한 새로운 세계

어둠 → 어둠, (   ), 눈물 같은 (   ), 아무도 없는 뜰 → 슬픔과 절망으로 채워진 부정적인 현실

핵심 요약 TIP

이 시는 해로 상징되는 화합과 평화의 시대가 오기를 바라는 마음을 노래한 시입니다. 밝은 느낌을 주는 시어와 어두운 느낌을 주는 시어, 서로 대립적 의미를 지니고 있는 중심 소재를 찾고, 상징적 의미를 파악하면서 시를 감상해 봅니다.

2 내용 이해 시구의 의미 파악하기

㉠의 내용으로 보아 화자가 소망하는 세계의 모습으로 가장 적절한 것은 무엇입니까? (   )

① 착한 존재와 악한 존재가 뒤섞인 세상
② 서로 비슷한 존재끼리만 어울리는 세상
③ 약자와 강자가 평화롭게 함께 사는 세상
④ 쉽게 만났다가 쉽게 헤어질 수 있는 세상
⑤ 끝없이 쫓고 쫓기며 바쁘고 **치열하게** 사는 세상

어휘
• **치열하게** 기세나 세력 등이 불길같이 맹렬하게.

수능형
3 적용하기 이론을 바탕으로 적용하기

문제 풀이

보기 에서 설명하는 내용의 예로 적절하지 <u>않은</u> 것은 무엇입니까? (   )

보기

이 시에서 가장 두드러지는 운율 형성의 요소는 'AABA 구조'라고 할 수 있다. '해야 솟아라. 해야 솟아라. 말갛게 씻은 얼굴 고운 해야 솟아라.'에서 볼 수 있듯이, '같은 말–같은 말–다른 말–같은 말'로 이루어진 AABA 구조의 반복은 우리 문학에서 가장 자주 찾아볼 수 있는 반복 구조이다.

① 형님 온다 형님 온다 분고개로 형님 온다.
② 창 내고자 창을 내고자 이 내 가슴에 창 내고자.
③ 산에는 꽃 피네. / 꽃이 피네. / 갈 봄 여름 없이 / 꽃이 피네.
④ 나두야 간다. / 나의 이 젊은 나이를 / 눈물로야 보낼 거냐. / 나두야 가련다.
⑤ 나는 왕이로소이다. / 나는 왕이로소이다. / 어머님의 가장 어여쁜 아들, 나는 왕이로소이다.

풀

김수영

중등 교과서 수록 작품

- 지문 해설

- 지문 난이도: 중
● ─ ● ─ ● ─ ○ ─ ○

풀이 눕는다
비를 몰아오는 동풍에 나부껴
풀은 눕고
드디어 울었다
날이 흐려서 더 울다가
다시 누웠다

풀이 눕는다
바람보다도 더 빨리 눕는다
바람보다도 더 빨리 울고
바람보다 먼저 일어난다

날이 흐리고 풀이 눕는다
발목까지
발밑까지 눕는다.
바람보다 늦게 누워도
바람보다 먼저 일어나고
바람보다 늦게 울어도
바람보다 먼저 웃는다
날이 흐리고 풀뿌리가 눕는다

• **동풍**(東 동녘 동, 風 바람 풍)
동쪽에서 부는 바람.

1

다음은 '풀'의 태도 변화를 중심으로 이 시의 내용을 정리한 것입니다. 빈칸에 들어갈 적절한 시어를 찾아 쓰시오.

수동적 태도	➡	능동적 태도
(　　　　　)에 나부껴 눕고 우는 풀		(　　　　　)보다 먼저 일어나고 먼저 웃는 풀

(　　　　　)의 끈질긴 생명력 강조

핵심 요약　TIP

이 시는 부정적 현실을 이겨 내는 강인한 풀의 모습을 노래한 시입니다. 1연에서 나약하던 풀의 모습이 2연과 3연에서 강하고 끈질긴 생명력을 가진 모습으로 변하고 있습니다. '풀'과 대립되는 소재를 찾고, '풀'의 태도 변화가 드러나는 상황을 찾아봅니다.

어휘

• 수동적 태도　스스로 움직이지 않고 다른 것의 작용을 받아 움직이는 태도.

• 능동적 태도　다른 것에 이끌리지 아니하고 스스로 일으키거나 움직이는 태도.

2

이 시에서 대조적인 의미로 쓰인 시어가 아닌 것은 무엇입니까? (　　　　)

① 풀 ↔ 바람

② 비 ↔ 동풍

③ 늦게 ↔ 먼저

④ 울어도 ↔ 웃는다

⑤ 눕는다 ↔ 일어난다

3

보기는 작가가 시를 창작하기 전에 생각했을 내용을 예상한 것입니다. ㉠~㉤ 중, 적절하지 않은 것은 무엇입니까? (　　　　)

문제 풀이

보기

[창작 노트]
• 주변에서 쉽게 발견할 수 있는 소재를 이용할 것 ·························· ㉠
• 부정적인 상황을 날씨를 통해 드러낼 것 ······························ ㉡
• 시련에 굴하는 듯하지만 결국 이겨 내는 의지적인 모습을 표현할 것 ··· ㉢
• 시의 중간 부분에서 대상의 태도 변화가 나타나도록 구성할 것 ········ ㉣
• 밝고 희망적인 상황을 보여 주면서 시를 끝낼 것 ······················ ㉤

① ㉠　　　　② ㉡　　　　③ ㉢　　　　④ ㉣　　　　⑤ ㉤

어휘

• 시련　겪기 어려운 단련이나 고비.

• 굴하는　어떤 세력이나 어려움에 뜻을 굽히는.

• 의지적　어떠한 일을 이루고자 하는 마음이 있는.

껍데기는 가라

신동엽

중등 교과서 수록 작품

· 지문 해설

· 지문 난이도: 상

껍데기는 가라.
사월도 알맹이만 남고
껍데기는 가라.

껍데기는 가라.
동학년(東學年) 곰나루의, 그 아우성만 살고
껍데기는 가라.

그리하여, 다시
껍데기는 가라.
㉠이곳에선, 두 가슴과 그곳까지 내논
㉡아사달 아사녀가
㉢중립의 초례청 앞에 서서
부끄럼 빛내며
맞절할지니

껍데기는 가라.
㉣한라에서 백두까지
향그러운 흙가슴만 남고
그, 모오든 ㉤쇠붙이는 가라.
　　시적 허용 – 강조

· **사월** 1960년 독재와 부정 부패에 맞서 일어난 4·19 혁명을 의미함.

· **동학년 곰나루** 1894년 탐관오리의 횡포와 외세에 맞서 일어난 동학 농민 운동이 시작된 시간과 장소를 의미함.

· **아사달 아사녀** 석가탑을 만들었다는 석공과 그의 아내로 설화 속 인물. 그리워하면서 만나지 못하는 존재를 의미함.

· **중립**(中 가운데 중, 立 설 립) 대립하는 두 세력이나 국가 사이에서 어느 편에도 치우치지 아니하는 중간 입장.

· **초례청** 결혼식을 올리는 장소.

· **맞절** 두 사람이 서로 마주하는 절.

· **향그러운** '향기롭다'의 비표준어

핵심 요약 내용 흐름 정리하기

1 다음은 이 시의 흐름을 정리한 것입니다. 빈칸에 들어갈 적절한 시어를 찾아 쓰시오.

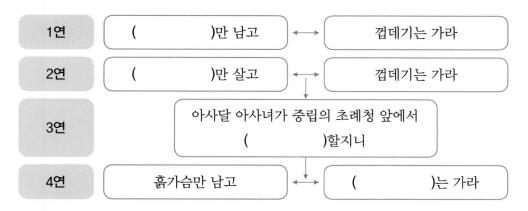

1연	( )만 남고	↔	껍데기는 가라
2연	( )만 살고	↔	껍데기는 가라
3연	아사달 아사녀가 중립의 초례청 앞에서 ( )할지니		
4연	흙가슴만 남고	↔	( )는 가라

내용 이해 시어의 기능 파악하기

2 이 시에 사용된 시어에 대한 설명으로 적절하지 <u>않은</u> 것은 무엇입니까? ( )

① 시 전체에 쓰인 명령적 표현인 '가라'는 화자의 **단호한** 태도를 나타낸다.

② 1연에 쓰인 '껍데기'와 **상반된** '알맹이'는 순수한 정신을 의미한다.

③ 2연에 쓰인 '아우성'은 역사적 사건의 의미를 시각적으로 표현한다.

④ 3연에 쓰인 '다시'는 화자의 의지적 태도를 **거듭** 강조하는 역할을 한다.

⑤ 4연에 쓰인 단어를 늘려 쓴 '모오든'은 의미를 강조하는 역할을 한다.

어휘
• **단호한** 결심이나 태도, 입장 따위가 엄격한.
• **상반된** 서로 반대되거나 어긋나게 된.
• **거듭** 어떤 일을 되풀이하여.

수능형 **3** **감상** 상징적 의미 파악하기

보기를 바탕으로 이 시를 감상할 때, ㉠~㉤에 대한 이해로 적절하지 <u>않은</u> 것은 무엇입니까? ( )

보기

이 시는 이 땅에 가득한 온갖 부정적인 존재들을 극복하고자 하는 바람을 드러낸 작품이다. 특히 **이념**의 차이로 인해 남한과 북한이 **분단된** 현실에서, 민족의 순수함을 되찾고 통일과 화합의 시대를 이룰 것에 대한 간절한 소망을 노래하고 있다.

① ㉠은 우리 민족의 삶의 터전인 한반도를 의미한다고 볼 수 있다.

② ㉡은 갈라진 남한과 북한의 우리 민족을 가리킨다고 볼 수 있다.

③ ㉢은 이념 대립을 뛰어넘은 화합의 공간을 뜻한다고 볼 수 있다.

④ ㉣은 온갖 부정적인 존재들이 가야 할 곳을 가리킨다고 볼 수 있다.

⑤ ㉤은 무서운 상처를 남기는 전쟁과 폭력을 의미한다고 볼 수 있다.

어휘
• **이념** 한 사회나 개인의 생각을 지배하는, 중심이 되고 기본이 되는 사상.
• **분단된** 한 나라나 민족이 둘 이상으로 나뉘어 갈라지게 된.

가 **윗버들 ~** 홍랑 나 **산은 ~** 황진이

가 중등 교과서 수록 작품 나 중등 교과서 수록 작품

• 지문 해설

• 지문 난이도: 중
●─●─●─○─○

가 ㉠윗버들 가려 꺾어 보내노라 임에게
　　주무시는 창밖에 심어 두고 보소서
　　밤비에 새잎이 나거든 나인가도 여기소서

나 산은 옛 산이로되 물은 옛 물이 아니로다
　　밤낮으로 흐르니 옛 물이 있을쏘냐
　　　　　　　　　　　　　있을 리가 있겠느냐
　　사람도 물과 같도다 가고 아니 오는구나

• **윗버들** 산버들. 산과 들에 자라는 버드나무.

• **임** 사모하는 사람을 이르는 말.

1 핵심 요약 · 내용 흐름 정리하기

다음은 시조 **가**와 **나**의 흐름을 정리한 것입니다. 빈칸에 들어갈 적절한 시어를 찾아 쓰시오.

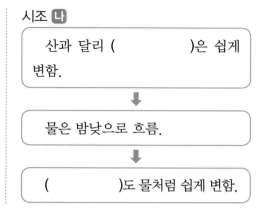

시조 **가**

| 임에게 ( )을 꺾어 보냄. |

↓

| ( )의 곁에 함께 있고 싶음. |

↓

| 자신을 잊지 않기를 바람. |

시조 **나**

| 산과 달리 ( )은 쉽게 변함. |

↓

| 물은 밤낮으로 흐름. |

↓

| ( )도 물처럼 쉽게 변함. |

2 내용 이해 · 소재의 기능 파악하기

시조 **가**에서 ㉠'뭣버들'이 지니는 의미와 기능으로 적절하지 **않은** 것은 무엇입니까?

( )

① 화자를 떠올리게 하는 소재이다.
② 화자의 정성이 느껴지는 소재이다.
③ '임'에게 사랑과 그리움을 전하는 선물이다.
④ '임'에 대한 원망과 슬픔을 드러내는 소재이다.
⑤ '임'의 곁에 있고 싶은 마음을 드러내는 소재이다.

수능형
3 감상 · 이론을 바탕으로 감상하기

보기 를 참고할 때, 시조 **나**에 대한 감상으로 적절하지 **않은** 것은 무엇입니까?

( )

보기

　시조 **나**에서는 변함없는 존재와 쉽게 변하는 존재의 차이를 보여 준 뒤, 한번 가면 돌아오지 않는 '사람'을 쉽게 변하는 **자연물**에 빗대어 노래하고 있다. 그런데 이 '사람'은 늙고 병들면 옛날로 돌아갈 수 없는 일반적인 사람일 수도 있지만, 화자를 버리고 떠난 사랑하는 사람일 수도 있다. 결국 이 작품의 주제는 삶의 **허무함**이 될 수도 있고, 임에 대한 그리움이 될 수도 있다.

① '물'은 밤낮으로 흘러가기 때문에 쉽게 변하는 존재이다.
② '산'은 언제나 제자리에 있기 때문에 변함없는 존재이다.
③ '물과 같도다'는 사랑하는 사람이 떠난 상황으로 볼 수도 있다.
④ '사람'은 때로는 '산'처럼 때로는 '물'처럼 사는 존재로 볼 수 있다.
⑤ '가고 아니 오는구나'는 가면 돌아오지 않는 시간으로 볼 수도 있다.

어휘
· **자연물** 자연계에 있는, 저절로 생긴 물체.
· **허무함** (인생에) 아무런 의미나 가치가 없음.

가 천만리 ~ 왕방연

나 방 안에 ~ 이개

가 중등 교과서 수록 작품 나 중등 교과서 수록 작품

- **지문 해설**
- **지문 난이도:** 중

가 ㉠천만리(千萬里) 머나먼 길에 ㉡고운 임 여의옵고
㉢내 마음 둘 데 없어 냇가에 앉았으니
저 물도 내 안 같아서 울며 밤길 가는구나

나 방 안에 켜 있는 촛불 ㉣누구와 이별하였기에
겉으로 눈물 흘리고 속 타는 줄 모르는고
우리도 저 촛불 같아서 ㉤속 타는 줄 모르는구나

- **여의옵고** 사랑하는 사람과 이별하고.
- **안** '마음'의 옛말.

1

다음은 시조 **가**와 **나**의 흐름을 정리한 것입니다. 빈칸에 들어갈 적절한 시어를 찾아 쓰시오.

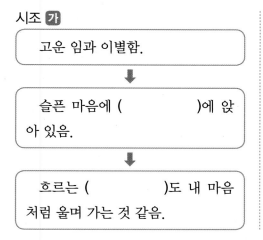

시조 **가**

> 고운 임과 이별함.
>
> ↓
>
> 슬픈 마음에 ( )에 앉아 있음.
>
> ↓
>
> 흐르는 ( )도 내 마음처럼 울며 가는 것 같음.

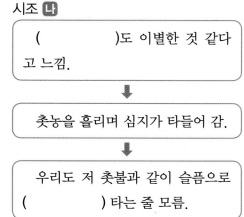

시조 **나**

> ( )도 이별한 것 같다고 느낌.
>
> ↓
>
> 촛농을 흘리며 심지가 타들어 감.
>
> ↓
>
> 우리도 저 촛불과 같이 슬픔으로 ( ) 타는 줄 모름.

핵심 요약   TIP

시조 **가**와 **나**는 모두 임(단종)과 이별한 슬픔을 노래한 시조입니다. 시조 **가**의 화자는 냇가에서 물을 보며, 시조 **나**의 화자는 방 안에 켜 있는 촛불을 보면서 슬픔을 느끼고 있습니다. 초장·중장·종장, 각 장에서 화자의 상황을 파악하고, 화자의 감정을 심화시키는 소재를 찾아봅니다.

2

시조 **가**와 **나**에서 화자의 마음을 드러내는 시어끼리 짝 지은 것은 무엇입니까?

( )

	①	②	③	④	⑤
시조 **가**	물	물	밤길	냇가	냇가
시조 **나**	방	촛불	방	눈물	촛불

보기를 참고할 때, ㉠~㉤에 대한 감상으로 적절하지 <u>않은</u> 것은 무엇입니까?

( )

보기

> 시조 **가**와 **나**는 모두 단종과 관련된 역사적 사건을 배경으로 하고 있다. 조선의 6대 왕인 단종은 숙부인 세조에게 왕위를 **빼앗기고** 강원도 영월에 **유배되었다가** 죽임을 당한 **비운**의 임금이다. 시조 **가**의 작가는 단종을 유배지로 **호송했던** 신하로 알려져 있으며, 시조 **나**의 작가는 단종을 지키려다 죽임을 당한 신하 가운데 한 명이다. 결국 두 작품 모두 단종에 대한 안타까움과 그리움을 표현하고 있다고 이해할 수 있다.

① ㉠은 유배지인 영월까지 가는 험난한 길로 볼 수 있다.

② ㉡은 '단종'과 이별하게 된 상황을 의미한다고 볼 수 있다.

③ ㉢은 '단종'을 영월까지 호송하게 된 괴로움으로 볼 수 있다.

④ ㉣은 '단종'과 이별하게 된 처지를 떠올리는 것으로 볼 수 있다.

⑤ ㉤은 '단종'을 지키려다 죽임을 당하게 된 것에 대한 분노로 볼 수 있다.

어휘

• **유배되었다가**   왕이나 나라에 대해 죄를 지은 사람을 먼 곳으로 보내어 머물게 하는 형벌을 받았다가.

• **비운**   불행하고 비참한 운명.

• **호송했던**   죄인을 감시하면서 데려갔던.

가 굼벵이 ~ 이정신   **나 소반 위 ~** 박인로

가 중등 교과서 수록 작품

가 굼벵이 매미가 되어 날개 돋쳐 날아올라

높으나 높은 나무에 소리는 좋거니와

그 위에 거미줄 있으니 그를 조심하여라

나 소반 위 홍시가 고와도 보이는구나

유자 아니라도 품어 갈 만도 하다마는
오나라 '육적'이 부모님께 드리려고 유자를 품어 간 이야기를 생각함.
품어 가 반길 이 없으니 그것을 서러워하노라
반겨 줄 사람 ＝ 부모

• 굼벵이 매미, 풍뎅이, 하늘 소와 같은 딱정벌레목의 애벌 레.

• 돋쳐 돋아서 내밀어.

• 소반(小 작을 소, 盤 소반 반) 자그마한 밥상.

• 유자 유자나무의 열매. 귤과 비슷함.

1

핵심 요약 내용 흐름 정리하기

다음은 시조 **가**와 **나**의 흐름을 정리한 것입니다. 빈칸에 들어갈 적절한 시어를 찾아 쓰시오.

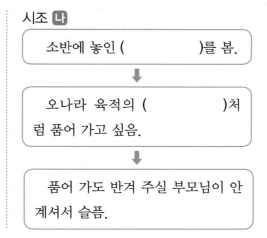

시조 **가**

> 굼벵이가 (   )가 되어 날아오름.

⬇

> 높은 나무에 올라 소리 좋게 읊.

⬇

> 그 위에 있는 (   )을 조심해야 함.

시조 **나**

> 소반에 놓인 (   )를 봄.

⬇

> 오나라 육적의 (   )처럼 품어 가고 싶음.

⬇

> 품어 가도 반겨 주실 부모님이 안 계셔서 슬픔.

핵심 요약 TIP

시조 **가**는 굼벵이가 매미가 되어 나무에 올랐을 때 거미줄을 경계해야 함을 노래한 시조입니다. 시조 **나**는 홍시를 보고 돌아가신 부모님을 생각하는 마음이 담긴 시조입니다. 초장·중장·종장, 각 장에 제시된 상황과 중심 소재를 파악해 봅니다.

2

내용 이해 작품의 주제 파악하기

시조 **가**의 글쓴이가 전하려는 교훈으로 가장 적절한 것은 무엇입니까? (   )

① 자신의 문제점을 외면하면 안 돼. 그러면 발전할 수 없는 거야.

② 혼자만 잘난 체하면 안 돼. 다른 사람들의 상황도 생각해야 해.

③ 최고의 순간일수록 **긴장해야** 해. 어떤 위험이 있을지 모르거든.

④ 현재의 순간에 만족하면 안 돼. 항상 더 높은 목표를 생각해야지.

⑤ 아무리 성공했다고 하더라도 어려웠던 옛날을 돌아볼 줄 알아야 해.

어휘
• **긴장해야** 마음을 조이고 정신을 바짝 차려야.

수능형
3

문제 풀이

감상 배경 지식을 바탕으로 감상하기

보기를 참고할 때, 시조 **나**에 대한 감상으로 적절하지 <u>않은</u> 것은 무엇입니까?

(   )

보기

> 시조 **나**에 나오는 '유자'는, 중국 오나라의 육적이라는 사람이 여섯 살 때 대접받은 유자(귤)를 어머니께 가져다 드리려고 먹는 척만 하고 몰래 품속에 감추었다는 이야기를 떠올려 쓴 것이다.

① 시조 **나**의 화자에게 '홍시'는 부모님을 생각나게 만든 소재야.

② 시조 **나**의 화자는 '홍시'를 '유자'와 비교해 보기도 하고 있어.

③ 시조 **나**의 화자는 '육적'의 행동을 따르고 싶어 하는 것 같아.

④ 시조 **나**의 화자는 '육적' 같은 용기가 없음을 슬퍼하는 것 같아.

⑤ 시조 **나**의 화자와 '육적'은 모두 효심이 깊은 사람들인 것 같아.

훈민가

정철

중등 교과서 수록 작품

• **지문 해설**

• **지문 난이도:** 상
●　●　●　●　○

어버이 살아 계실 때 섬기기를 다하여라
지나간 후에 애달프다 한들 어이하리
평생에 다시 못할 일이 이뿐인가 하노라　　　　〈제4수〉

남으로 태어난 중에 벗같이 유신하랴
나의 그릇된 일을 다 말하려 하는구나　　　　믿음직한 이가 있겠는가
이 몸이 벗님 아니면 사람됨이 쉬웠겠는가　　〈제10수〉

오늘도 다 새었다, 호미 메고 가자꾸나
내 논 다 매거든 네 논도 매어 주마　　　　날이 밝았다
올 길에 뽕 따다가 누에 먹여 보자꾸나　　　〈제13수〉

이고 진 저 늙은이 짐 풀어 나를 주오
나는 젊었으니 돌이라도 무거울까
늙기도 서러운데 짐조차 지실까　　　　　　〈제16수〉

• **섬기기** 윗사람을 잘 모시어 받들기.

• **애달프다** 마음이 안타깝거나 쓰라리다.

• **수(首 머리 수)** 시나 노래를 세는 단위. 여러 작품을 하나의 주제로 묶은 연시조의 경우, 한 작품 한 작품을 '수'라고 함.

• **그릇된** 일이 사리에 맞지 아니한.

• **호미** 김을 매거나 땅을 고르는 데에 쓰는 농기구. 날은 세모꼴이고 꼬부라진 끝에 짧은 나무 자루를 끼워 한 손으로 잡고 앉아서 사용함.

• **매거든** 논밭에 난 잡풀을 뽑거든.

• **뽕** 뽕나무의 잎. 누에의 먹이로 씀.

1 핵심 요약 | 내용 흐름 정리하기

다음은 이 시조의 내용을 정리한 것입니다. 빈칸에 들어갈 적절한 시어를 찾아 쓰시오.

핵심 요약 TIP

「훈민가」는 '백성을 가르치는 노래'라는 뜻으로, 교훈을 담고 있는 시조입니다. 제4수에서는 효도, 제10수에서는 친구의 소중함, 제13수에서는 서로 도우며 근면하게 사는 삶, 제16수에서는 노인을 공경하는 모습을 강조하고 있습니다. 각 수의 중심 내용과 핵심어를 파악해 봅니다.

훈민가 (백성을 가르치는 노래)

제4수	제10수	제13수	제16수
( ) 가 살아 계실 때 잘 섬겨야 함.	잘못을 말해 주는 ( )을 소중히 해야 함.	( )도 매고 누에도 먹이면서 근면하게 살아야 함.	( )의 짐을 대신 짊어지며 노인을 공경해야 함.

2 내용 이해 | 세부 내용 파악하기

이 시조를 읽고 떠올릴 수 있는 모습이 아닌 것은 무엇입니까? (   )

① 부모님을 잘 모시겠다고 다짐하는 자식의 모습
② 집으로 돌아오는 길에 뽕잎을 따는 농부의 모습
③ 자신의 논에서 호미로 잡초를 뽑는 농부의 모습
④ 친구의 잘못을 지적하고 일깨워 주는 친구의 모습
⑤ 노인은 짐을 지고, 젊은이는 돌을 지고 있는 모습

3 수능형 | 적용하기 | 관련 내용에 적용하기

이 시조는 '오륜'과 관련된 내용을 담고 있습니다. 보기 에 제시된 '오륜'의 내용과 관련 있는 수가 적절하게 연결된 것은 무엇입니까? (   )

문제 풀이

보기

ㄱ 붕우유신(朋友有信): 벗과 벗 사이에는 믿음이 있어야 함.

ㄴ 군신유의(君臣有義): 임금과 신하 사이에는 의리가 있어야 함.

ㄷ 부부유별(夫婦有別): 남편과 아내 사이에는 서로 구별이 있어야 함.

ㄹ 부자유친(父子有親): 부모와 자식 사이에는 친밀한 사랑이 있어야 함.

ㅁ 장유유서(長幼有序): 어른과 어린이 사이에는 엄격한 질서가 있어야 함.

① ㄱ – 제10수   ② ㄴ – 제16수   ③ ㄷ – 제4수
④ ㄹ – 제16수   ⑤ ㅁ – 제13수

어휘

• **오륜(五倫)** 유학(儒學)의 가르침에서, 사람이 지켜야 할 다섯 가지 도리. 부자유친, 군신유의, 부부유별, 장유유서, 붕우유신을 이름.

시에서 느껴지는 말의 가락

시를 읽을 때는 소설이나 수필과 달리 노래처럼 리듬을 느낄 수 있어요. 이런 말의 가락을 '운율'이라고 하는데, '운율'은 시의 분위기를 만들고 특별한 부분을 강조해서 인상 깊게 만드는 효과가 있어요.

그럼 '운율'은 어떻게 만들까요? 정답은 '반복'이에요. 소설이나 수필에서는 이런 반복이 거의 없지만 시에서는 정말 다양한 반복을 만날 수 있어요.

우선 글자 수의 반복이 있어요. '나 보기가 역겨워 / 가실 때에는 / 말없이 고이 보내 드리우리다'에서는 일곱 글자와 다섯 글자가 반복되고 있죠. 이것을 '7·5조의 반복'이라고 해요.

또한 같거나 비슷한 단어를 여러 번 반복해서 사용하기도 하고, 시행의 맨 처음이나 맨 끝에서 같은 말을 반복하기도 해요. 문장의 구조가 비슷한 것을 반복하기도 하죠. '내 마음은 ~요, 그대 ~ 오'라는 문장 구조가 여러 번 반복되는 것처럼요.

현대 시는 이런 반복이 은근히 나타나요. 반면, '시조' 같은 고전 시가는 이런 반복을 통한 운율이 겉으로 뚜렷하게 드러난답니다.

진정한 국민 문학 시조

'시조'는 고려 중기에 처음 나타나서 현재까지 지어지고 있는 우리의 '정형시' 예요. 그런데 '정형시'가 뭘까요? 시조는 일정한 형식이 정해진 시라는 의미예요. 시조는 무조건 3행으로 써야 하고, 글자의 수도 정해져 있어요. 시조에서는 한 행을 '장'이라고 해요. 첫째 행을 '초장', 둘째 행을 '중장', 셋째 행을 '종장'이라고 부르지요. 글자 수도 기본적으로 정해진 수가 있어요. '3·4·3·4 / 3·4·3·4 / 3·5·4·3'의 글자 수를 기본으로 하죠. 물론 이 글자 수를 다 완벽하게 맞추려면 아주 힘들겠죠? 하고 싶은 많은 이야기를 '세 장(3행)'으로 줄이는 것도 힘들 테니 말이에요. 그래서 글자 수는 조금 달라지기도 해요. 예를 들어서 살펴볼까요?

이 몸이∨ 죽고 죽어∨ 일백 번∨ 고쳐 죽어　　→ 초장

백골이∨ 진토되어∨ 넋이라도∨ 있고 없고　　→ 중장

임 향한∨ 일편단심이야∨ 가실 줄이∨ 있으랴　→ 종장

어때요? 글자 수가 '3·4·3·4 / 3·4·4·4 / 3·6·4·3'으로 조금 다르죠? 그래도 이 정도면 잘 맞춰 쓴 작품이랍니다.

100점과 양과자

박동규

이 수필은 글쓴이가 초등학교 시절의 기억을 떠올리며 어른이 된 지금 곁에 있지 않은 아버지를 그리워하는 글입니다. 어린 시절에 겪었던 일상의 경험을 서술하여, 아버지에 대한 글쓴이의 느낌을 진솔하게 드러내고 있습니다.

어린 날의 초상

문혜영

이 수필은 글쓴이가 어린 나이에 동생의 엄마 역할을 하면서 힘들었던 경험을 쓴 글입니다. 글쓴이는 자신의 소풍을 포기하고 동생을 따라갔던 일과 그때 느꼈던 서글픈 마음 그리고 어른이 되어 그때를 그리워하는 마음을 진솔하게 드러내고 있습니다.

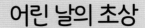

속는 자와 속이는 자

장영희

이 수필은 과거 자신이 겪은 경험을 바탕으로 우리 사회에서 속는 자와 속이는 자에 대한 생각을 담아내고 있는 글입니다. 글쓴이는 자신의 이익을 위해 다른 사람을 속이는 삭막한 세태에 크게 실망하지만 신의와 책임감을 지닌 택시 기사의 배려를 통해 새로운 깨달음을 얻고 있습니다.

수필

'수필'은 일상생활 속에서 우리가 경험한 것이나 생각한 바를 자유롭게 쓴 문학입니다.

보리

한흑구

이 수필에서는 보리의 순박함과 강인한 생명력을 농부의 덕성에 비추어 말하고 있습니다. 글쓴이는 보리의 일생을 통해서 성실과 끈질김으로 고난을 견디면 환희와 보람이 반드시 따른다는 삶의 교훈을 제시하고 있습니다.

열보다 큰 아홉

이문구

이 수필은 '열'과 '아홉'에 대한 생각을 바탕으로 청소년들을 위로하고 격려하기 위해 쓴 글입니다. 글쓴이는 사람들은 '열'이라는 완벽한 수를 향해 노력하지만 아직 열이 되지 못한 '아홉'의 가치도 크다는 점을 독자에게 말하듯이 서술하고 있습니다.

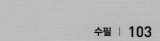

100점과 양과자

박동규

중등 교과서 수록 작품

[앞부분 줄거리] 해방이 되어 모교인 계성 학교에 선생님으로 부임한 아버지를 따라 대구로 이사를 온 '나'는, 학교가 파하면 아버지를 만나 함께 집에 돌아오곤 했다.

어느 날 국민학교에서 시험을 쳤는데 100점을 맞았다. 빨간 연필로 모두가 동그라미인 답안지를 집에 오는 길에 아버지에게 내밀었다. 아버지는 내 머리를 쓰다듬고 양과자 집에 데리고 가서 양과자 몇 개를 사 주었다. 그러면서 "100점을 맞으면 꼭 아버지를 기다려라. 그러면 과자를 사 줄게." 하셨다. 그 주 내내 나는 줄곧 100점을 맞았다. 나는 아버지를 계성 학교 본관으로 올라가는 계단에서 기다리다가 불쑥 답안지를 내밀었고 아버지는 웃으며 내 손을 잡고 과자 집으로 가셨다. 하지만 그 주가 지나자 나는 시험에서 100점을 맞지 못하고 꼭 98점 아니면 96점을 맞게 되었다. 아버지가 100점을 맞으면 기다리라던 말이 생각이 나서 계성 학교 운동장에서 놀면서 아버지를 기다리다가도 아버지가 나오면 얼른 나무 뒤에 숨거나 담장에 숨어 있다가 길로 가시면 그 뒤를 졸졸 따라서 집으로 왔다.

100점은 쉽게 따지지 않았다. 한 주일 동안 아버지를 10미터쯤 뒤에서 따라 집으로 오던 어느 날이었다. 그 날도 100점을 맞지 못해서 아버지 뒤를 졸졸 따라오는데 어느 가게 앞에서 아버지가 갑자기 고개를 뒤로 돌려 나를 보면서 "이놈아, 왜 뒤를 졸졸 따라오니. 아버지한테 오지." 하였다. 나는 울컥 울음이 터져 나와 울먹이며 "100점을 못 맞았어요." 하였다. 그러자 아버지는 나를 품에 껴안고 내 머리를 만지며 "내가 말을 잘못 했구나. 100점을 맞으면 과자를 사 준다고 했지. 오지 말라는 뜻은 아니었는데." 하였다. 아버지는 이 일이 있고 난 다음부터는 꼭 나에게 무엇이라고 이야기를 하고 난 다음에는 다시 확인하시곤 했다. 아버지는 이 일로 그리 마음 아팠던 것이다. 내가 대학생이 되어서도 여전히 아버지는 철없는 내가 아버지의 마음을 잘못 알까 봐 재차 물어 확인하곤 했다.

내 어린 날 겪었던 이 일이 평생 아버지와 나를 끊을 수 없는 정으로 연결하는 고리가 될 줄은 몰랐다. 아버지는 항상 엄격하게 나를 대하셔서 늘 눈에 불이 날 정도로 꾸중을 하시곤 했지만, 그런 밤이면 틀림없이 내 방에 들어와 다 큰 아들의 머리를 쓰다듬고 나가시곤 했던 것이다. 나는 자는 척하고 누워 있었지만 아버지의 큰 손이 내 머리를 만지고 있음을 알고 있었고 아버지가 나간 다음이면 내 잘못을 생각하며 혼자 울기도 했다.

아버지는 천성적으로 착하셔서 자식 마음에 조그만 ㉠그늘도 남기고 싶어 하지 않는 그런 분이었다. 지금도 나는 한밤에 자다가 깨면 누가 내 머리를 쓰다듬거나 내 손을 잡고 있는 듯한 환상에 빠질 때가 있다. 그리고 조금 있다가 우산도 없이 비 오는 거리에 비를 그대로 맞고 서 있는 듯한 처량함을 느끼게 되는 것은 아버지가 곁에 없기 때문임을 깨닫곤 한다.

1 핵심 요약 내용 흐름 정리하기

다음은 아버지에 대한 '나'의 기억을 중심으로 글의 내용을 정리한 것입니다. 빈칸에 들어갈 적절한 말을 쓰시오.

핵심 요약 **TIP**

이 글에서 글쓴이는 어린 시절 아버지와의 추억을 회상하고 있습니다. 그리고 회상을 마치며 현재 자신의 감정에 대해서도 말하고 있습니다. 과거 회상에서 현재까지, 시간의 흐름에 따라 전개되는 상황을 정리해 봅니다.

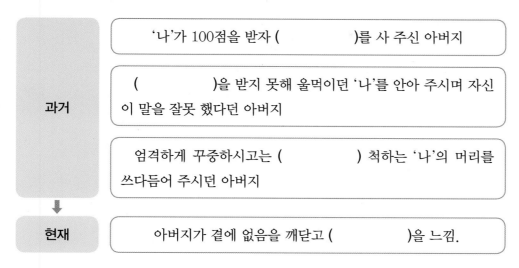

과거

'나'가 100점을 받자 (　　　　　)를 사 주신 아버지

(　　　　　)을 받지 못해 울먹이던 '나'를 안아 주시며 자신이 말을 잘못 했다던 아버지

엄격하게 꾸중하시고는 (　　　　) 척하는 '나'의 머리를 쓰다듬어 주시던 아버지

현재

아버지가 곁에 없음을 깨닫고 (　　　　)을 느낌.

2 표현 서술상 특징 파악하기

다음 중 이 글에 대한 설명으로 가장 적절한 것은 무엇입니까? (　　　　)

① 대화를 통해 갈등이 심화되는 과정을 제시한다.
② 새로운 사건의 발생을 예고하며 글을 끝맺는다.
③ 추억을 회상하며 대상에 대한 그리움을 드러낸다.
④ 글쓴이의 감정을 드러내지 않고 사건만을 전달한다.
⑤ 다양한 사건의 원인을 제시하여 흥미를 불러일으킨다.

3 내용 이해 인물의 성격 파악하기

다음 중 '아버지'에 대한 설명으로 적절하지 않은 것은 무엇입니까? (　　　　)

① 머리를 쓰다듬고 '양과자'를 사 주는 모습에서 자식을 사랑하는 자상한 성품임을 알 수 있다.
② 자신의 의도를 오해한 '나'의 앞에서 오히려 자신을 탓하는 모습에서 배려심이 깊음을 알 수 있다.
③ 꾸중 들은 자식을 안쓰럽게 여기는 모습에서 항상 자식을 걱정하는 마음이 크다는 것을 알 수 있다.
④ '나'가 잘못했을 때 눈에 불이 날 정도로 꾸짖는 모습에서 자식을 엄하게 교육한다는 것을 알 수 있다.
⑤ '나'에게 100점을 받았을 때만 기다리라고 하는 모습에서 잘잘못을 분명하게 따지는 성격임을 알 수 있다.

어휘
· **고백적** 마음속에 생각하고 있거나 감추어 둔 것을 숨김없이 말하는 것.

감상 이론을 바탕으로 감상하기

4 다음 보기 를 참고하여 이 글을 감상한 내용으로 적절한 것은 무엇입니까?

( )

> **보기**
>
> 수필은 글쓴이가 자신의 경험을 통해 알게 된 것이나 생각한 것을 자유로운 형식으로 솔직하게 표현한 글로, 자기 고백적인 성격이 강한 글이다. 또한 글쓴이의 체험뿐만 아니라 사회적 문제에 대한 글쓴이의 깊이 있는 고민을 드러내기도 한다.

① 아버지에 대한 추억과 그리움을 편지 형식을 이용하여 자유롭게 쓴 글이라고 할 수 있어.

② 들은 이야기가 많은 것으로 보아 글쓴이가 직접 체험하지 않은 내용을 다룬 글이라고 할 수 있어.

③ 아버지와 자식의 관계는 어떠해야 하는지에 대한 글쓴이의 깊은 고민이 드러난 글이라고 할 수 있어.

④ 아버지에 얽힌 일화를 통해 자신의 감정을 솔직하게 드러낸 자기 고백적인 성격의 글이라고 할 수 있어.

⑤ 100점을 받아야만 양과자를 사 주시는 아버지의 행동을 통해 경쟁 위주의 사회에 대한 비판이 나타난 글이라고 할 수 있어.

어휘·어법 문맥적 의미

5 ㉠과 문맥적 의미가 유사한 것은 무엇입니까? ( )

① 오랜만에 만난 그의 얼굴에 그늘이 서려 있었다.

② 햇볕에 서 있지 말고 이쪽 그늘로 와서 좀 쉬어라.

③ 성인이 되었으면 이제는 부모의 그늘에서 벗어나야 한다.

④ 그는 언제나 사회적으로 성공한 형의 그늘에 묻혀 지냈다.

⑤ 우리들은 나무 그늘 밑에 평상을 내놓고 그 위에 앉아 있었다.

어휘·어법 TIP

· **그늘**
「1」 어두운 부분.
「2」 의지할 만한 대상의 보호나 혜택.
「3」 밖으로 드러나지 아니한 처지나 환경.
「4」 심리적으로 불안하거나 불행한 상태. 또는 그로 인하여 나타나는 어두운 표정.

낱말 이해 | 낱말 관계 | 낱말 적용 | 관용 표현

1 다음 그림을 보고, ㉠과 ㉡에 들어갈 알맞은 낱말을 보기 에서 찾아 각각 쓰시오.

보기

| 일차 | 재차 | 속없이 | 철없이 |

모든 국민들께서 사회적 거리두기에 동참해 주실 것을 ㉠(   ) 당부드립니다.

저렇게 몇 번씩 이야기를 해도 ㉡(   ) 돌아다니는 사람들이 많아서 걱정이야.

낱말 이해 | 낱말 관계 | 낱말 적용 | 관용 표현

2 다음 선생님의 질문에 대한 대답으로 적절하지 <u>않은</u> 것은 무엇입니까? (   )

선생님: '양과자'는 서양식으로 만든 과자를 의미해요. 이때 '양'은 '외국에서 들어온' 또는 '서양식'이라는 의미를 덧붙이는 말이죠. 이와 같은 의미의 '양'이 덧붙여진 낱말을 더 찾아볼까요?

① 양복　　　② 양장점　　　③ 양옥집　　　④ 양배추　　　⑤ 양가죽

낱말 이해 | 낱말 관계 | 낱말 적용 | 관용 표현

3 다음 선생님의 말 중 ㉠에 들어갈 한자성어로 적절한 것은 무엇입니까? (   )

선생님: 「100점과 양과자」의 글쓴이는 '우산도 없이'라는 말을 통해서, 이제는 곁에 없는 아버지에 대한 그리움을 표현하고 있습니다. 이처럼 돌아가신 부모님에 대한 그리움을 표현하는 한자성어로는 　㉠　이 있습니다.

① 풍수지탄(風樹之歎)
② 만시지탄(晩時之歎)
③ 망양지탄(亡羊之歎)
④ 맥수지탄(麥秀之歎)
⑤ 망국지탄(亡國之歎)

어휘력 ➕

• **풍수지탄** 효도를 다하지 못한 채 어버이를 여읜 자식의 슬픔을 이르는 말.

• **만시지탄** 시기에 늦어 기회를 놓쳤음을 안타까워하는 탄식.

• **망양지탄** 갈림길이 매우 많아 잃어버린 양을 찾을 길이 없음을 탄식한다는 뜻으로, 학문의 길이 여러 갈래여서 한 갈래의 진리도 얻기 어려움을 이르는 말.

• **맥수지탄** 고국의 멸망을 한탄함을 이르는 말. 기자(箕子)가 은(殷)나라가 망한 뒤에도 보리만은 잘 자라는 것을 보고 한탄하였다는 데서 유래함.

• **망국지탄** 나라가 망하여 없어진 것에 대한 한탄.

속는 자와 속이는 자

장영희

중등 교과서 수록 작품

[앞부분 줄거리] '나'는 가짜 굴비를 파는 청년들에게 속아 속이 상했던 경험이 있다.

며칠 전에는 오전에 중요한 약속이 있어서 시내에 나가는데 초행길이라 택시를 타고 가기로 했다. 집 앞에 서 있는데 빈 택시는 없고, 간혹 ㉮지나가는 택시들은 이미 꽉 차서 합승조차 할 수 없었다. 약속 시간은 자꾸 다가오고, 날씨는 어찌나 추운지 온몸이 얼어붙는 듯했다. 그때 마침 택시 하나가 오더니 내 앞에 섰다. 젊은 기사가 내 목발을 보면서 말했다.

㉠"이 손님들 모셔다 드리고 금방 올 테니까 한 2, 3분만 기다리세요."

택시는 골목길로 들어갔고 나는 안도의 한숨을 내쉬었다. 그런데 무슨 운명의 장난인지, 금방 빈 택시 하나가 오는 것이었다. 순간 나는 갈등했다. 그 차를 잡을지, 아니면 나를 위해서 곧 돌아오기로 한 택시를 기다려야 할지. ㉡나는 그 고마운 기사를 기다리기로 하고 빈 택시를 그냥 보냈다. 그런데 5분, 10분이 지나도 택시는 돌아오지 않았다.

15분가량 지났을 때 나는 문득 '아차' 싶었다. '또 속았구나.' 목발 짚고 서 있는 모습이 독특하게 보여서 좀 골탕 먹이고 싶었거나, 아니면 그냥 순전히 재미로 거짓말했는지도 모른다. 지금쯤 회심의 미소를 지으면서 다른 손님을 태우고 어디론가 가고 있는 것이 분명했다. 나는 내가 다시 속임의 대상이 되었다는 것에 너무나 큰 충격을 받았다.

㉢왜 나는 그렇게 잘 속아 넘어갈까? 얼마나 호락호락해 보이면 허구한 날 속임의 대상이 될까? 나는 지독한 자괴감에 빠졌다. 중요한 약속이고 뭐고, 만사가 귀찮았다. 막 다시 집으로 들어가려는데 택시 한 대가 급하게 골목길을 빠져나왔고, 아까 그 청년 기사가 황급히 차에서 내렸다. "아이쿠, 죄송해요. 이걸 어쩌나. 도와드린다는 것이……."

청년은 정말 어쩔 줄 몰라 하며 어깨에 멘 내 가방을 들어 주었다. 차바퀴가 얼음 구덩이에 빠진 채 헛돌아 근처 가게에서 뜨거운 물을 얻어다 붓고 나서야 간신히 빠져나왔다는 것이었다.

차에 올라타자 청년 기사가 말했다. "다른 손님들이 차를 잡는데, 시간이 많이 지났어도 기다리실 것 같아서 빈 차로 왔지요."

"왜 내가 기다릴 거라고 생각했어요?" 내가 물었다.

"얼굴을 보니 그렇게 생기셨어요. 의리 있게 생기셨다고요." 청년 기사가 웃으며 말했다. '의리 있게 생겼다.'는 말은 사실 ㉣어수룩하고 융통성 없게 생겼다.'를 예의 바르게 말한 것인지도 모르지만, ㉤난 무조건 그가 고마웠다. 그리고 어떻든 무슨 상관이랴. 어수룩하든 똑똑하든, 속고 속이고 빚지고 빚 갚으며 서로서로 사슬 되어 사는 세상인데……. 얼었던 몸이 녹으면서 내 마음도 녹기 시작했다.

영어에 '한 개의 속임수는 천 개의 진실을 망친다.'라는 격언이 있지만, 어쩌면 그 반대, '한 개의 진실은 천 개의 속임수를 구한다.'가 더욱 맞는 말인지도 모른다. '속이지 않는 자'가 한 명만 있어도 '속이는 자' 천 명을 이길 수 있기 때문이다.

1 내용 흐름 정리하기

다음은 이 글에 나타난 글쓴이의 경험을 정리한 것입니다. 빈칸에 들어갈 적절한 말을 쓰시오.

핵심 요약 **TIP**

이 글에는 글쓴이의 두 가지 경험이 나타나 있습니다. [앞부분 줄거리]에 나와 있는 첫 번째 경험과 본문에 나와 있는 두 번째 경험을 글쓴이의 행동과 감정을 생각하며 정리해 봅니다.

첫 번째 경험	가짜 굴비를 파는 청년들에게 속아 속이 상함.

↓

두 번째 경험	택시를 잡기 어려운 상황에서 한 젊은 기사가 곧 올 테니 조금만 ( ) 함.
	▼
	곧 다른 빈 ( )가 왔지만 그냥 보내고, 오겠다던 젊은 기사를 기다렸으나 한참이 지나도 오지 않음.
	▼
	또 속았다는 생각에 ( )에 빠졌을 때 약속했던 젊은 기사가 황급히 와서 늦은 이유를 설명하였고, 그에게 고마운 마음이 듦.

2 세부 내용 파악하기

다음 중 이 글에서 알 수 있는 내용으로 적절하지 <u>않은</u> 것은 무엇입니까? (   )

① '나'는 약속 장소가 처음 가는 곳이라 택시를 타고 가기로 했다.
② '나'는 앞선 택시 기사와의 약속 때문에 빈 택시를 그냥 보냈다.
③ '나'는 오기로 한 택시가 오지 않자 사고가 났을까 봐 걱정했다.
④ 택시 기사는 약속 시간보다 늦게 온 것에 대해 매우 미안해했다.
⑤ 택시 기사는 '나'가 기다릴 것 같아서 다른 손님을 태우지 않았다.

3 인물의 태도 파악하기

㉠~㉤에 대한 이해로 적절하지 <u>않은</u> 것은 무엇입니까? (   )

① ㉠: 몸이 불편한 '나'에 대한 택시 기사의 배려가 드러나 있다.
② ㉡: 택시 기사와의 신의를 지키기로 한 '나'의 마음을 알 수 있다.
③ ㉢: 남에게 잘 속아 넘어가는 자신에 대한 원망이 드러나 있다.
④ ㉣: '나'의 성격을 택시 기사가 어떻게 생각하는지 알 수 있다.
⑤ ㉤: '나'에게 세상에 대한 믿음을 다시 갖게 해 주었기 때문이다.

어휘

• **신의** 믿음과 의리를 아울러 이르는 말.

어휘
• 세태 사람들의 일상생활. 풍습 등에서 보이는 세상의 상태나 형편.

감상 외부 정보를 바탕으로 감상하기

4 다음 보기 를 참고하여 이 글을 감상한 내용으로 적절하지 않은 것은 무엇입니까?

(   )

보기

이 수필에서 글쓴이는 상대에게 속았던 경험과 속지 않았던 경험을 바탕으로 우리 사회에서 속는 자와 속이는 자에 대한 생각을 전하고 있다. 글쓴이는 자신의 이익이나 재미를 위해 다른 사람을 속이는 **세태**에 크게 실망하지만, 약속을 지킨 택시 기사와의 경험을 통해 새로운 깨달음을 얻은 과정을 서술하고 있다.

① 청년들에게 가짜 굴비를 샀던 경험은 글쓴이가 속았던 경험에 해당하는군.

② 글쓴이가 약속을 포기하고 집으로 돌아가려던 것은 남을 속이는 세태에 대해 실망하며 좌절했기 때문이겠군.

③ '속이지 않는 자'가 한 명만 있어도 '속이는 자' 천 명을 이길 수 있다고 한 말은 글쓴이가 새롭게 깨달은 내용이겠군.

④ 약속 시간이 지났음에도 다시 돌아온 택시 기사를 보고 글쓴이는 신의를 지키는 택시 기사의 모습에서 희망을 얻었겠군.

⑤ 얼었던 마음이 녹았다는 말에서 다른 사람을 속이는 자들을 용서해야겠다는 글쓴이의 의지를 확인할 수 있군.

어휘·어법 어휘의 사전적 의미

5 다음은 ㉮를 사전에서 검색한 결과의 일부입니다. ㉮의 사전적 의미로 적절한 것은 무엇입니까? (   )

지나가다

Ⅰ

「1」 시간이 흘러가서 그 시기에서 벗어나다. ·············· ①

「2」 일, 위험, 행사 따위가 끝나다. ·············· ②

⋮

Ⅱ 【…으로】 【 …을】

「1」 어디를 거치거나 통과하여 가다. ·············· ③

「2」 어떤 사람이나 사물과 같은 대상물의 주위를 지나쳐 가다. ·············· ④

「3」 바람, 비 따위가 지나치다. ·············· ⑤

어휘 · 어법 TIP

• 지나가다

Ⅰ

「1」 시간이 흘러가서 그 시기에서 벗어나다.

예 하루가 후딱 지나가 버렸다.

「2」 일, 위험, 행사 따위가 끝나다.

예 하여간 무사히 지나가서 다행이다.

Ⅱ 【…으로】 【 …을】

「1」 어디를 거치거나 통과하여 가다.

예 고속도로가 우리 마을 뒷산으로 지나간다.

「2」 어떤 사람이나 사물과 같은 대상물의 주위를 지나쳐 가다.

예 학교 앞을 지나가다.

「3」 바람, 비 따위가 지나치다.

예 바람이 지나가면서 먼지를 일으켰다.

어휘력 완성

정답 및 풀이 25쪽

1 〔낱말 이해〕〔낱말 관계〕〔낱말 적용〕〔관용 표현〕

다음 그림을 보고, ㉠과 ㉡에 알맞은 낱말을 보기 에서 각각 찾아 쓰시오.

보기

| 호락호락 | 허무맹랑 | 방심 | 회심 |

계속 우리 팀이 밀리는 느낌이야. 우리가 ㉠(   )하지 않다는 걸 보여 줘야 할 텐데.

걱정 마. 우리가 준비한 ㉡(   )의 한 방이 있잖아. 그것이면 저 팀의 논리를 완전히 무너뜨릴 수 있을 거야.

2 〔낱말 이해〕〔낱말 관계〕〔낱말 적용〕〔관용 표현〕

다음 낱말의 뜻으로 알맞은 것을 찾아 각각 선으로 이으시오.

(1) 안도 •

(2) 융통성 •

(3) 자괴감 •

• ㉮ 스스로 부끄러워하는 마음.

• ㉯ 어떤 일이 잘 진행되어 마음을 놓음.

• ㉰ 그때그때의 사정과 형편을 보아 일을 처리하는 재주.

3 〔낱말 이해〕〔낱말 관계〕〔낱말 적용〕〔관용 표현〕

다음 선생님의 질문에 대한 대답으로 알맞은 한자성어는 무엇입니까? (   )

선생님: 이 글의 '나'는 다른 사람에게 쉽게 속는 순수한 사람이죠. 그런데 '나'는 자신을 어수룩한 사람이라고 생각하면서 속상해하고 있어요. 그러면 이렇게 세상 물정 잘 모르는 어리석은 사람을 뜻하는 한자성어에는 뭐가 있을까요? 힌트! 이 한자성어는 두 글자로 줄여서 말하기도 해요.

① 난형난제(難兄難弟)

② 대기만성(大器晚成)

③ 숙맥불변(菽麥不辨)

④ 목불인견(目不忍見)

⑤ 인생무상(人生無常)

어휘력＋

• **난형난제** 누구를 형이라 하고 누구를 아우라 하기 어렵다는 뜻으로, 두 사물이 비슷하여 낫고 못함을 정하기 어려움을 이르는 말.

• **대기만성** 큰 그릇을 만드는 데는 시간이 오래 걸린다는 뜻으로, 크게 될 사람은 늦게 이루어짐을 이르는 말.

• **숙맥불변** 콩인지 보리인지를 구별하지 못한다는 뜻으로, 사리 분별을 못 하고 세상 물정을 잘 모름을 이르는 말.

• **목불인견** 눈앞에 벌어진 상황 등을 눈 뜨고는 차마 볼 수 없음을 뜻하는 말.

• **인생무상** 인생이 덧없음을 뜻하는 말.

어린 날의 초상

문혜영

중등 교과서 수록 작품

동생이 입학한 후, 첫 번째 맞이한 봄 소풍 때의 일입니다. 어머니는 동생과 내 몫의 김밥, 사탕, 과자, 과일 등을 한 보자기에 싸 주셨습니다. 보자기가 하나뿐인 데다가 동생이 너무 어리기 때문에 점심시간에 나보고 챙겨 먹이라면서 그렇게 싸 주신 것입니다. 나는 동생의 손을 잡고 학교를 향해 팔랑팔랑 걸었습니다. 날아갈 듯이 즐거운 마음이었습니다.

그런데 학교에 도착해 보니 1학년과 3학년이 각각 다른 곳으로 소풍을 간다는 것입니다. 3학년은 1학년보다 조금 더 먼 곳으로 간다고 했습니다. 예측하지 못했던 일이었습니다. 난감했습니다. 도시락을 둘로 가를 수도 없을뿐더러, 어린 동생을 혼자 보내는 것도 마음이 놓이지 않았습니다. 어찌할 바를 모르고 ㉮발만 동동 구르다가 나는 결정했습니다. 저 어린 동생을 위해 오늘 하루 학부형이 되어야겠다고 말입니다. 담임 선생님께 말씀드렸더니 흔쾌히 승낙하셨습니다.

나는 먼저 출발하는 우리 반 소풍 대열을 한참이나 바라보았습니다. 눈물이 나오려는 것을 꾹 참고 동생네 소풍 대열을 따라 걷기 시작했습니다. 신입생들이라서 그런지 학부형들이 꽤나 많이 따라왔습니다. 1학년 아이들과 비교해도 별로 크지 않은 조그만 내가 어머니들 사이에서 걷고 있으려니까 어머니들은 무척 궁금한 모양이었습니다.

"몇 학년이니? 너는 왜 소풍을 안 가고 여기 왔니?"

그렇게 물어볼 때마다 도시락 보따리가 왜 그리 부끄럽던지, 감출 수만 있다면 어디에든 감추어 버리고 싶었습니다. 그런 마음 때문이었는지 도시락 보따리가 자꾸만 무겁게 느껴졌습니다.

목적지에 도착한 후, 동생을 솔밭 그늘로 데려와 점심을 먹였습니다. 동생은 언니인 내가 저를 따라온 것에 대해선 아무 생각도 없는지 재잘거리며 맛있게 먹었습니다. 점심을 먹은 뒤, 선생님의 호루라기 소리에 따라 동생은 다시 제 동무들 곁으로 갔습니다. 혼자 앉아 도시락 보따리를 챙겨 싸는 내 눈에는 뿌연 안개가 서려 왔습니다. ㉠참았던 눈물 한 방울이 볼을 타고 흘렀습니다.

'아, 이러면 안 돼. 난 오늘 학부형인데 눈물 따위를 보이다니!'

나는 누가 볼세라 손으로 얼른 눈물을 닦아 냈습니다.

아름드리 소나무에 기대어 서서 동생네 반 아이들이 뛰노는 것을 보고 있었습니다. 수건 돌리기, 술래잡기, 보물찾기…… 즐겁게 웃는 동생의 모습이 아지랑이처럼 아롱거렸습니다. 솔밭 위 하늘에는 눈부시게 하얀 학들이 너울거리며 날아다녔습니다. 내 마음을 아는지 모르는지…….

참으로 길고 긴 하루였습니다. 아홉 살의 소녀가 감당하기에는 너무나 힘들었던 봄 소풍, 그런데 왜 가끔씩 그때가 그리워지는지 나도 모를 일입니다.

핵심 요약 TIP
'나'는 과거 자신이 겪었던 경험을 회상하고 있습니다. 그때 겪었던 일과 감정에 대해 말하고, 지금 현재에서 그때를 생각하며 느끼는 감정에 대해서도 말하고 있습니다. '나'가 경험한 일과 시간의 흐름에 따라 '나'가 느낀 감정 등을 정리해 봅니다.

1 핵심 요약 내용 흐름 정리하기

다음은 이 글에서 서술된 시간에 따라 내용을 정리한 것입니다. 빈칸에 들어갈 적절한 말을 쓰시오.

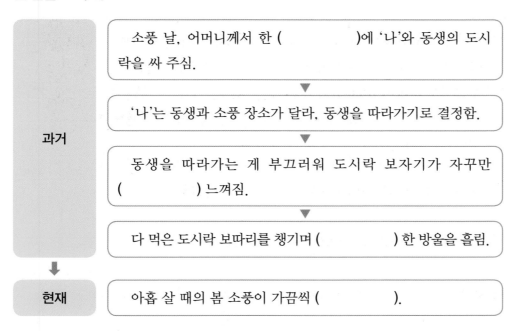

과거

소풍 날, 어머니께서 한 (　　　　)에 '나'와 동생의 도시락을 싸 주심.

▼

'나'는 동생과 소풍 장소가 달라, 동생을 따라가기로 결정함.

▼

동생을 따라가는 게 부끄러워 도시락 보자기가 자꾸만 (　　　　) 느껴짐.

▼

다 먹은 도시락 보따리를 챙기며 (　　　　) 한 방울을 흘림.

현재

아홉 살 때의 봄 소풍이 가끔씩 (　　　　).

2 내용 이해 세부 내용 파악하기

다음 중 이 글의 내용으로 적절하지 <u>않은</u> 것은 무엇입니까? (　　　　)

① '나'는 동생과 자신의 소풍 장소가 다를 것이라고는 전혀 예상하지 못했다.
② 동생은 '나'가 엄마 대신 학부형의 자격으로 자신을 따라오는 것을 부끄럽게 여겼다.
③ 담임 선생님은 '나'의 처지를 헤아려 '나'가 3학년 소풍을 따라가지 않는 것을 허락하셨다.
④ '나'는 학부형 노릇을 해야 했던 예전의 기억을 떠올리며 서글픔과 그리움을 함께 느끼고 있다.
⑤ 엄마가 한 보자기에 '나'와 동생의 도시락을 함께 싸 주신 것은 '나'에게 동생을 챙기라는 이유 때문이다.

3 내용 이해 인물의 심리 파악하기

㉠에 담긴 '나'의 심리로 가장 적절한 것은 무엇입니까? (　　　　)

① 동생을 돌보느라 점심을 제대로 먹지 못한 것에 대한 서러움.
② 자신과 동생의 관계를 궁금해하는 다른 학부형들에 대한 불편함.
③ 소풍을 즐기지 못하고 학부형 노릇을 해야 하는 것에 대한 서글픔.
④ 자신의 소풍을 포기한 것을 당연하게 생각하는 동생에 대한 서운함.
⑤ 자신에게 동생의 소풍 장소에 따라가라고 한 어머니에 대한 원망스러움.

감상 이론을 바탕으로 감상하기

4 다음 보기 를 참고하여 이 글을 감상한 내용으로 적절한 것은 무엇입니까?

( )

> **보기**
>
> 「어린 날의 초상」은 가족 사랑의 소중함과 자신만 생각하지 않고 주변 사람들을 **배려할** 줄 알고 **손해** 볼 줄 아는 마음씨의 소중함에 대해 이야기하고 있다.

① 언니의 심정을 헤아리지 않고 즐겁게 노는 동생의 모습에서 가족 사랑이 부족한 마음씨를 느꼈어.

② 자신의 소풍을 포기하고 동생의 소풍을 따라간 '나'의 모습에서 자신만 생각하지 않는 마음씨를 느꼈어.

③ 동생의 소풍을 따라온 '나'를 칭찬하는 다른 학부형들의 모습에서 주변 사람들을 배려하는 마음씨를 느꼈어.

④ 소풍 장소가 다른 '나'와 동생의 도시락을 한 보따리에 싸 준 어머니의 모습에서 배려할 줄 모르는 마음씨를 느꼈어.

⑤ 동생의 소풍 장소를 따라가겠다는 '나'의 결정을 승낙하지 않은 선생님의 모습에서 손해 볼 줄 아는 마음씨를 느꼈어.

어휘·어법 관용 표현

5 ㉮와 의미가 비슷하지 **않은** 것은 무엇입니까? ( )

① 표를 구하지 못한 사람들이 발을 동동 구르고 있었다.

② 아이들이 음악에 맞추어 발을 동동 구르며 율동을 시작했다.

③ 연이 떠 버리자 아이는 발을 동동 구르며 어쩔 줄을 몰라 했다.

④ 폭우 때문에 농민들은 하늘만 원망하며 발을 동동 구르고 있었다.

⑤ 늦은 밤이 되어도 아이가 돌아오지 않자 어머니는 발을 동동 굴렀다.

1 낱말 이해 낱말 관계 낱말 적용 관용 표현

다음 그림을 보고, ㉠과 ㉡에 들어갈 알맞은 낱말을 보기 에서 찾아 각각 쓰시오.

보기
| 난감한 | 난화한 | 불쾌히 | 흔쾌히 |

어려운 조건을 이렇게 ㉡( ) 수락해 주시다니, 정말 감사합니다.

사실 저희 회사의 상황에서는 힘들고 ㉠( ) 조건입니다. 그렇지만 수락하겠습니다. 우리는 당신 회사의 기술력을 신뢰하니까요.

2 낱말 이해 낱말 관계 낱말 적용 관용 표현

다음 낱말의 뜻으로 알맞은 것을 찾아 각각 선으로 이으시오.

(1) 서리다 •

(2) 너울거리다 •

(3) 아롱거리다 •

• ㉮ 또렷하지 아니하고 흐리게 아른거리다.

• ㉯ 수증기가 찬 기운을 받아 물방울을 지어 엉기다.

• ㉰ 팔이나 날개 따위를 활짝 펴고 위아래로 부드럽게 자꾸 움직이다.

3 낱말 이해 낱말 관계 낱말 적용 관용 표현

다음에서 드러나는 '동생'의 모습과 관련이 <u>없는</u> 표현은 무엇입니까? ( )

동생은 언니인 내가 저를 따라온 것에 대해선 아무 생각도 없는지 재잘거리며 맛있게 먹었습니다.

① 순진무결(純眞無缺)
② 순진무구(純眞無垢)
③ 천진무구(天眞無垢)
④ 천진난만(天眞爛漫)
⑤ 백화난만(百花爛漫)

어휘력 ➕

• **순진무결** 흠잡을 데 없이 순진함.

• **순진무구** 티 없이 순진함.

• **천진무구** 조금도 때 묻음이 없이 아주 순진함.

• **천진난만** 말이나 행동에 아무런 꾸밈이 없이 그대로 나타날 만큼 순진하고 천진함.

• **백화난만** 온갖 꽃이 활짝 펴 아름답고 흐드러짐.

열보다 큰 아홉

이문구

중등 교과서 수록 작품

아홉이란 수는 어떤 수입니까? 두말할 필요도 없이 열보다 하나가 모자라는 수입니다. 다시 말하면, 완전에 거의 다다른 수, 거기에 하나만 보태면 완전에 이르게 되는 수, 그래서 매우 아쉬움을 느끼게 하는 수인 것입니다.

㉠그러면 아홉은 정녕 열보다 적거나 작은 수일까요? 그렇지 않습니다. 예를 들어 보겠습니다. 끝없이 높고 너른 하늘을 십만 리 장천이라고 하지 않고 ⑰ 이라고 합니다. 젊은이더러 앞길이 구만리 같은 사람이라고 하는 말과 같은 뜻이지요.

굽이굽이 한없이 서린 마음을 ㉯ 이라고 하고, 굽이굽이 에워 도는 산굽이가 얼마인지 모르는 길을 ㉰ 이라고 하고, 통과해야 할 문이 몇이나 되는지 모르는 왕실을 ㉱ 이라고 하고, 죽을 고비를 수도 없이 넘기고 살아난 것을 ㉲ 이라고 표현하고 있습니다. **(중략)**

㉡우리의 조상들이 열보다 아홉을 더 사랑한 것은 무슨 까닭이었을까요? 간단히 말해서 모든 일에 완벽함을 기대하지 않았다는 뜻이 아니었을까요? 다시 말하면, 이 세상에 완전한 것은 없다는 사실을, 우리의 선조들은 아주 오랜 옛날부터 익히 알고 있었다는 것입니다.

㉢우리가 흔히 듣는 말에 "모든 기록은 깨어지기 위해서 있다."라는 말이 있습니다. 이 말이 맞지 않는 말이라면, 여러분이 아시다시피 세계 제일의 기록만을 수록하는 『기네스북』도 해마다 다시 찍어 내야 할 까닭이 없겠지요.

모든 기록이 반드시 깨어지기 마련인 것은, 그 기록을 이룩한 것이 인간이기 때문이라고 생각합니다. 인간은 저마다 무한한 가능성을 타고난 사실과 아울러서, 이 세상에 완전한 인간은 결코 어디에도 있을 수가 없다는 사실 또한 그 스스로가 증명해 주는 존재이기도 합니다.

열이란 수가 넘치지도 않고 모자라지도 않고, 또 조금도 여유가 없는 꽉 찬 수, 그래서 다음도 없고 다음다음도 없이 아주 끝나 버린 수라는 점에서, ㉣아홉은 열보다 많고, 열보다 크고, 열보다 높고, 열보다 깊고, 열보다 넓고, 열보다 멀고, 열보다 긴 수였으며, 그리하여 다음, 또 그다음, 그도 아니면 그 다음다음을 바라볼 수 있는, 미래의 꿈과 그 가능성의 수였기에, 슬기롭고 끈기 있는 우리의 선조들에게 일찍부터 열보다 열 배도 넘는 사랑을 담뿍 받아 왔던 것입니다.

하물며 여러분은 지금 한창 자라고, 한창 배우고, 한창 놀아야 할 중학생입니다. 여러분은 지금 무엇 한 가지도 완벽할 수가 없으며, 항상 어딘가가 부족하고 어설픈 것이 오히려 정상적인 학생입니다. 행여 무엇이 남들보다 모자란 것이 아닌가 싶어서 스스로 괴로워하고 외로워하고 서글퍼해 온 학생이 있다면, ㉤어떨까요, 이제부터라도 열이란 수보다 아홉이란 수를 더 사랑해 보는 것은.

1 **핵심 요약** 주요 내용 정리하기

다음은 '열'과 '아홉'에 대한 글쓴이의 생각을 정리한 것입니다. 빈칸에 들어갈 적절한 말을 쓰시오.

열	아홉
• 조금도 ( )가 없는 꽉 찬 수 • 다음도 없고 다음다음도 없이 아주 ( ) 수	• 열보다 많고, ( ), 높고, 깊고, 넓고, 멀고, 긴 수 • 다음, 또 그다음, 그도 아니면 그 다음다음을 바라볼 수 있는 수

⬇

청소년은 (   )이라는 수처럼 가능성과 꿈을 지닌 존재임.

핵심 요약 TIP

이 글에서 글쓴이는 '열'과 '아홉'이라는 수에 대한 자신의 생각을 말하고 있습니다. 각 수에 대한 글쓴이의 생각과 이를 통해 말하고자 하는 바를 찾아서 정리해 봅니다.

2 **내용 이해** 글쓴이의 생각 파악하기

다음 중 글쓴이의 생각으로 적절한 것은 무엇입니까? (   )

① 우리 조상들은 완전함을 갖추기 위한 수인 '열'을 사랑했다.
② 청소년들은 모든 것이 **미흡하기** 때문에 늘 행동에 조심해야 한다.
③ 청소년들은 완전하지는 않지만 미래를 향한 가능성이 있는 존재이다.
④ '아홉'이라는 수는 여유가 없는 수이기 때문에 사랑을 받아온 것이다.
⑤ '아홉'이 완전을 지향하는 수인 것처럼 청소년들도 완벽한 사람으로 성장해야 한다.

어휘

• **미흡하기** 아직 흡족하지 못하거나 만족스럽지 아니하기.

3 **내용 이해** 세부 내용 파악하기

다음 중 우리 조상들이 열보다 아홉을 더 사랑한 까닭으로 적절하지 <u>않은</u> 것은 무엇입니까? (   )

① 다음을 바라볼 수 있게 하는 수이기 때문이다.
② 모든 일에 완벽함을 기대하지 않았기 때문이다.
③ 넘치지도 않고 모자라지도 않는 수이기 때문이다.
④ 이 세상에 완전한 것은 없다는 사실을 알았기 때문이다.
⑤ 부족함을 채울 수 있는 미래의 꿈과 가능성의 수이기 때문이다.

수능형

④

감상 | 이론을 바탕으로 감상하기

다음 **보기** 를 참고할 때, ㉠～㉤에 대한 이해로 적절하지 <u>않은</u> 것은 무엇입니까?

(   )

어휘

• **구절** 한 토막의 말이나 글.

• **격언** 오랜 역사적 생활 체험을 통하여 이루어진 인생에 대한 교훈이나 경계 등을 간결하게 표현한 짧은 글.

보기

> 글쓴이는 자신의 생각을 효과적으로 전달하기 위해 다양한 표현 방법을 사용한다. 자주 사용되는 표현 방법으로는, 스스로 묻고 답하는 문답법, 쉽게 판단할 수 있는 사실을 물어보듯이 표현하는 설의법이 있다. 또, 다른 사람의 말을 빌려 오는 인용법, 비슷한 **구절**을 여러 개 늘어놓는 열거법, 문장을 이루는 말들의 순서를 바꾸어 변화를 주는 도치법 등도 많이 사용된다.

① ㉠: 스스로 묻고 대답하는 문답법을 사용하여, 아홉이 적거나 작지 않다는 점을 강조하고 있다.

② ㉡: 물어보듯이 표현하는 설의법을 사용하여, 아홉을 사랑하는 까닭을 모두 알고 있음을 확인하고 있다.

③ ㉢: **격언**을 빌려 오는 인용법을 사용하여, 글쓴이의 생각을 간략하고 인상적으로 전달하고 있다.

④ ㉣: 비슷한 구절을 여러 개 늘어놓는 열거법을 사용하여, 아홉의 특성을 강조하고 있다.

⑤ ㉤: 문장을 이루는 말들의 순서를 바꾸는 도치법을 사용하여, 글쓴이가 말하고자 하는 바를 효과적으로 드러내고 있다.

5

어휘·어법 | 한자성어

㉮～㉲에 들어갈 말로 적절하지 <u>않은</u> 것은 무엇입니까? (   )

① ㉮: 구만리장천(九萬里長天)

② ㉯: 구곡간장(九曲肝腸)

③ ㉰: 구절양장(九折羊腸)

④ ㉱: 구중궁궐(九重宮闕)

⑤ ㉲: 구우일모(九牛一毛)

어휘·어법 **TIP**

• **구만리장천** 아득히 높고 먼 하늘.

• **구곡간장** 굽이굽이 서린 창자라는 뜻으로, 깊은 마음속 또는 시름이 쌓인 마음속을 비유적으로 이르는 말.

• **구절양장** 아홉 번 꼬부라진 양의 창자라는 뜻으로, 꼬불꼬불하며 험한 산길을 이르는 말.

• **구중궁궐** 겹겹이 문으로 막은 깊은 궁궐이라는 뜻으로, 임금이 있는 대궐 안을 이르는 말.

• **구우일모** 아홉 마리의 소 가운데 박힌 하나의 털이란 뜻으로, 매우 많은 것 가운데 극히 적은 수를 이르는 말.

어휘력 완성

정답 및 풀이 26쪽

1 `낱말 이해` `낱말 관계` `낱말 적용` `관용 표현`

다음 그림을 보고, ㉠과 ㉡에 들어갈 알맞은 낱말을 보기 에서 찾아 각각 쓰시오.

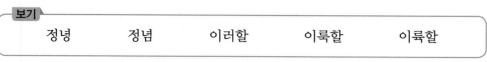

보기

정녕　　　정념　　　이러할　　　이룩할　　　이륙할

이 큰 회사가 ㉠(　　　　) 자네가 대표로 있는 회사란 말인가?

그렇습니다. 나 자신의 가능성을 믿으라는 선생님의 가르침이 있었기에 오늘의 사업을 ㉡(　　　　) 수 있었습니다.

2 `낱말 이해` `낱말 관계` `낱말 적용` `관용 표현`

다음 낱말의 뜻으로 알맞은 것을 찾아 각각 선으로 이으시오.

(1) 익히 　·

(2) 한창 　·

(3) 행여 　·

· ㉮ 어쩌다가 혹시.

· ㉯ 어떤 일이 가장 활기 있고 왕성하게 일어나는 때.

· ㉰ 어떤 대상을 자주 보거나 겪어서 처음 대하는 것 같지 않게.

3 `낱말 이해` `낱말 관계` `낱말 적용` `관용 표현`

다음 '학생'이 지니고 있는 마음과 관련 깊은 한자성어는 무엇입니까? (　　　　)

무엇이 남들보다 모자란 것이 아닌가 싶어서 스스로 괴로워하고 외로워하고 서글퍼해 온 학생

① 자격지심(自激之心)

② 이심전심(以心傳心)

③ 견물생심(見物生心)

④ 수구초심(首丘初心)

⑤ 인면수심(人面獸心)

어휘력 +

· **자격지심** 자기가 한 일에 대하여 스스로 미흡하게 여기는 마음.

· **이심전심** 마음과 마음으로 서로 뜻이 통함.

· **견물생심** 어떠한 실물을 보게 되면 그것을 가지고 싶은 욕심이 생김.

· **수구초심** 여우가 죽을 때에 머리를 자기가 살던 굴 쪽으로 둔다는 뜻으로, 고향을 그리워하는 마음을 이르는 말.

· **인면수심** 사람의 얼굴을 하고 있으나 마음은 짐승과 같다는 뜻으로, 마음이나 행동이 몹시 흉악함을 이르는 말.

보리. 너는 차가운 땅속에서 온 겨울을 자라 왔다. 이미 한 해도 저물어, 벼도 아무런 곡식도 남김없이 다 거두어들인 뒤에, 해도 짧은 늦은 가을날, ㉠농부는 밭을 갈고, 논을 잘 손질하여서, 너를 차디찬 땅속에 깊이 묻어 놓았었다. ㉮차가움에 응결된 흙덩이들을, 호미와 고무래로 낱낱이 부숴 가며, 농부는 너를 추위에 얼지 않도록 주의해서 굳고 차가운 땅속에 깊이 심어 놓았었다. "씨도 제 키의 열 길이 넘도록 심어지면, 움이 나오기 힘이 든다." 옛 늙은이의 가르침을 잊지 않으며, 농부는 너를 정성껏 땅속에 묻어 놓고, 이에 늦은 가을의 짧은 해도 서산을 넘은 지 오래고, 날개를 자주 저어 까마귀들이 깃을 찾아간 지도 오랜, 어두운 들길을 걸어서, 농부는 희망의 봄을 머릿속에 간직하며, 굳어진 허리도 잊으면서 집으로 돌아오곤 했다.

㉡논둑 위에 깔렸던 잔디들도 푸른빛을 잃어버리고, 그 맑고 높던 하늘도 검푸른 구름을 지니고 찌푸리고 있는데, 너, 보리만은 차가운 대기 속에서도 솔잎과 같은 새파란 머리를 들고, 하늘을 향하여, 하늘을 향하여 솟아오르고만 있었다. 이제 모든 화초는 지심 속에 따스함을 찾아서 다 잠자고 있을 때, 너, 보리만은 그 억센 팔들을 내뻗치고, 샛말간 얼굴로 생명의 보금자리를 깊이 뿌리박고 자라 왔다. 날이 갈수록 해는 빛을 잃고, 따스함을 잃었어도, 너는 꿈쩍도 아니하고, 그 푸른 얼굴을 잃지 않고 자라 왔다. ㉢칼날같이 매서운 바람이 너의 등을 밀고, 얼음같이 차디찬 눈이 너의 온몸을 덮어 엎눌러도, 너는 너의 푸른 생명을 잃지 않았었다. 지금, 어둡고 찬 눈 밑에서도, 너, 보리는 ㉣장미꽃 향내를 풍겨 오는 그윽한 유월의 훈풍과, 노고지리 우짖는 새파란 하늘과, 산 밑을 훤히 비추어 주는 태양을 꿈꾸면서, 오로지 기다림과 희망 속에서 아무 말이 없이 참고 견디어 왔으며, 삼월의 맑은 하늘 아래서 아직도 쌀쌀한 바람에 자라고 있었다.

춥고 어두운 겨울이 오랜 것은 아니었다. 어느덧 남향 언덕 위에 누렇던 잔디가 파아란 속잎을 날리고, 들판마다 민들레가 웃음을 웃을 때면, 너, 보리는 논과 밭과 산등성이에까지, 이미 푸른 바다의 물결로써 온 누리를 뒤덮는다. 보리다! ㉤낮은 논에도, 높은 밭에도, 산등성이 위에도 보리다. 푸른 보리다. 푸른 봄이다. 아지랑이를 몰고 가는 봄바람과 함께 온 누리는 푸른 봄의 물결을 이고, 들에도, 언덕 위에도, 산등성이 위에도, 봄의 춤이 벌어진다. 푸르른 생명의 춤, 샛말간 봄의 춤이 흘러넘친다. 이윽고 봄은 너의 얼굴에서, 또한 너의 춤 속에서 노래하고 또한 자라난다. 아침 이슬을 머금고, 너의 푸른 얼굴들이 새날과 함께 빛날 때에는, 노고지리들이 쌍쌍이 짝을 지어 너의 머리 위에서 봄의 노래를 자지러지게 불러 대고, 또한 너의 깊고 아늑한 품속에 깃을 들이고, 사랑의 보금자리를 틀어 놓는다.

핵심 요약 **TIP**

이 글은 계절의 흐름에 따른 보리의 속성에 대해 말하고 있습니다. 각 계절에 따른 보리의 속성을 파악하여 정리해 봅니다.

1 핵심 요약　내용 흐름 정리하기

다음은 이 글에 나타난 '보리'를 계절의 변화에 따라 정리한 것입니다. 빈칸에 들어갈 적절한 말을 쓰시오.

| 늦가을 | 농부들이 차디찬 땅속에 보리의 (　　　　　)를 심음. |

↓

| 겨울 | 어둡고 찬 (　　　　　) 밑에서도 보리는 푸름을 잃지 않고 추위를 견딤. |

↓

| 봄 | 논과 밭과 산등성이에 보리의 푸른 (　　　　　)이 일고 봄의 춤이 벌어짐. |

2 표현　표현상 특징 파악하기

다음 중 이 글에 대한 설명으로 적절한 것은 무엇입니까? (　　　　)

① 밤에서 낮으로의 시간의 흐름을 통해 대상의 특성을 드러낸다.
② 색채 이미지를 활용하여 대상에 대한 긍정적인 느낌을 드러낸다.
③ 대상을 사람처럼 표현하여 대상에 대한 부정적인 감정을 드러낸다.
④ 인간과 자연의 차이점을 부각시켜 바람직한 삶의 모습을 드러낸다.
⑤ 과거에 기대했던 바와 다른 현재의 모습을 제시하여 아쉬움을 드러낸다.

3 적용하기　구절의 의미 파악하기

㉠~㉤에 대한 이해로 적절하지 않은 것은 무엇입니까? (　　　　)

① ㉠: 보리가 피어날 희망의 봄을 기대하면서 보리를 심는 농부의 정성을 나타낸다.
② ㉡: 시간의 흐름에 따라 변화되는 자연의 풍경으로, 변함이 없는 보리와 상반된다.
③ ㉢: 보리가 겪게 되는 겨울의 고난과 **역경**으로, 보리의 강인한 생명력을 부각시킨다.
④ ㉣: 새봄이 되어 다시 **생동하는** 자연의 모습으로, 보리가 처한 현재 상황을 보여 준다.
⑤ ㉤: 보리가 온 세상을 뒤덮고 있는 풍경으로, 보리를 바라보는 벅찬 감격이 드러난다.

어휘
• **역경**　일이 순조롭지 않아 매우 어렵게 된 처지나 환경.
• **생동하는**　생기 있게 살아 움직이는.

4 다음 보기의 학생에게 이 글의 글쓴이가 할 수 있는 말로 가장 적절한 것은 무엇입니까? (   )

> **보기**
>
> 저는 올해 **입시**를 치르는 학생인데, 성적이 오르지 않아 고민이에요. 공부를 해도 성적이 항상 **제자리걸음**이니 도무지 공부에 흥미가 생기지 않고, 공부하는 것이 고통스럽기만 합니다. 어떻게 하면 좋을까요?

① 우선 당신의 부족한 부분을 확인하고 나서 보완하도록 하세요. 그러면 머지않아 성적이 향상될 것입니다.

② 자만하지 않는 것이 가장 중요합니다. 잘난 척하다 보면 자신의 부족한 부분을 놓쳐 버릴 수 있기 때문입니다.

③ 변함없는 것이 꼭 좋은 것만은 아닙니다. 스스로 자신을 돌아보고 바뀌어야 할 부분이 있다면 고쳐 보는 것도 좋습니다.

④ 성적이 향상될 것이라는 믿음의 끈을 놓지 않고 지금의 어려움을 견뎌 내면 분명히 좋은 결과를 얻을 것입니다. 조금 더 참고 이겨 내길 바랍니다.

⑤ 욕심이 과하면 도리어 탈이 나게 됩니다. 욕심 부리지 말고 목표를 조금씩 높여 나가는 전략을 세워 실천하면, 쉽게 지치지 않고 나중에는 성공을 거두게 될 것입니다.

어휘

- **입시** 입학생을 선발하기 위하여 입학 지원자들에게 치르도록 하는 시험.
- **제자리걸음** 상태가 나아지지 못하고 한자리에 머무는 일. 또는 그런 상태.

---

5 어휘·어법 한자어

㉮에서 드러나는 '농부'의 태도와 가장 관련 깊은 한자어는 무엇입니까? (   )

① 과잉(過剩)
② 극진(極盡)
③ 방심(放心)
④ 친절(親切)
⑤ 방임(坊任)

어휘·어법 TIP

- **과잉** 예정하거나 필요한 수량보다 많아 남음.
- **극진** 어떤 대상에 대하여 정성을 다하는 태도가 있음.
- **방심** 마음을 다잡지 아니하고 풀어 놓아 버림.
- **친절** 대하는 태도가 매우 정겹고 고분고분함. 또는 그런 태도.
- **방임** 돌보거나 간섭하지 않고 제멋대로 내버려 둠.

어휘력 완성

1 낱말 이해 낱말 관계 낱말 적용 관용 표현

다음 그림을 보고, ㉠과 ㉡에 들어갈 알맞은 낱말을 **보기** 에서 찾아 각각 쓰시오.

보기

| 치 | 자 | 길 | 호미 | 고무래 |

내가 저 남자 저럴 줄 알았어. 열 길 불속은 알아도 한 ㉠( ) 사람의 속은 모른다더니…….

'열 길 불속'아니고 '열 길 물속'이거든. '丁' 자를 보고도 ㉡( )인 줄을 모른다더니. 이리 무식할 수가.

---

2 낱말 이해 낱말 관계 낱말 적용 관용 표현

다음 낱말의 뜻으로 알맞은 것을 찾아 각각 선으로 이으시오.

(1) 응결 • • ㉮ 한데 엉기어 뭉침.

(2) 누리 • • ㉯ 첫여름에 부는 훈훈한 바람.

(3) 훈풍 • • ㉰ '세상'을 예스럽게 이르는 말.

---

3 낱말 이해 낱말 관계 낱말 적용 관용 표현

다음은 「보리」를 읽은 독자의 반응입니다. ㉠에 들어갈 한자성어로 가장 적절한 것은 무엇입니까? ( )

> 추운 겨울을 묵묵히 견뎌 낸 보리를 보며 ㉠ (이)라는 말이 떠올랐어.

① 각주구검(刻舟求劍)

② 고진감래(苦盡甘來)

③ 동상이몽(同牀異夢)

④ 토사구팽(兔死狗烹)

⑤ 청출어람(靑出於藍)

어휘력 ➕

• **각주구검** 융통성 없이 현실에 맞지 않는 낡은 생각을 고집하는 어리석음을 이르는 말.

• **고진감래** 쓴 것이 다하면 단 것이 온다는 뜻으로, 고생 끝에 즐거움이 옴을 이르는 말.

• **동상이몽** 같은 자리에 자면서 다른 꿈을 꾼다는 뜻으로, 겉으로는 같이 행동하면서도 속으로는 각각 딴생각을 하고 있음을 이르는 말.

• **토사구팽** 토끼가 죽으면 토끼를 잡던 사냥개도 필요 없게 되어 주인에게 삶아 먹히게 된다는 뜻으로, 필요할 때는 쓰고 필요 없을 때는 야박하게 버리는 경우를 이르는 말.

• **청출어람** 쪽에서 뽑아낸 푸른 물감이 쪽보다 더 푸르다는 뜻으로, 제자나 후배가 스승이나 선배보다 나음을 비유적으로 이르는 말.

둥둥 낙랑둥

최인훈

이 희곡은 '호동 왕자와 낙랑 공주' 설화를 바탕으로 하여 그 이후의 사건을 새롭게 창작한 작품입니다. 낙랑 공주가 자명고를 찢어 아버지로부터 죽임을 당한 사실을 알게 된 호동의 죄책감을 그리고 있습니다.

베니스의 상인

윌리엄 셰익스피어 저 / 이경식 역

이 희곡은 영국의 극작가 셰익스피어를 대표하는 작품으로, 16세기 후반 상업이 발달하고 기독교인과 유대인이 서로 미워하던 시절을 배경으로 하고 있습니다. 우정과 사랑, 복수와 자비의 본질이 무엇인지 보여 주는 작품입니다.

희곡
(시나리오)

'희곡'은 연극을, '시나리오'는 영화를 만들기 위하여 대사를 중심으로 쓴 문학입니다.

서편제

이청준 원작 / 김명곤 각색

이 시나리오는 이청준의 단편 소설 「서편제」를 각색한 작품으로, 소리에 미친 한 소리꾼의 일생을 그리고 있습니다. 수양딸의 눈을 멀게 해서라도 득음의 경지에 다다르게 만들려는 모습에서, 진정한 예술이란 무엇인가를 생각하게 하는 작품입니다.

둥둥 낙랑둥

최인훈

고구려군의 장수
부장: 그렇습니다. 어찌 알 수 있었겠습니까. 성문을 열고 항복하면 낙랑 왕 식구 세 사람은 모두 목숨을 살려 이곳에 모셔다가 왕비 마마 곁에서 사시게 작정이 된 일이 아니었겠습니까? 왕자님, 어찌할 수 없는 일이었습니다.
낙랑 공주의 쌍둥이 언니이자 호동의 의붓어머니로 작가가 새롭게 만든 인물

호동: 어찌할 수 없는 일……
고구려의 왕자 – 낙랑과의 전쟁에서 이기나 공주에 대한 죄책감으로 괴로워함.
부장: 그렇습니다. 어찌할 수 없는 일이었습니다. / **호동**: 누가 그것을 모르는가?

부장: 돌아가신 낙랑 공주에게 미안해서 그러십니까? / **호동**: …….

[가]
부장: 공주께서도 어찌 원망할 수 있으시겠습니까? 왕자께서 두 나라의 평화를 위해서, 두 분의 행복을 위해서 부탁하신 일인 줄 누구보다도 잘 아시는 분이 낙랑 공주였으니 어찌 원망하실 수 있겠습니까. 왕자님과 이 몸이 대왕의 뜻을 받들어 평화 교섭을 위해서 낙랑을 찾아갔을 때, 제일 반가워한 분이 공주님이셨고, 낙랑 왕의 고집 때문에 화평 교섭이 잘되지 않자 누구보다도 근심하신 분이 공주님이셨지요. 그래서 두 나라가 싸워서 숱한 사람이 죽느니보다는 자명고를 찢어서 고구려가 이기게 하는 것이 좋다고 결심한 것도 낙랑 공주이시지요. 낙랑 나라가 그런 신묘한 북을 가진 줄을 누가 알았겠습니까. 정말 큰일 날 뻔했지요. 대대로 낙랑 왕의 식구밖에는 모르는 비밀을. 그래서 왕비 마마께서도 이 나라에 시집오신 몸이면서도, 그리고 의붓아드님이 정벌군을 이끌고 낙랑으로 떠나게 되어도 입을 다물고 계신 비밀을 어떻게 알아낼 수 있었겠습니까? 왕자님을 그렇게 따르시게 된 공주께서 그 이야기를 하시더라는 말씀을 왕자님께 들었을 때처럼 무서웠던 적이 없습니다. 그것도 모르고 고구려군이 싸움을 벌였더라면 ⟨　　⟩㉠⟨　　⟩이었겠지요. 적은 먼저 알고 기다리고 있었을 테니까요.
호동 왕자

호동: 그 말을 자네한테 한 것이 정말 잘한 일인지 어쩐지 모르겠군.

부장: 무슨 말씀을. 또 놀라게 하시는군요. 말씀하시기 다행이지요. 그랬기에 제가 왕자님께 간곡히 그 북을 공주님 손으로 찢게 하시라고 알려 드릴 수 있었지요. 그리고 저도 공주님께 그리하는 것이 왕자님을 위하는 길이라고 일러 드릴 수 있지 않았습니까? / **호동**: 뭐, 자네가? 그런 말은 안 하지 않았는가?

부장: 네. 안 했지요. 그러나 잘못한 일이오니까? / **호동**: …….

부장: 왕자님 몰래 공주님께 말씀드리는 것이 좋다고 여겨져서 그리한 것입니다.

호동: ㉡오, 그래서……. / **부장**: 무슨 일이 있었더랬습니까?

호동: 북을 찢겠다면서, 이 일은 왕자님 뜻을 묻기 전에 자기가 알아서 하는 일이라고 자꾸 다짐하더군. / **부장**: 열녀이십니다.

호동: 큰 고구려의 왕자가 한 여자의 손을 빌려 싸움에 이기는 것을 부끄러워할까 봐 그랬던 것이로군.

부장: 열녀이십니다. / **호동**: 그 열녀의 덕을 본 나는 무어가 되는가?

부장: 영웅이십니다. / **호동**: 여자 힘을 빌린 영웅이라.

핵심 요약 TIP

이 글에서 '호동'과 '부장'은 낙랑 공주가 자명고를 찢고 낙랑 왕에게 죽임을 당한 일에 대해 이야기를 나누고 있습니다. 호동은 죄책감을 느끼고 있는 반면 부장은 어쩔 수 없는 일이었음을 강조하며 왕자를 위로하고 있습니다. 호동과 부장의 대화 내용을 살펴 정리해 봅니다.

1 핵심 요약 ｜ 주요 내용 정리하기

다음은 '호동'과 '부장'의 말을 통해 알 수 있는 두 사람의 심리와 태도를 정리한 것입니다. 빈칸에 들어갈 적절한 말을 쓰시오.

호동
- 자명고를 찢다 죽은 (   )에 대한 죄책감으로 괴로워함.
- 공주의 덕으로 (   )이 된 것이 옳은 것인가에 대해 갈등함.

부장
- 고구려와 낙랑의 (   )를 위해 어쩔 수 없는 일임을 강조하여 왕자를 위로함.
- 사랑하는 사람을 위해 자신을 희생한 공주를 (   )로 칭송함.

2 내용 이해 ｜ 세부 내용 파악하기

이 글에 등장하는 인물에 대한 설명으로 적절하지 <u>않은</u> 것은 무엇입니까? (   )

① 부장은 호동이 괴로워하는 이유를 직접 언급하고 있다.
② 부장이 호동에게 이야기하지 않았던 사실이 드러나고 있다.
③ 부장은 어찌할 수 없는 일임을 강조해 호동을 위로하고 있다.
④ 호동은 침묵을 통해 부장의 말에 대한 분노를 드러내고 있다.
⑤ 부장은 낙랑 공주의 태도와 호동의 업적을 함께 칭송하고 있다.

3 내용 이해 ｜ 대사의 의미 파악하기

ⓛ에 어울리는 지문으로 가장 적절한 것은 무엇입니까? (   )

① (만족스러운 표정으로)
② (참을 수 없이 분노하며)
③ (무엇인가 생각이 난 듯)
④ (피곤한 듯 하품을 하며)
⑤ (전혀 모르겠다는 표정으로)

감상 　이론을 바탕으로 감상하기

보기 를 참고할 때, [가] 부분에 대한 설명으로 적절하지 <u>않은</u> 것은 무엇입니까?

(　　　)

보기

　　서술자가 존재하지 않는 희곡에서는 모든 것이 인물의 대사로 전달된다. 인물의 대사는 독자에게 ㉠과거의 사건을 정리해 주고, ㉡인물들 간의 관계에 대한 정보를 제공한다. 또 ㉢자신의 내면 심리를 드러내는 것은 물론 ㉣다른 인물의 심리를 제시하기도 하고, ㉤현재 다른 공간에서 벌어지고 있는 사건을 전달하는 역할도 한다.

① '평화 교섭을 위해서 낙랑을 찾아갔을 때'를 이야기하는 것은 ㉠의 예로 볼 수 있다.

② 낙랑에서 시집온 고구려의 왕비가 호동의 의붓어머니임이 드러나는 것은 ㉡의 예로 볼 수 있다.

③ '왕자님께 들었을 때처럼 무서웠던 적이 없습니다.'라고 말하는 것은 ㉢의 예로 볼 수 있다.

④ 낙랑 공주가 반가워하고 근심했다는 사실이 독자에게 전달되는 것은 ㉣의 예로 볼 수 있다.

⑤ '정벌군을 이끌고 낙랑으로 떠나게 되어도'라는 상황을 이야기하는 것은 ㉤의 예로 볼 수 있다.

5

어휘·어법 　속담

　㉠　에 들어갈 속담으로 적절한 것은 무엇입니까? (　　　)

① 고생 끝에 낙이 오는 격

② 미운 아이 떡 하나 더 주는 격

③ 구르는 돌은 이끼가 안 끼는 격

④ 고래 싸움에 새우 등 터지는 격

⑤ 섶을 지고 불로 들어가려 하는 격

어휘·어법 　TIP

· **고생 끝에 낙이 온다** 　힘을 다하고 정성을 다하여 한 일은 그 결과가 반드시 헛되지 않음을 뜻하는 말.

· **미운 아이 떡 하나 더 준다** 　미운 사람일수록 잘해 주고 감정을 쌓지 않아야 한다는 말.

· **구르는 돌은 이끼가 안 낀다** 　부지런하고 꾸준히 노력하는 사람은 제자리에 머무르지 않고 계속 발전한다는 말.

· **고래 싸움에 새우 등 터진다** 　강한 자들끼리 싸우는 통에 아무 상관도 없는 약한 자가 중간에 끼어 피해를 입게 됨.

· **섶을 지고 불로 들어가려 한다** 　앞뒤 가리지 못하고 미련하게 행동함을 놀림조로 이르는 말.

어휘력 완성

1 [낱말 이해] [낱말 관계] [낱말 적용] [관용 표현]

다음 그림을 보고, ㉠과 ㉡에 알맞은 낱말을 보기 에서 각각 찾아 쓰시오.

보기
| 자명종 | 자명고 | 화친 | 화평 | 지인 |

우리 방에도 ㉠( ) 이/가 있으면 얼마나 좋을까? 엄마가 가까이 오시면 울리도록 말이야.

그러면 집안에 항상 ㉡( )의 기운이 넘치겠지.

2 [낱말 이해] [낱말 관계] [낱말 적용] [관용 표현]

다음 낱말의 알맞은 뜻을 찾아 각각 선으로 이으시오.

(1) 교섭 •

(2) 열녀 •

(3) 간곡히 •

• ㉮ 남편이 죽은 뒤에도 절개를 지켜 다시 결혼하지 않은 여자.

• ㉯ 어떤 일을 이루기 위하여 서로 의논하고 절충함.

• ㉰ 간절하고 정성스러운 태도나 자세로.

3 [낱말 이해] [낱말 관계] [낱말 적용] [관용 표현]

다음 밑줄 그은 부분과 바꿔 쓸 수 있는 한자어는 무엇입니까? ( )

부장: 왕자님, 어찌할 수 없는 일이었습니다.
호동: 어찌할 수 없는 일…….
부장: 그렇습니다. 어찌할 수 없는 일이었습니다.

① 불가(不可)한
② 불가근(不可近)한
③ 불가능(不可能)한
④ 불가피(不可避)한
⑤ 불가침(不可侵)한

어휘력 ➕
• **불가한** 옳지 않은.
• **불가근한** 가까이하기 어려운.
• **불가능한** 가능하지 않은.
• **불가피한** 피할 수 없는.
• **불가침한** 침범하여서는 안 되는

베니스의 상인

윌리엄 셰익스피어 저 / 이경식 역

• **고리대금** 부당하게 비싼 이
자를 받는 돈놀이.

• **담보** 돈을 못 받게 될 상황
에 대비하기 위해 맡아 두는
물건이나 증서 등으로, 빚을
대신할 수 있는 것.

• **의인(義** 옳을 의, **人** 사람 인)
의로운 사람.

• **직권(職** 벼슬 직, **權** 권세 권)
직무상의 권한.

• **잔인무도** 더할 수 없이 잔
인함.

• **기정(旣** 이미 기, **定** 정할 정)
이미 결정되어 있음.

• **판례** 동일하거나 비슷한 소
송 사건에 대하여 행한 재판
의 선례.

• **위법** 법률이나 명령 따위를
어김.

• **화근** 재앙의 근원.

• **다니엘 같은 명판관** 구약 성
서에 나오는 훌륭한 재판관.

• **몰수** 법을 어겼거나 잘못을
저지른 사람의 재산이나 물
건, 권리를 나라에서 빼앗음.

• **불신자** 종교를 믿지 않는
사람.

• **위약(違** 어길 위, **約** 맺을 약)
약속이나 계약을 어김.

[앞부분 줄거리] 베니스의 상인 앤토니오는 친구 바싸니오를 위해 고리대금을 하는 유대인 샤일록에게 돈을 빌린다. 과거에 자신을 모욕한 앤토니오를 미워하던 샤일록은 담보로 앤토니오의 살 1파운드를 요구하고, 계약 기간이 지나자 실행을 요구하며 법정에 서게 된다.

포오셔: ㉠이 상인은 돈을 갚을 능력이 없습니까?

바싸니오: 있습니다. 그를 대신해서 제가 이 법정에서 드리겠습니다. 아니, 두 배로 지불하겠습니다. 만약 이것도 부족하다면 저의 손, 머리, 심장을 담보로 해서 열 배로 그것을 갚겠다고 약속합니다. 만약 이것 역시 부족하다면 ㉡악인이 의인을 파멸시키려는 것이 분명합니다. 그러므로 간청하오니 당신의 직권으로 한 번만 법을 굽혀서, ㉢큰 정의를 행하기 위해서 작은 부정을 행사하시어 이 잔인무도한 악마의 의도를 꺾어 주십시오.

포오셔: 그렇게 해서는 안 됩니다. 베니스의 어떤 권력도 기정의 조항을 하나라도 변경할 수는 없습니다. 그것이 판례로 기록된다면 그 선례를 따라서 위법 처사가 수없이 감행되어 국가의 화근이 될 것입니다. 그것은 안 됩니다.

샤일록: ㉮다니엘 같은 명판관이 심판하러 오셨군. 진정 다니엘 같은 분. 총명하신 젊은 판사님, 당신을 진정 존경합니다! / 포오셔: 차용 증서를 좀 보여 주시오.

(중략)

포오셔: 그러니 살을 베어 낼 준비를 하시오. 피를 흘려서도 안 되지만 1파운드 이하도 이상의 살도 베어 내서는 안 되고 정확하게 꼭 1파운드의 살만을 베어 내야 합니다. 만약 정확히 1파운드가 아닌 그 이상이나 그 이하로 베어 낸다면 ― 그 분량이 무게의 경중을 초래하는 경우는 물론이거니와, 1푼의 20분의 1만큼의 무게라도 다르다면, 아니 머리카락 한 개의 무게로 인해서 저울이 기울기라도 하다면, 당신은 죽게 되며 당신의 전 재산은 몰수됩니다.

그라쉬아노: 제2의 다니엘이시다. ㉯다니엘 같은 명판관이셔. 유대인 불신자여, 이제야 당신 허리를 들어 올렸소.
앤토니오와 바싸니오의 친구

포오셔: ㉢유대인, 왜 머뭇거리시오? 벌금을 받아 가시오.

샤일록: 원금만 받고, 가게 해 주십시오.

바싸니오: 원금은 여기 준비되어 있소. 자, 받으시오.

포오셔: 그는 그것을 공판정에서 거절한 바 있습니다. 그에게는 오직 정의의 심판과 차용 증서 집행만이 있게 됩니다.

그라쉬아노: 다니엘 같으신 명판관이시라니까, 제2의 다니엘 명판관! 이 말을 가르쳐 주어서 고맙소이다. 유대인.

샤일록: 그저 원금만 받도록 해 주실 수는 없겠습니까?

포오셔: ㉰당신이 받을 수 있는 것은, 잘못 받으면 당신의 생명이 없어지게 될, ㉱그 위약에 대한 벌금뿐입니다.

핵심 요약 주요 내용 정리하기

1 다음은 '포오셔'의 말과 그에 대한 '샤일록'의 반응을 정리한 것입니다. 빈칸에 들어갈 적절한 말을 쓰시오.

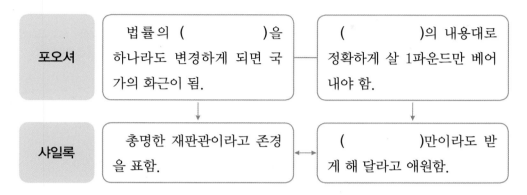

포오셔	법률의 ( )을 하나라도 변경하게 되면 국가의 화근이 됨.	( )의 내용대로 정확하게 살 1파운드만 베어 내야 함.
샤일록	총명한 재판관이라고 존경을 표함.	( )만이라도 받게 해 달라고 애원함.

핵심 요약 **TIP**

이 희곡의 등장인물인 '포오셔'는 '바싸니오'의 구혼을 승낙한 인물로, 판사로 위장하여 '앤토니오'와 '샤일록'의 재판을 진행하고 있습니다. '(중략) 부분'의 앞뒤에서 이루어진 포오셔의 말과 그에 대한 샤일록의 대조적인 반응을 정리하여 봅니다.

내용 이해 세부 내용 파악하기

2 ㉠~㉤에 대한 설명으로 적절하지 **않은** 것은 무엇입니까? (   )

① ㉠: '이 상인'은 돈을 갚을 의무가 있는 앤토니오를 가리킨다.

② ㉡: '악인'은 샤일록을, '의인'은 앤토니오를 가리킨다.

③ ㉢: '큰 정의'는 샤일록을 벌하는 일을, '작은 부정'은 법률의 조항을 어기는 일을 말한다.

④ ㉣: '벌금'은 앤토니오의 살 1파운드를 베어 가는 일을 말한다.

⑤ ㉤: '위약'은 앤토니오의 살 1파운드를 베겠다는 약속을 못 지킨 일을 말한다.

내용 이해 세부 내용 파악하기

3 ㉮와 ㉯에 대한 설명으로 가장 적절한 것은 무엇입니까? (   )

① ㉮는 판사의 말에 대해 비아냥거리는 샤일록의 반어적 표현이다.

② ㉮는 계약을 실행할 수 없을 것 같다는 샤일록의 불안감을 드러낸다.

③ ㉯는 그라쉬아노가 샤일록의 말을 듣고 그 말을 빌려서 말한 것이다.

④ ㉯는 뜻을 이루게 된 샤일록에 대한 축하의 마음을 표현한 것이다.

⑤ ㉯는 그라쉬아노가 자신의 뜻과는 달리 샤일록의 생각을 대신 드러낸 것이다.

어휘

• **반어적** 표현의 효과를 높이기 위하여 실제와 반대되게 말을 하는 것

4 보기를 참고할 때, 밑줄 그은 부분과 같은 감상에 해당하는 것은 무엇입니까?

( )

어휘

• **효용론** 보람 있게 쓰이는 것에 관한 주장이나 논의.

• **배척** 싫어하여 따돌리거나 밀어냄.

• **적개심** 적에 대하여 몹시 화를 내는 마음.

> **보기**
>
> 문학 작품을 감상하는 방법 중, 작품 자체의 내용과 표현을 중심으로 감상하는 것을 절대론적 관점이라고 한다. 그리고 작품을 쓴 작가의 특징을 중심으로 감상하는 표현론적 관점, 작품이 창작된 시대 상황을 중심으로 작품을 감상하는 반영론적 관점, 작품이 독자에게 미친 영향을 중심으로 감상하는 **효용론적** 관점 등이 있다.

① 서연: 나는 모든 문제를 단번에 해결한 재판관 '포오셔'의 지혜로운 판결을 보고, 법을 공부하고 싶다는 생각을 하게 되었어.

② 상유: 그렇지만 '샤일록'이 왜 그런 계약을 원했는지는, '앤토니오'가 과거 '샤일록'에게 한 행동을 보면 이해할 수 있어.

③ 서안: 당시 유럽에서는 유대인을 **배척**하고 증오하는 태도가 뿌리 깊었기 때문에 그런 것이 작품에 드러난 것 같아.

④ 형우: 결국 작품을 쓰는 것은 작가이니까 셰익스피어도 '불신자'인 유대인에 대한 **적개심**을 가지고 있었다고 볼 수 있지.

⑤ 아인: 아무튼 인물들 사이의 팽팽한 긴장과 손에 땀을 쥐는 갈등의 반복이 이 작품의 가장 큰 매력인 것 같아.

---

5 어휘·어법 어휘의 사전적 의미

다음 밑줄 그은 낱말이 ㉬ '당신'과 같은 뜻으로 쓰인 것은 무엇입니까? ( )

① 당신이 뭔데 남의 일에 참견이야.

② 이 일을 한 사람이 당신이란 말인가요?

③ 할머니는 뭐든지 당신 고집대로 하셨다.

④ 당신에게 좋은 남편이 되도록 노력하겠소.

⑤ 할아버지께서는 생전에 당신의 책을 무척 아끼셨다.

어휘·어법 TIP

• **당신**
「1」 듣는 이를 조금 높여 가리키는 말.
「2」 부부 사이에서, 상대편을 높여 이르는 말.
「3」 맞서 싸울 때 상대편을 낮잡아 이르는 말.
「4」 '자기'를 아주 높여 이르는 말.

어휘력 완성

1 낱말 이해 낱말 관계 낱말 적용 관용 표현

다음 그림을 보고, ㉠과 ㉡에 알맞은 낱말을 **보기** 에서 각각 찾아 쓰시오.

보기

| 단서 | 담보 | 소인 | 의인 | 지인 |

아니, 아무런 ㉠(   )도 없이 그렇게 큰돈을 내놓으라는 겁니까?

이 조선이 곧 ㉠(   ) 아닌가? 자네야말로 숨어서 독립운동을 돕는 진정한 ㉡(   )(이)라는 걸 아네.

2 낱말 이해 낱말 관계 낱말 적용 관용 표현

다음 낱말의 알맞은 뜻을 찾아 각각 선으로 이으시오.

(1) 판례 •   • ㉮ 이미 결정되어 있음.

(2) 기정 •   • ㉯ 약속이나 계약을 어김.

(3) 위약 •   • ㉰ 동일하거나 비슷한 소송 사건에 대한 과거 재판의 판결.

3 낱말 이해 낱말 관계 낱말 적용 관용 표현

다음 밑줄 그은 부분과 관련있는 한자성어는 무엇입니까? (   )

바싸니오: 그러므로 간청하오니 당신의 직권으로 한 번만 법을 굽혀서, 큰 정의를 행하기 위해서 작은 부정을 행사하시어 <u>이 잔인무도한 악마의 의도를</u> 꺾어 주십시오.

① 인자무적(仁者無敵)
② 인사불성(人事不省)
③ 인지상정(人之常情)
④ 인면수심(人面獸心)
⑤ 인명재천(人命在天)

어휘력 ➕

- **인자무적** 어진 사람은 남에게 덕을 베풂으로써 모든 사람의 사랑을 받기에 세상에 적이 없음.

- **인사불성** 제 몸에 벌어지는 일을 모를 만큼 정신을 잃은 상태.

- **인지상정** 사람이면 누구나 가지는 보통의 마음을 뜻하는 말.

- **인면수심** 사람의 얼굴을 하고 있으나 마음은 짐승과 같다는 뜻으로, 마음이나 행동이 몹시 흉악함을 이르는 말.

- **인명재천** 목숨의 길고 짧음은 사람의 힘으로 어쩔 수 없음을 이르는 말.

서편제

이청준 원작 / 김명곤 각색

• 지문 해설

• 지문 난이도: 상
●—●—●—●—○

• 글자 수: 1100자
○—●—○—○
1000　　1500

신 넘버(Scene Number) – 영화를 구성하는 '장면'의 번호

S# 76. 소릿재 폐가 방 안

떠돌이 소리꾼 – 수양딸인 '송화'의 소리를 완성시키려 눈을 멀게 만듦.

방문이 열리고 밥상이 들어온다. 유봉이 밥상을 내려놓는다.

유봉: 시래기 죽이다. 이 서편소리는 말이다. 사람의 가슴을 칼로 저미는 것처럼 한이 사무쳐야 되는디 니 소리는 이쁘기만 허지 한이 없어. 사람의 한이라는 것은 한평생 살아가면서 가슴 속에 첩첩이 쌓여서 응어리지는 것이다. 살아가는 일이 한을 쌓는 일이고 한을 쌓는 일이 살아가는 일이 된단 말이여. 너는 ㉮조실부모한 데다가 눈까지 멀었으니 한이 쌓이기로 말하자면 남보다 열 배 스무 배 더 헐 텐데 어째 그런 소리가 안 나오냐.

S# 77. 폐가 근처

'유봉'의 수양딸 – 자신의 한을 판소리로 승화시키는 인물

송화, 소리가 나오지 않아 주저앉아 운다.

송화: 몸으로 희생하여 상림뜰 벌었더니 / 대우방수 천 리 풍년이 들었단다 / 그런 일도 있었으니 내 몸으로 대신 감이 어떠하냐 / 마른 땅의 새우… / 마른 땅의 새우…

유봉: (소리) ㉠운다고 목이 풀리냐.

(중략)

S# 80. 소릿재 폐가 방 안

유봉, 닭이 담긴 상을 들고 들어온다.

유봉: 아이고 그렇게 무작정 질러 댄다고 소리가 얻어지는 게 아니라고 몇 번이나 말해야 알아듣겄냐? 몸뚱이에 기운도 없는디 무리허면 목청만 상혀. 자, 닭이다. 소리품으로 얻어왔다. 이리와, 어서 먹고 기운내서 소리혀라.

유봉, 닭다리를 송화에게 내민다.

S# 81. 폐가 앞

콩깍지를 들춰내고 닭털을 꺼내는 손. / 닭 주인: (소리) ㉡어디 그러면 그렇지. 이것이….

유봉의 얼굴. / 닭 주인: (소리) ㉢닭털이 아니고 오리털이냐.

닭 주인, 유봉을 친다. 넘어진 유봉을 마구 패며 욕을 한다.

닭 주인: 이놈의 자식아 그 닭이 어떤 닭인디. 니가 씨암탉을 잡아먹어?

유봉, 맞으며 마루 쪽으로 기어간다.

송화: (닭 주인 잡으며) ㉣아저씨, 아저씨, 그 닭 내가 먹었어요.

닭 주인, 송화를 밀고 유봉을 팬다.

닭 주인: 이놈아, 마을에 얼씬만 했다 하면 다리몽둥이를 작씬 부러뜨려 버릴 테다.

송화: (유봉에게 기어가며) ㉤아버지, 아버지…….

S# 82. 소릿재 폐가 방 안

송화, 유봉을 부축하여 들어온다. 송화, 유봉의 피를 닦아 준다.

유봉: (송화의 손을 뿌리치며) 아따, 그놈의 자식 목청 한번 좋다. 너 들었쨔. 심 봉사가 선인들한티 화를 내는 성음은 저렇게 나와야 되는 것이여, 잉?

• **서편제**(西 서녘 서, 便 편할 편, 制 억제할 제) 섬진강 서쪽, 보성·광주·나주 등지에서 성한 판소리로 음색이 곱고 애절함.

• **폐가**(廢 폐할 폐, 家 집 가) 버려두어 낡아 빠진 집.

• **시래기** 무청이나 배춧잎을 말린 것.

• **한**(恨 한 한) 몹시 원망스럽고 억울하거나 안타깝고 슬퍼 응어리진 마음.

• **조실부모**(早 이를 조, 失 잃을 실, 父 아버지 부, 母 어머니 모) 어려서 부모를 여읨.

• **몸으로 희생하여 ~ 마른 땅의 새우…** 심청가의 한 대목으로, 자신의 눈을 뜨게 하기 위해 심청이가 팔려 가게 되었다는 이야기를 듣고 심 봉사가 울부짖는 장면.

• **소리품** 판소리를 불러 주고 받은 대가.

• **씨암탉** 씨를 받기 위하여 기르는 암탉.

• **성음**(聲 소리 성, 音 소리 음) 목구멍에서 나는 소리.

핵심 요약 TIP

이 시나리오는 '유봉'이 고아인 '송화'를 자신의 딸로 삼고 눈을 멀게 하면서까지 송화의 한 맺힌 소리를 완성하려고 하는 집념과 소리꾼의 일생을 담아낸 작품입니다. 유봉과 송화 사이에서 일어난 일을 순서대로 떠올려 보고, 각 장면에서 중요한 사건과 핵심 소재를 찾아 정리해 봅니다.

1 핵심 요약 내용 흐름 정리하기

다음은 이 글에서 벌어진 사건을 장면의 변화에 따라 정리한 것입니다. 빈칸에 들어갈 적절한 말을 쓰시오.

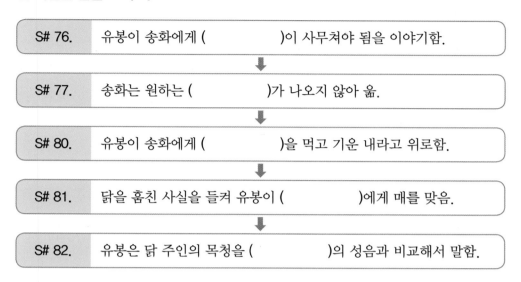

S# 76. 유봉이 송화에게 (   )이 사무쳐야 됨을 이야기함.

S# 77. 송화는 원하는 (   )가 나오지 않아 욺.

S# 80. 유봉이 송화에게 (   )을 먹고 기운 내라고 위로함.

S# 81. 닭을 훔친 사실을 들켜 유봉이 (   )에게 매를 맞음.

S# 82. 유봉은 닭 주인의 목청을 (   )의 성음과 비교해서 말함.

2 내용 이해 세부 내용 파악하기

이 글에 등장하는 인물에 대한 설명으로 적절하지 <u>않은</u> 것은 무엇입니까? (   )

① 유봉은 모든 것을 판소리와 관련지어서 생각하고 있다.
② 닭 주인은 증거를 먼저 찾아낸 후에 유봉에게 화를 냈다.
③ 송화는 앞을 보지 못하면서도 유봉을 보호하려 애쓰고 있다.
④ 닭 주인은 자신의 씨암탉을 먹어 버린 송화에게 분노하고 있다.
⑤ 유봉은 송화에게서 원하는 소리가 나오지 않아 안타까워하고 있다.

3 내용 이해 소재의 의미 파악하기

시래기 죽과 닭다리에 대한 설명으로 가장 적절한 것은 무엇입니까? (   )

① 시래기 죽은 어려운 형편을, 닭다리는 넉넉한 형편을 의미한다.
② 시래기 죽은 유봉이, 닭다리는 송화가 좋아하는 음식을 의미한다.
③ 시래기 죽은 보통 때에, 닭다리는 속상한 날에 먹는 음식을 의미한다.
④ 시래기 죽과 닭다리는 모두 송화를 보살피는 유봉의 정성을 의미한다.
⑤ 시래기 죽과 닭다리는 모두 밥을 챙겨야 하는 유봉의 고달픈 삶을 의미한다.

 이론을 바탕으로 감상하기

4 보기 를 참고할 때, ㉠~㉢에 대한 이해로 적절한 것은 무엇입니까? (　　　)

보기

　영화의 대본인 시나리오의 대사 중에는 '(소리)'라는 시나리오 기호와 함께 제시되는 것이 있다. 이것은 화면 밖의 소리를 의미하는 것으로, 대사를 하는 인물의 모습이 화면에 등장하지 않는다. 다른 대사들이 인물의 모습과 함께 제시되는 것과 달리, '(소리)'로 표시된 대사는 직전 장면을 배경으로 소리만 들리게 된다.

① ㉠은 ㉡과 달리 말하는 인물의 모습이 화면에 등장하지 않은 상태에서 들리는 대사이다.

② ㉡은 닭 주인이 유봉을 보고, ㉢은 닭 주인이 닭털을 보고 말하는 대사이다.

③ ㉡은 닭털을 꺼내는 손만, ㉢은 유봉의 얼굴만 보이는 상태에서 들리는 대사이다.

④ ㉣과 ㉤은 모두 송화의 모습이 화면에 등장하지 않은 상태에서 들리는 대사이다.

⑤ ㉣은 닭 주인의 모습만, ㉤은 유봉의 모습만 보이는 상태에서 들리는 대사이다.

어휘·어법 한자성어

5 ㉮의 상황과 관련있는 한자성어는 무엇입니까? (　　　)

① 온고지신(溫故知新)

② 각골통한(刻骨痛恨)

③ 외유내강(外柔內剛)

④ 내우외환(內憂外患)

⑤ 인과응보(因果應報)

어휘·어법 TIP

• **온고지신** 옛것을 익히고 그것을 통해 새로운 것을 알게 됨.

• **각골통한** 뼈에 사무칠 만큼 원통하고 한스러움.

• **외유내강** 겉으로는 부드럽고 순하게 보이지만 속은 곧고 굳셈

• **내우외환** 나라 안팎의 여러 가지 어려움.

• **인과응보** 좋은 일에는 좋은 결과가, 나쁜 일에는 나쁜 결과가 뒤따름.

낱말 이해 · 낱말 관계 · 낱말 적용 · 관용 표현

1 다음 그림을 보고, ㉠과 ㉡에 알맞은 낱말을 보기에서 각각 찾아 쓰시오.

보기

| 폐허 | 폐가 | 폐품 | 한 | 혼 |

도대체 이런 ㉠(   )에 뭐가 있다고 가자는 건가? 난 무서워서 이만 돌아가겠네.

어허, 여기가 바로 송화님이 수련하던 집일세. 송화님의 가슴에 맺힌 ㉡(   )이/가 느껴지지 않나?

낱말 이해 · 낱말 관계 · 낱말 적용 · 관용 표현

2 다음 설명에 해당하지 <u>않는</u> 낱말은 무엇입니까? (   )

> 동물의 성별을 구별할 때 '수-'와 '암-'을 동물 이름 앞에 붙일 때가 많다. 이때 동물 이름의 형태가 바뀌기도 하는데, '닭'에 '암-'이 결합하면 '암닭'이 아니라 '암탉'이 되는 경우가 바로 이에 해당한다.

① '수-'+'개'　　　　② '수-'+'닭'　　　　③ '수-'+'돼지'

④ '암-'+'강아지'　　⑤ '암-'+'고양이'

낱말 이해 · 낱말 관계 · 낱말 적용 · 관용 표현

3 다음 선생님의 질문에 대한 답으로 알맞은 한자성어는 무엇입니까? (   )

> 선생님: 이 글에서 '송화'는 더 이상 소리가 나오지 않아 괴로워하면서도 쉬지 않고 소리의 완성을 위해 노력하고 있습니다. 이처럼 쉬지 않고 노력하는 자세를 뜻하는 한자성어에는 무엇이 있을까요?

① 자강불식(自强不息)　　　　② 자포자기(自暴自棄)

③ 자중지란(自中之亂)　　　　④ 자급자족(自給自足)

⑤ 자가당착(自家撞着)

어휘력 +

- **자강불식** 스스로 힘써 몸과 마음을 가다듬어 쉬지 아니함.

- **자포자기** 절망에 빠져 자신을 스스로 포기하고 돌아보지 아니함.

- **자중지란** 같은 편끼리 하는 싸움.

- **자급자족** 필요한 물자를 스스로 생산하여 충당함.

- **자가당착** 같은 사람의 말이나 행동이 앞뒤가 서로 맞지 않고 모순됨.

수필을 제대로 읽는 방법

수필은 글쓴이가 경험한 이야기, 글쓴이가 하고 싶은 이야기를 직접 독자에게 전달하는 문학이에요. 그래서 수필 속에 등장하는 '나'는 언제나 글쓴이 자신이지요.

따라서 수필을 읽을 때는 글쓴이의 성격이나 행동 방식을 통해 글쓴이가 가지고 있는 '가치관'을 파악하면서 읽어야 한답니다.

다시 말해 수필을 읽을 때는 글쓴이가 가치 있게 생각하는 것이 무엇인지, 과연 독자에게 전하고 싶었던 주제는 무엇인지를 생각하면서 읽어야 해요. 그리고 글쓴이만의 독특한 개성과 표현을 살피면서 읽으면 더 재미있을 거예요. 사람마다 글을 쓰는 '스타일'이 다 다르니까요.

수필은 종류가 매우 다양해요. '편지', '일기', '기행문' 등이 모두 수필에 포함되지요. 그리고 '설(設)'이라는 고전 수필도 있어요.

'설'이라는 것은 이치에 따라 사건과 사물을 해석하고 이에 대한 자신의 의견을 밝히는 글인데, '슬견설', '차마설', '경설' 등의 유명한 작품이 있답니다.

희곡과 시나리오를 이루는 요소들

　연극의 대본이 되는 '희곡'은 '해설', '대사', '지문'으로 구성되어 있어요. '해설'은 막이 오르기 전에 등장인물, 배경, 무대 장치를 설명하는 글로 희곡의 맨 앞에 한 번 나오지요. 그리고 '지문'은 등장인물의 행동, 표정, 말투 등을 지시하지요. 주로 인물의 대사 옆에 있는 괄호 안에 쓰여 있어요. 그리고 제일 중요한 것은 역시 '대사'인데, 이 대사에는 등장인물끼리 주고받는 말인 '대사'와 무대 위에 혼자 등장해서 상대방 없이 말하는 '독백' 등이 있지요. '대사'가 가장 중요한 것은 서술자가 없는 희곡에서는 작품의 주제가 인물의 '대사'를 통해 전달될 수밖에 없기 때문이에요.

　영화의 대본이 되는 '시나리오'의 기본 단위는 '장면(Scene)'이에요. '장면'이란 같은 장소, 같은 시간 내에서 대사와 행동이 이루어지는 부분을 말하는데 보통 2시간 정도의 영화는 120개 내외의 장면으로 구성되어 있어요. 시나리오 역시 희곡과 마찬가지로 '해설', '대사', '지문'으로 구성되어 있어요. 그런데 시나리오는 희곡과 달리 등장인물의 수와 시간·공간의 변화가 굉장히 자유로워요.

술래잡기

김종삼

이 시는 고전 소설 「심청전」에 나오는 '심청'의 상황과 술래잡기라는 놀이를 결합하여 심청의 한과 슬픔을 노래한 작품입니다.

심청전

이 글은 아버지를 위해 인당수 제물로 가게 된 심청의 이야기를 통해 효를 강조한 판소리계 소설입니다.

자화상

윤동주

이 시는 우물을 통해 식민지 현실을 살아가고 있는 화자의 모습을 객관적으로 성찰하며, 자신에 대한 애증을 노래하고 있는 작품입니다.

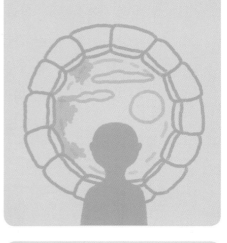

경설

이규보

이 글은 세상에는 완벽한 사람보다 흠이 있는 사람이 많다는 것을 이야기하면서 타인의 허물까지 너그럽게 수용하는 자세가 필요함을 말하고 있습니다.

복합

'복합'은 유사한 주제나 제재 등을 기준으로 두 개 이상의 문학 작품을 함께 제시합니다.

흥부가

이 작품은 고전 소설 「흥부전」으로 기록되기 이전에 소리꾼에 의해 공연되던 판소리로, 착한 흥부가 복을 받게 된다는 내용입니다.

흥부 부부상

박재삼

이 시는 고전 소설 「흥부전」에서 소재를 빌려 온 작품으로, 가난하지만 웃음과 사랑을 잃지 않고 살아가는 흥부 부부의 모습을 새롭게 해석하였습니다.

결혼

이강백

이 희곡은 빈털터리인 '남자'와 '여자'가 결혼을 약속하는 과정에서 소유의 의미와 진정한 사랑을 깨닫게 된다는 내용의 작품입니다.

차마설

이곡

말을 빌려 탔던 경험을 바탕으로, 모든 것은 빌린 것이라는 소유의 본질에 대한 깨달음을 전하는 작품입니다.

가 심청일 웃겨 보자고 시작한 것이
술래잡기였다.
꿈속에서도 언제나 외로웠던 심청인
오랜만에 제 또래의 애들과 / 뜀박질을 하였다.

붙잡혔다.
술래가 되었다.
얼마 후 심청은
눈가리개 헝겊을 맨 채 / 한동안 서 있었다.
술래잡기 하던 애들은 안 됐다는 듯
심청을 위로해 주고 있었다.

나 [앞부분 줄거리] 효녀 심청은 공양미 삼백 석을 바치면 아버지 심 봉사가 눈을 뜰 수 있다는 말을 듣고, 인당수에 바칠 제물을 구하는 선인들에게 자신의 몸을 판다. 선인들이 오기로 한 날, 심청은 심 봉사에게 사실을 털어놓는다.

우르르 나오더니, 자기 부친 앉은 앞에 철썩 주저앉아, / "아버지!"
부르더니, 말 못 하고 기절한다. 심 봉사 깜짝 놀라,
"아가, 웬일이냐? 봉사의 딸이라고 누가 흉보더냐? 어쩐 일이냐? 말 좀 하여라."
심청이 정신 차려, / "아버지!" / "오냐."
"제가 불효 여식으로 아버지를 속였소. 공양미 삼백 석을 누가 저를 주오리까? 남경 장사 선인들께 삼백 석에 몸을 팔아, 인당수 제물로 가기로 하와, 오늘 행선 날이오니 저를 오늘 마지막 보오."
사람이 슬픔이 극진하면 가슴이 막히는 법이라, 심 봉사 하 기가 막혀 놓으니, 울음
도 아니 나오고, 실성을 하는데,   아주, 몹시

[가]
"애고, 이게 웬 말이냐, 응? 참말이냐, 농담이냐? 말 같지 아니하다. 나더러 묻지도 않고 네 마음대로 한단 말가? 네가 살고 내 눈 뜨면 그는 응당 하려니와, 자식 죽어 눈을 뜬들 그게 차마 할 일이냐? 너의 모친 너를 낳고 이레 안에 죽은 후에, 눈조차 어둔 놈이 품안에 너를 안고, 이 집 저 집 다니면서 동냥젖 얻어 먹여, 그만큼이나 자랐기로 한시름 잊었더니, 이게 웬 말이냐? 눈을 팔아 너를 살 데, 너를 팔아 눈을 산들, 그 눈 해서 무엇 하랴? (중략) 네 이 선인 놈들아! 장사도 좋거니와, 사람 사다 제물하는 데 어디서 보았느냐? ⊙하느님의 어지심과 귀신의 밝은 마음, 앙화가 없을쏘냐? 눈먼 놈의 무남독녀, 철모르는 어린 것을 나 모르게 유인하여 산단 말이 웬 말이냐? 쌀도 싫고 돈도 싫고, 눈 뜨기 내 다 싫다. 네 이 독한 선인 놈들아!"

• **공양미** 불교에서 부처에게 시주하는 쌀.

• **석** 곡식, 가루, 액체 따위의 부피를 재는 단위. 한 말의 열 배로 약 180리터.

• **봉사** '시각 장애인'을 낮잡아 이르는 말.

• **인당수** 사람을 제물로 바쳐야 배가 무사히 지나갈 수 있다는 깊은 물.

• **선인**(船 배 선, 人 사람 인) 배를 부리거나 배에서 일을 하는 사람.

• **여식** 여자로 태어난 자식. 딸.

• **행선**(行 다닐 행, 船 배 선) 배가 감. 또는 그 배.

• **실성** 정신에 이상이 생겨 본정신을 잃음.

• **이레** 일곱 날.

• **동냥젖** 남의 젖을 얻어먹는 일. 또는 그 젖.

• **앙화** 지은 죄의 앙갚음으로 받는 재앙.

• **유인** 주의나 흥미를 일으켜 꾀어냄.

1 핵심 요약 내용 흐름 정리하기

다음은 글 **가**와 **나**에서 전개되는 상황을 순서대로 정리한 것입니다. 빈칸에 들어갈 적절한 말을 쓰시오.

글 가

> 심청이 아이들과 (   )를 하게 됨.

↓

> 술래가 된 심청은 (   ) 형겊을 맨 채 아버지를 생각함.

글 나

> 행선 날 심청은 (   ) 제물로 팔려 가게 된 처지를 말함.

↓

> 심청의 말을 듣고 놀란 심 봉사는 (   )들에 대한 분노를 드러냄.

핵심 요약 TIP

가는 심청이 술래잡기를 하다 눈이 먼 아버지의 아픔을 이해하게 된 내용이 드러나 있는 시이고, **나**는 「심청천」으로, 심 봉사가 심청이 인당수 제물로 가게 됐다는 이야기를 듣고 분노하는 내용이 나타나 있습니다. **가**와 **나**에서 등장인물을 중심으로 어떤 일이 일어났는지 찾아 순서대로 정리해 봅니다.

2 표현 서술상의 특징 파악하기

글 **가**와 **나**에 대한 설명으로 적절하지 <u>않은</u> 것은 무엇입니까? (   )

① **가**는 또래와 술래잡기를 하는 심청을 상상하여 나타냈다.
② **가**의 화자는 작품 밖에서 심청의 대화와 행동을 제시하고 있다.
③ **나**에는 '행선' 날이 배경으로 제시됨으로써 긴장감이 높아지고 있다.
④ **나**에는 대화와 행동을 통해 심청의 상황이 구체적으로 나타나 있다.
⑤ **나**의 서술자는 독자의 이해를 돕기 위해 자신의 생각을 덧붙이고 있다.

어휘
• **화자** 이야기를 하는 사람.
• **서술자** 이야기를 전개하는 사람.

3 표현 말하기 방식 파악하기

[가]에서 알 수 있는 말하기 방식으로 적절한 것은 무엇입니까? (   )

① 매우 중요한 일을 혼자 결정한 심청을 나무라고 있다.
② 심청도 살고 자신도 눈을 뜰 수 있는 방법을 설명하고 있다.
③ 자신이 심청을 기르기 위해 그동안 고생한 일을 자랑하고 있다.
④ '하느님'과 '귀신'의 힘을 빌림으로써 문제를 해결하려 하고 있다.
⑤ 문제의 근본 원인인 심청의 모친을 탓함으로써 심청을 위로하고 있다.

감상 외부 정보를 바탕으로 감상하기

4 보기를 참고할 때, 글 가와 나에 대한 설명으로 적절하지 <u>않은</u> 것은 무엇입니까?
( )

보기

　아버지를 위해 인당수 제물이 되기로 한 '심청'은 '효'의 본보기로 알려진 인물이다. 앞을 못 보는 아버지를 모시기 위해 한시도 쉬지 못하는 심청의 처지는 안타까움을 불러일으킨다. 그러나 그전에 불편한 몸으로 아내를 잃고 갓난아이를 기르기 위해 온갖 고생을 했던 '심 봉사' 또한, 자식을 사랑하는 아버지의 본보기라 할 수 있다. 「술래잡기」에는 이런 아버지의 사랑에 대한 심청의 깨달음이 드러난다.

① 가에서 애들이 심청과 술래잡기를 하게 된 것은 고달픈 심청을 즐겁게 해 주려는 마음 때문이겠군.

② 가에서 심청이 '눈가리개'를 하고 서 있는 것은 아버지의 불편한 처지를 직접 느꼈기 때문이겠군.

③ 가에서 애들이 심청을 위로해 주는 것은 아버지와 이별하는 심청에게 **연민**을 느꼈기 때문이겠군.

④ 나에서 아버지를 위해 인당수 제물로 가는 상황을 통해 심청의 지극한 효성이 드러나는군.

⑤ 나에서 '동냥젖'은 불편한 몸으로도 자식을 위해 헌신한 심 봉사의 사랑을 보여 주는군.

어휘·어법 한자성어

5 ㉠의 내용을 나타내기에 가장 적절한 한자성어는 무엇입니까? ( )

① 인과응보(因果應報)

② 이심전심(以心傳心)

③ 구사일생(九死一生)

④ 이구동성(異口同聲)

⑤ 유비무환(有備無患)

어휘·어법 TIP

• **인과응보** 선(善)을 행하면 선(善)의 결과가, 악(惡)을 행하면 악(惡)의 결과가 반드시 뒤따름.

• **이심전심** 마음과 마음으로 서로 뜻이 통함.

• **구사일생** 죽을 고비를 여러 차례 넘기고 겨우 살아남.

• **이구동성** 여러 사람의 말이 한결같음.

• **유비무환** 미리 준비가 되어 있으면 걱정할 것이 없음.

1 낱말 이해 | 낱말 관계 | 낱말 적용 | 관용 표현

다음 그림을 보고, 빈칸에 알맞은 낱말을 보기 에서 각각 찾아 쓰시오.

보기

| 열흘 | 엿새 | 여드레 | 아흐레 | 이레 |

김선우, 우리말로 날짜를 세는 방법을 말해 보세요.

하루, 이틀, 사흘, 나흘, 닷새,
㉠(   ), ㉡(   ),
㉢(   ), ㉣(   ),
㉤(   )입니다.

2 낱말 이해 | 낱말 관계 | 낱말 적용 | 관용 표현

다음 선생님의 질문에 대한 답으로 알맞은 것은 무엇입니까? (   )

선생님: '삼백 석'의 '석'은 부피를 재는 단위로, 약 180리터 정도 돼요. 그리고 '한 석'은 '한 말'의 열 배죠. 그러면 '한 말'의 10분의 1이 되는 부피는 뭐라고 할까요? 주로 곡식을 헤아리는 데 쓰는 사각형 모양의 나무 그릇을 가리키는 말이기도 해요.

① 홉   ② 되   ③ 섬   ④ 줌   ⑤ 짐

어휘력 ➕

• **홉** 한 홉은 한 되의 10분의 1 로 약 180밀리리터에 해당함.

• **되** 한 되는 한 말의 10분의 1. 한 홉의 열 배로 약 1.8리터에 해당함.

• **섬** 한 섬은 한 말의 열 배로 약 180리터에 해당함.

▲ 홉   ▲ 되   ▲ 섬

• **줌** '주먹'의 준말.

• **짐** 한 사람이 한 번 지어 나를 만한 분량의 꾸러미를 세는 단위.

3 낱말 이해 | 낱말 관계 | 낱말 적용 | 관용 표현

다음은 시각 장애인을 뜻하는 '봉사'와 관련된 속담입니다. 속담과 뜻풀이가 잘못 연결된 것은 무엇입니까? (   )

① 봉사 씨름굿 보기: 아무리 보아도 그 참맛을 알아볼 능력이 없음.

② 봉사 개천 나무란다: 문제의 근본 원인을 찾아 해결하기 위해 노력함.

③ 봉사 등불 쳐다보듯: 서로 아무 관계없이 지냄을 비유적으로 이르는 말.

④ 봉사 눈 뜬 것 같다: 막혔던 일이 시원스럽게 해결되는 경우를 비유한 말.

⑤ 봉사 문고리 잡기: 그럴 능력이 없는 사람이 어쩌다가 운이 좋아 어떤 일을 이룬 경우를 비유적으로 이르는 말.

가 자화상 윤동주   **나 경설** 이규보

• 지문 해설

• 지문 난이도: 상
●　●　●　●　○

가 산모퉁이를 돌아 논가 외딴 우물을 홀로 찾아가선 가만히 들여다봅니다.

우물 속에는 달이 밝고 구름이 흐르고 하늘이 펼치고 파아란 바람이 불고 가을이 있습니다.

그리고 한 사나이가 있습니다.
어쩐지 그 사나이가 미워져 돌아갑니다.

돌아가다 생각하니 그 사나이가 가엾어집니다.
도로 가 들여다보니 사나이는 그대로 있습니다.

다시 그 사나이가 미워져 돌아갑니다.
돌아가다 생각하니 그 사나이가 그리워집니다.

우물 속에는 달이 밝고 구름이 흐르고 하늘이 펼치고 파아란 바람이 불고 가을이 있고 추억처럼 사나이가 있습니다.

나 거사가 거울 하나를 갖고 있었는데 먼지가 끼어서 흐릿한 것이 마치 구름에 가리운 달빛 같았다. 그러나 그 거사는 조석으로 이 거울을 들여다보며 얼굴을 ㉠가다듬곤 하였다. 한 나그네가 그 거사를 보고 이렇게 물었다.
　"거울이란 얼굴을 비추어 보는 물건이든지, 아니면 군자가 거울을 보고 그 맑은 것을 취하는 것으로 알고 있는데, 지금 거사의 거울은 안개가 낀 것처럼 흐리고 때가 묻어 있습니다. 그럼에도 당신은 항상 그 거울에 얼굴을 비춰 보고 있으니 그것은 무슨 뜻입니까?"
　거사는 이렇게 대답했다.
　"얼굴이 잘생기고 예쁜 사람은 맑은 거울을 좋아하겠지만, 얼굴이 못생긴 사람은 오히려 맑은 거울을 싫어할 것입니다. 그러나 잘생긴 사람은 적고 못생긴 사람은 많기 때문에 맑은 거울 속에 비친 얼굴을 보기 싫어할 것인즉 흐려진 그대로 두는 것이 나을 것입니다. (중략) 잘생기고 예쁜 사람을 만난 뒤에 닦고 갈아도 늦지 않습니다. 옛날에 거울을 보는 사람들은 그 맑은 것을 취하기 위함이었지만, 내가 거울을 보는 것은 오히려 흐린 것을 취하는 것인데, 그대는 어찌 이를 이상스럽게 생각합니까?"
　하니, 나그네는 아무 대답이 없었다.

• **경설**(鏡 거울 경, 說 말씀 설)
거울에 대한 이야기.

• **추억**(追 쫓을 추, 憶 생각할 억) 지나간 일을 돌이켜 생각함. 또는 그런 생각이나 일.

• **거사**(居 살 거, 士 선비 사) 숨어 살며 벼슬을 하지 않는 선비.

• **조석**(朝 아침 조, 夕 저녁 석) 아침과 저녁을 아울러 이르는 말.

• **군자**(君 임금 군, 子 아들 자) 행실이 점잖고 어질며 덕과 학식이 높은 사람.

• **취**(取 취할 취)**하는** 일정한 조건에 맞는 것을 골라 가지는.

핵심 요약 TIP

가는 우물에 비친 자신의 모습을 객관적으로 살피며 스스로에 대한 마음의 변화가 드러난 시이고, 나는 '흐린 거울'을 보고 있는 거사의 태도를 통해 바람직한 삶의 자세가 드러나 있는 수필입니다. 두 작품 모두 중심 소재에 대한 태도가 어떻게 변화되고 있는지 파악하여 내용을 정리해 봅니다.

1 **핵심 요약** 내용 흐름 정리하기

다음은 글 **가**와 **나**의 내용을 정리한 것입니다. 빈칸에 들어갈 적절한 말을 쓰시오.

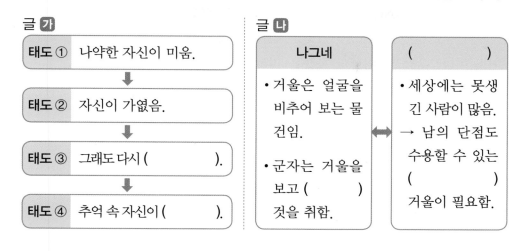

글 **가**

| 태도 ① | 나약한 자신이 미움. |
↓
| 태도 ② | 자신이 가엾음. |
↓
| 태도 ③ | 그래도 다시 (   ). |
↓
| 태도 ④ | 추억 속 자신이 (   ). |

글 **나**

나그네

• 거울은 얼굴을 비추어 보는 물건임.

• 군자는 거울을 보고 (   ) 것을 취함.

↔

(   )

• 세상에는 못생긴 사람이 많음.
→ 남의 단점도 수용할 수 있는 (   ) 거울이 필요함.

2 **표현** 서술상의 특징 파악하기

글 **가**와 **나**에 대한 설명으로 적절하지 <u>않은</u> 것은 무엇입니까? (   )

① **가**에서 '사나이'는 작가 자신이다.

② **가**는 반복적 표현을 통해 시적 배경을 묘사하고 있다.

③ **나**는 대조적 상황의 제시를 통해 주제를 강조하고 있다.

④ **나**는 극적 반전을 통해 인물의 깨달음을 드러내고 있다.

⑤ **나**는 대화 형식의 전개를 통해 중심 내용을 드러내고 있다.

3 **적용하기** 인물을 대화 상황에 적용하기

글 **가**의 '화자(말하는 이)'와 글 **나**의 '거사'가 대화를 나눈다고 할 때, 적절하지 <u>않은</u> 것은 무엇입니까? (   )

① **가**의 화자: 저는 저 자신의 모습이 때로는 너무 부끄러웠습니다.

② **나**의 거사: 세상 사람들 모두가 완벽할 수는 없는 것이지요.

③ **가**의 화자: 네, 그래서 저도 그런 제 모습이 불쌍하기도 했습니다.

④ **나**의 거사: 때로는 그런 결점도 감추어 주는 너그러움이 필요하죠.

⑤ **가**의 화자: 그래서 추억 속의 다른 사람들을 모두 감싸 주기로 다짐했습니다.

감상   이론을 바탕으로 감상하기

보기를 참고할 때, 글 **가**와 **나**에 대한 이해로 적절하지 **않은** 것은 무엇입니까?

(   )

> **보기**
>
> 문학 작품에서 '거울'이나 '우물'은 대상의 모습을 비추는 기능을 한다. **가**의 화자는 '우물'을 통해 일제 강점기 현실에서 나약하게 살아가는 자신에 대한 부끄러움과 **연민**을 느끼고 과거의 순수했던 자신을 그리워한다. 그러나 **나**의 '거사'는 '나그네'가 생각하는 '거울'의 일반적 기능뿐 아니라, 못난 사람들의 결점도 감싸 줄 수 있는 '흐린 거울'의 필요성을 강조하고 있다.

① **가**의 우물과 **나**의 거울은 모두 대상을 비추는 기능을 한다.

② **가**의 화자는 '우물'을 들여다보며 스스로에 대한 생각이 바뀐다.

③ **나**의 거사는 나그네와 달리 거울이 지니는 일반적 기능을 **부정**한다.

④ **나**의 나그네는 '거울'이 얼굴을 비추거나 맑은 것을 취하는 것이라고 생각한다.

⑤ **가**의 화자가 우물을 보는 것처럼 **나**의 거사도 거울을 통해 자신을 들여다본다.

어휘·어법   어휘의 사전적 의미

5

다음은 '가다듬다'의 뜻을 사전에서 찾은 것입니다. 밑줄 그은 낱말 중 ⊙ '가다듬곤'과 같은 뜻으로 쓰인 것은 무엇입니까? (   )

> **보기**
>
> **가다듬다**
> 「1」(사람이 정신이나 마음 따위를) 바로 차리거나 진정하여 다잡다.
> 「2」(사람이 옷차림이나 자세 따위를) 바르게 하다.
> 「3」(사람이 호흡이나 목청을) 고르게 하다.

① 정신을 가다듬고 다시 한 번 해 보자.

② 설레는 마음을 가다듬고 약속 장소에 나갔다.

③ 어른께 인사드리기 전에 옷매무새를 가다듬었다.

④ 소리꾼은 호흡을 가다듬기 위해 냉수를 한 잔 마셨다.

⑤ 선생님은 목을 한 번 가다듬고는 차분하게 책을 읽으셨다.

1 낱말 이해 낱말 관계 낱말 적용 관용 표현

다음 그림을 보고, ㉠과 ㉡에 들어갈 낱말을 보기 에서 각각 찾아 쓰시오.

> **보기**
>
> 군자　　　소인　　　소인배　　　득할　　　취할

스승님, ㉠(　　　　)이/가 ㉡(　　　　)만한 것들에는 무엇이 있습니까?

㉠(　　　　)이/가 ㉡(　　　　) 것은 물건이 아니다. 오직 바른 마음 자세와 끝없는 학문 수양의 자세뿐이지.

2 낱말 이해 낱말 관계 낱말 적용 관용 표현

다음 낱말의 알맞은 뜻을 찾아 각각 선으로 이으시오.

(1) 추억　·　　　　·㉮ 숨어 살며 벼슬을 하지 않는 선비.

(2) 거사　·　　　　·㉯ 아침과 저녁을 아울러 이르는 말.

(3) 조석　·　　　　·㉰ 지나간 일을 돌이켜 생각함.

3 낱말 이해 낱말 관계 낱말 적용 관용 표현

다음 밑줄 그은 부분과 뜻이 통하는 한자성어는 무엇입니까? (　　　　)

> "내가 거울을 보는 것은 오히려 흐린 것을 취하는 것인데, 그대는 어찌 이를 이상스럽게 생각합니까?"
> 하니, 나그네는 <u>아무 대답이 없었다.</u>

① 거두절미(去頭截尾)

② 묵묵부답(默默不答)

③ 문일지십(聞一知十)

④ 어불성설(語不成說)

⑤ 전무후무(前無後無)

어휘력 ➕

- **거두절미** 머리와 꼬리를 잘라 버리듯이, 어떤 일의 요점만 간단히 말함.
- **묵묵부답** 입을 다문 채 아무 대답도 하지 않음.
- **문일지십** 하나를 듣고 열 가지를 미루어 안다는 뜻으로, 지극히 총명함.
- **어불성설** 말이 조금도 사리에 맞지 아니함.
- **전무후무** 이전에도 없었고 앞으로도 없음.

가 [앞부분 줄거리] 착한 흥부는 부모의 재산을 독차지한 형 놀부에게 쫓겨나 가난하게 살아간다. 어느 날, 부러진 다리를 고쳐 주었던 제비가 박씨를 물어다 주고, 흥부는 박씨를 심어 기른다.

[아니리] 이때 흥부가 집 안을 들어와 보니 자기 마누라가 울거늘, "여보, 이게 웬일이오? 배고픈 걸 한을 해 가지고 이렇듯 울음을 우니, 부인이 울어서 우리 집안 식구가 배가 부를 지경이면, 권속대로 늘어 앉아, 한 평생이라도 울어 보지마는, 아, 남 보기 챙피만 하고, 또 동네 사람들이 보면 어찌 흥볼 울음을 운단 말이오? 울지 말고 우리가 있는 박이니, 박이나 타서 박속은 끓여 먹고, 바가지는 부잣집에 팔아다가 목숨 보명해 살아갑시다." 흥부 내외 박을 한 통을 따다 놓고, 톱 빌려다 박을 탈 제,

[㉮] "시르렁 실건, 톱질이야, 어여루, 톱질이로고나. 몹쓸 놈의 팔자로구나. 원수 놈의 가난이로구나. 어떤 사람 팔자 좋아 일생 영화 부귀헌데, 이놈의 ㉠팔자는 어이하여 박을 타서 먹고 사느냐. 에여루, 당거 주소. 이 박을 타거들랑 아무것도 나오지를 말고, 밥 한 통만 나오너라. 평생에 밥이 포한이로구나. 시르렁 시르렁, 당거 주소, 톱질이야. 으흐어어어 시르렁 실근, 당거 주소, 톱질이야. 여보소, 마누라. 톱 소리를 받아 주소." "톱 소리를 이어받자 해도 배가 고파서 못 받겄소." "배가 정 고프거든 허리띠를 졸라매고, 어여루, 당거 주소. (중략) 에여루, 톱질이로고나."

[휘모리] "실건 실건, 당기어라. 시르렁 실건, 톱질이야. 실근실근 실근실근 실근실근 실근실근 실근실근 실근실근 실건 뚝딱."

나 흥부 부부가 박 덩이를 사이하고
가르기 전에 건넨 웃음살을 헤아려 보라.
서로 주고받는 웃음의 물살 = 부부의 사랑
금이 문제리, / 황금 벼 이삭이 문제리,
웃음의 물살이 반짝이며 정갈하던
그것이 확실히 문제다.

없는 떡방아 소리도 / 있는 듯이 들어내고
손발 닳은 처지끼리 / 같이 웃어 비추던 거울 면들아.

웃다가 서로 불쌍해 / 서로 구슬을 나누었으리.
그러다 금시
절로 면에 온 구슬까지를 서로 부끄리며
먼 물살이 가다가 소스라쳐 반짝이듯 / 서로 소스라쳐
본웃음 물살을 지었다고 헤아려 보라.
그것이 확실히 문제다.

- 지문 해설
- 지문 난이도: 상
●─●─●─●─○

- **상**(像 모양 상) '모범', '본보기'의 뜻을 나타내는 말.

- **한**(恨 한할 한)**을 해** 몹시 억울하거나 원통하여 원망스럽게 생각해.

- **권속** 한집에 거느리고 사는 식구.

- **보명**(保 보전할 보, 命 목숨 명) 목숨을 보전함.

- **팔자**(八 여덟 팔, 字 글자 자) 사람의 한평생의 운수.

- **영화**(榮 꽃 영, 華 빛날 화) 몸이 귀하게 되어 이름이 세상에 빛남.

- **부귀**(富 부유할 부, 貴 귀할 귀) 재산이 많고 지위가 높음.

- **포한**(抱 안을 포, 恨 한 한) 한을 품음. 또는 그런 한.

- **사이하고** 사이에 두고.

- **정갈하던** 깨끗하고 깔끔하던.

- **거울 면**(面 낯 면) 서로 똑같이 웃고 있는 부부를 비유한 표현.

- **본**(本 근본 본) '애초부터 바탕이 되는'의 의미를 덧붙이는 말.

1

다음은 글 가와 나의 상황을 순서대로 정리한 것입니다. 빈칸에 들어갈 적절한 말을 쓰시오.

글 **가**

배가 고파 울고 있는 (   )
를 흥부가 위로함.

⬇

박을 사이에 두고 (   )
을 하면서 신세를 한탄함.

⬇

박이 터지기 직전 긴박한 분위기
로 박을 탐.

글 **나**

박 덩이를 사이하고 (   )
을 주고받는 흥부 부부의 모습

⬇

가난하지만 서로 이해하고 사랑
하는 흥부 부부

⬇

흘러내리는 (   ) 같은 눈
물을 극복한 흥부 부부의 참다운 사랑

가는 「흥부가」로, 흥부가 박을 타면서 자신의 신세를 한탄하는 모습이 판소리 작품에 맞게 잘 드러나 있고, 나는 '흥부 부부'의 삶을 소재로 한 시로, 가난하지만 서로 사랑하는 부부의 모습이 드러나 있습니다. 등장인물은 같지만 조금 다른 관점을 보이고 있는 두 작품의 상황을 파악하여 내용을 정리해 봅니다.

2

글 나에 대한 설명으로 적절하지 않은 것은 무엇입니까? (   )

① 흥부 부부가 주고받는 '웃음살'은 가난을 이겨 내는 사랑을 의미한다.
② '금'과 '황금 벼 이삭'은 흥부 부부가 소망하는 존재를 의미한다.
③ '없는 떡방아 소리'는 흥부 부부의 가난한 형편을 의미한다.
④ '손발 닳은 처지'는 흥부 부부의 고달픈 처지를 의미한다.
⑤ '구슬'은 흥부 부부가 서로 바라보며 흘리는 눈물을 의미한다.

3

보기를 참고할 때, ㉮에 들어갈 장단으로 가장 적절한 것은 무엇입니까? (   )

어휘

• **장단** 춤, 노래 따위의 빠르기나 가락을 주도하는 박자.

보기

　　판소리에서 '아니리'는 소리꾼이 이야기하듯 설명하는 부분을 말하고, '창'은 상황과 감정을 여러 **장단**을 이용하여 노래하는 부분이다. 장단은 **빠르기**에 따라 구분되며 제일 느린 진양조는 슬픈 느낌을, 그 다음 중모리는 안정감을, 중중모리는 흥을 돋우는 느낌을 준다. 자진모리는 명랑한 느낌을, 제일 **빠른** 휘모리는 긴장감을 형성한다.

① 진양조
② 중모리
③ 중중모리
④ 자진모리
⑤ 휘모리

수능형

④ **감상** 외부 정보를 바탕으로 감상하기

보기를 참고할 때, 글 **가**와 **나**에 대한 이해로 적절한 것은 무엇입니까? (   )

보기

판소리 「흥부가」에는 추석 명절날 먹을 것이 없어 울고 있는 흥부 아내와 이를 위로하며 박을 타는 흥부의 안타까운 처지가 드러나 있다. 그러나 「흥부가」의 내용을 빌려 온 현대시 「흥부 부부상」은, 흥부 부부를 가난하지만 웃음을 잃지 않고 사랑을 나누는 참다운 부부의 모습으로 새롭게 해석하여 노래하고 있다.

① **가**를 통해, **나**의 '박 덩이'는 흥부 부부의 가난한 삶을 의미하는 것으로 볼 수 있겠군.

② **가**에서 흥부 부부가 박을 타는 상황은 **나**에 제시된 상황을 빌려 온 것으로 볼 수 있겠군.

③ **가**와 달리, **나**에 제시된 흥부 부부는 서로 웃음을 주고받는 즐거운 상황으로 볼 수 있겠군.

④ **나**에 나오는 흥부 부부는, **가**의 흥부 부부와는 전혀 상관없는 새로운 인물로 볼 수 있겠군.

⑤ **가**와 **나**의 배경인 추석 명절은, 흥부 부부가 사랑을 깨닫는 계기가 되고 있다고 볼 수 있겠군.

어휘·어법 속담

5 다음은 ㉠'팔자'가 들어간 속담입니다. 뜻풀이가 적절하지 <u>않은</u> 것은 무엇입니까?

(   )

① 걱정도 팔자다: 하지 않아도 될 걱정을 하는 사람을 놀리는 말.

② 팔자 도망은 못한다: 운명은 아무리 노력해도 피할 수 없다는 말.

③ 오뉴월 개 팔자: 힘든 상황 속에서 고생하는 사람을 비유하는 말.

④ 사람 팔자 시간문제: 사람의 앞날이 어떻게 될지 알 수 없다는 말.

⑤ 개 팔자가 상팔자: 놀고 있는 개가 부럽다는 뜻으로, 일이 바쁠 때 넋두리로 하는 말.

낱말 이해 낱말 관계 낱말 적용 관용 표현

1 다음 그림을 보고, ㉠과 ㉡에 알맞은 낱말을 보기 에서 각각 찾아 쓰시오.

보기

| 팔자 | 필자 | 영욕 | 영화 | 영생 |

저는 하는 일마다 잘 안 되는 것 같아요. 왜 이렇게 ㉠(   )가 사나울까요?

어디 봅시다. 당신은 노력만 하면 성공하는 운명이에요. 계속 노력하면 온갖 ㉡(   )을/를 누리게 될 거랍니다.

낱말 이해 낱말 관계 낱말 적용 관용 표현

2 다음 낱말의 뜻으로 알맞은 것을 찾아 각각 선으로 이으시오.

(1) 부귀 •   • ㉮ 한을 품음.

(2) 보명 •   • ㉯ 목숨을 보전함.

(3) 포한 •   • ㉰ 재산이 많고 지위가 높음.

낱말 이해 낱말 관계 낱말 적용 관용 표현

3 다음 '선생님'의 질문에 대한 답으로 알맞은 것은 무엇입니까? (   )

선생님: 이 글에서 흥부 부부는 평생 밥을 못 먹은 것이 한이 된다고 말하고 있습니다. 이처럼 가난한 처지를 뜻하는 말로, 30일에 고작 아홉 끼를 먹는다는 의미의 한자성어는 무엇일까요?

① 삼고초려(三顧草廬)
② 삼순구식(三旬九食)
③ 삼인성호(三人成虎)
④ 구곡간장(九曲肝腸)
⑤ 구절양장(九折羊腸)

어휘력 ➕

• **삼고초려** 인재를 맞아들이기 위하여 참을성 있게 노력함.

• **삼순구식** 삼십 일 동안 아홉 끼니밖에 먹지 못한다는 뜻으로, 몹시 가난함.

• **삼인성호** 근거 없는 말이라도 여러 사람이 말하면 곧이듣게 됨.

• **구곡간장** 굽이굽이 서린 창자라는 뜻으로, 깊은 마음속 또는 시름이 쌓인 마음속을 비유적으로 이르는 말.

• **구절양장** 아홉 번 꼬부라진 양의 창자라는 뜻으로, 꼬불꼬불하며 험한 산길을 이르는 말.

가 결혼 이강백   **나** 차마설 이곡

• 지문 해설

• 지문 난이도: 상
●─●─●─●─●
• 글자 수: 1353자

가 [앞부분 줄거리] 사기꾼 청년이 결혼을 위해 저택, 모자와 넥타이, 건장한 하인 등을 빌린다. '덤'이라 불리는 아름다운 여자에게 청혼하지만, 빌린 것을 돌려주어야 하는 시간이 된다.

남자: 덤, 난 가진 것 하나 없습니다. 모두 빌렸던 겁니다. 그런데 덤, 당신은 어떻습니까? 당신이 가진 건 뭡니까? 무엇이 정말 당신 겁니까? (넥타이를 빌렸던 남성 관객에게) 내 말을 들어 보시오. 그럼 당신은 나를 이해할 거요. 내가 당신에게서 넥타이를 빌렸을 때, 그때 내가 당신 물건을 어떻게 다뤘소? 마구 험하게 했소? 어딜 망가뜨렸소? 아니요, 그렇진 않았습니다. 오히려 빌렸던 것이니까 소중하게 아꼈다가 되돌려 드렸지요. 덤, 당신은 내 말을 들었어요? 여기 증인이 있습니다. 이 증인 앞에서 약속하지만, 내가 이 세상에서 덤 당신을 빌리는 동안에, 아끼고, 사랑하고, 그랬다가 언젠가 그 시간이 되면 공손하게 되돌려 줄 테요. 덤! 내 인생에서 당신은 나의 소중한 덤입니다. 덤! 덤! 덤!

이별(죽음)의 시간

남자, 하인의 구둣발에 걷어챈다. 여자, 더 이상 참을 수 없다는 듯 다급하게 되돌아와서 남자를 부축해 일으키고 포옹한다.

여자: 그만해요!

남자: 이제야 날 사랑합니까?

여자: 그래요! 당신이 아니고 또 누굴 사랑하겠어요!

남자: 어서 결혼하러 갑시다. 구둣발에 차이기 전에!

나 나는 집이 가난해서 말이 없기 때문에 간혹 남의 말을 빌려서 타곤 한다. 그런데 늙고 둔한 말을 얻었을 경우에는 일이 아무리 급해도 감히 채찍을 대지 못한 채 금방이라도 쓰러지고 넘어질 것처럼 전전긍긍하기 일쑤요, ㉮개천이나 도랑이라도 만나면 또 말에서 내리곤 한다. 그래서 위험한 일이 거의 없다. 반면에 발굽이 높고 귀가 쫑긋하며 잘 달리는 준마를 얻었을 경우에는 의기양양하여 방자하게 채찍을 갈기기도 하고 고삐를 놓기도 하면서 언덕과 골짜기를 모두 평지로 간주한 채 매우 유쾌하게 달리곤 한다. 그러나 간혹 위험하게 말에서 떨어지는 환란을 면하지 못한다.

아, 사람의 감정이라는 것이 어쩌면 이렇게까지 달라지고 뒤바뀔 수가 있단 말인가. 남의 물건을 빌려서 잠깐 동안 쓸 때에도 오히려 이와 같은데, 하물며 진짜로 자기가 가지고 있는 경우야 더 말해 무엇하겠는가.

그렇기는 하지만 사람이 가지고 있는 것 가운데 남에게 빌리지 않은 것이 또 뭐가 있다고 하겠는가. 임금은 백성으로부터 힘을 빌려서 존귀하고 부유하게 되는 것이요, 신하는 임금으로부터 권세를 빌려서 총애를 받고 귀한 신분이 되는 것이다. 그리고 자식은 어버이에게서, 지어미는 지아비에게서, 비복은 주인에게서 각각 빌리는 것이 또한 심하고도 많은데, 대부분 자기가 본래 가지고 있는 것처럼 여기기만 할 뿐 끝내 돌이켜 보려고 하지 않는다. 이 어찌 어리석은 일이 아니겠는가.

• **포옹** 사람을 또는 사람끼리 품에 껴안음.

• **전전긍긍**(戰 싸울 전, 兢 조심할 긍) 몹시 두려워서 벌벌 떨며 조심함.

• **준마**(駿 빠를 준, 馬 말 마) 빠르게 잘 달리는 말.

• **의기양양** 뜻한 바를 이루어 만족한 마음이 얼굴에 나타난 모양.

• **방자하게** 어려워하거나 조심스러워하는 태도가 없이 무례하고 건방지게.

• **간주한** 상태, 모양, 성질 따위가 그와 같다고 보거나 그렇다고 여기는.

• **환란** 근심과 재앙을 통틀어 이르는 말.

• **존귀**(尊 높을 존, 貴 귀할 귀)**하고** 지위나 신분이 높고 귀하고.

• **권세**(權 권세 권, 勢 기세 세) 권력과 세력을 아울러 이르는 말.

• **총애**(寵 괼 총, 愛 사랑 애) 남달리 귀여워하고 사랑함.

• **비복** 계집종과 사내종을 아울러 이르는 말.

정답 및 풀이 **32쪽**

1 핵심 요약 내용 흐름 정리하기

다음은 글 **가**와 **나**의 전개 과정을 순서대로 정리한 것입니다. 빈칸에 들어갈 적절한 말을 쓰시오.

핵심 요약 **TIP**

가는 빈털터리 남자가 '덤'이라는 여자에게 사랑을 고백하는 희곡의 한 장면이고, **나**는 말을 빌려 탔던 경험을 말하며 모든 것은 빌린 것이라는 깨달음을 전하는 수필입니다. **가**와 **나**의 전개 과정을 파악하여 핵심이 되는 내용을 정리해 봅니다.

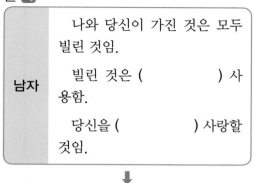

글 가

남자	나와 당신이 가진 것은 모두 빌린 것임.
	빌린 것은 ( ) 사용함.
	당신을 ( ) 사랑할 것임.

↓

| 여자 | 당신의 (   )을 받아들일 것임. |

글 나

늘고 둔한 말과 (   )를 빌려 탔던 대조적인 경험 제시

↓

사람의 (   )이 쉽게 달라진다는 것에 대한 깨달음

↓

사람이 가지고 있는 것은 모두 남에게 (   ) 것임.

2 내용 이해 공통 주제 파악하기

글 **가**와 **나**의 공통된 깨달음으로 가장 적절한 것은 무엇입니까? (   )

① 남에게 빌린 것은 항상 소중하게 사용해야 한다.

② 우리가 가진 것은 빌린 것으로 언젠가 돌려주게 된다.

③ 사람의 마음은 쉽게 달라지고 뒤바뀌는 것이 당연하다.

④ 사람들은 빌린 것을 자기가 본래 가지고 있는 것으로 여긴다.

⑤ 자기가 가지고 있는 것과 빌린 것을 대할 때의 감정은 같아야 한다.

3 표현 서술상의 특징 파악하기

글 **가**와 **나**에 대한 설명으로 적절하지 <u>않은</u> 것은 무엇입니까? (   )

① **가**에서는 인물의 행동을 통해 긴장감이 높아지고 있다.

② **가**에서는 인물의 태도 변화로 인해 상황이 **반전되고** 있다.

③ **나**에서는 다양한 예를 제시하여 주제를 뒷받침하고 있다.

④ **나**에서는 **상반된** 경험을 제시하여 깨달음을 전달하고 있다.

⑤ **나**에서는 먼저 문제를 제기한 뒤 그 해결 방안을 제시하고 있다.

어휘

• **반전되고** 일의 형세가 뒤바뀌게 되고.

• **상반된** 서로 반대되거나 어긋나게 된.

감상 이론을 바탕으로 감상하기

4 보기 를 참고할 때, 글 가 와 나 에 대한 이해로 적절한 것은 무엇입니까? (   )

보기

　「차마설」과 같은 수필에서는 작품의 주제가 글쓴이의 말을 통해 독자에게 직접 제시되지만, 「결혼」과 같은 희곡에서는 배우의 대사를 통해 간접적으로 제시된다. 그런데 「결혼」은 일반적인 희곡과 달리 배우가 관객에게 질문을 하거나 관객을 작품에 참여시킴으로써 주제를 더욱 실감 나게 전달하고 있다.

① 가 와 같은 희곡은 나 와 달리 주제를 더 분명하게 전달할 수 있는 장점이 있다.

② 가 에서는 '여자'의 대사를 통해, 나 에서는 '나'의 말을 통해 주제가 제시되고 있다.

③ 가 의 '남자'는 관객 앞에서 자신이 '증인'이 됨으로써 주제를 직접 전달하고 있다.

④ 나 의 '나'는 작품의 주제를 전달하기 위해 글쓴이가 만들어 낸 인물로 볼 수 있다.

⑤ 가 에서는 '남자'가 '관객'에게 질문을 거듭함으로써, 주제를 더욱 실감 나게 전달하고 있다.

어휘·어법 속담

5 ㉮와 같은 태도를 보여 주는 속담으로 적절한 것은 무엇입니까? (   )

① 달걀 섬 모시듯

② 쇠귀에 경 읽기

③ 눈 가리고 아웅 한다

④ 달리는 말에 채찍질한다

⑤ 말 타면 경마 잡히고 싶다

어휘·어법 TIP

• **달걀 섬 모시듯** 매우 조심하여 다룸.

• **쇠귀에 경 읽기** 아무리 가르치고 일러 주어도 알아듣지 못함.

• **눈 가리고 아웅 한다** 얕은수로 남을 속이려 함.

• **달리는 말에 채찍질한다** 기세가 한창 좋을 때 더 힘을 가함.

• **말 타면 경마 잡히고 싶다** 사람의 욕심이란 한이 없음.

어휘력 완성

낱말 이해 | 낱말 관계 | 낱말 적용 | 관용 표현

1 다음 그림을 보고, ㉠과 ㉡에 알맞은 낱말을 보기 에서 각각 찾아 쓰시오.

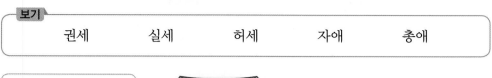

보기

권세   실세   허세   자애   총애

허허, 요즘 김 판서의 ㉠( )가 날아가는 새도 떨어뜨릴 정도라고 하오.

그게 다 전하의 ㉡( )가 지나친 탓이 아니겠소. 나도 한 번 받아 봤으면 좋겠소.

낱말 이해 | 낱말 관계 | 낱말 적용 | 관용 표현

2 다음 낱말의 뜻으로 알맞은 것을 찾아 각각 선으로 이으시오.

(1) 비복 •

(2) 환란 •

(3) 포옹 •

• ㉮ 근심과 재앙을 통틀어 이르는 말.

• ㉯ 사람을 또는 사람끼리 품에 껴안음.

• ㉰ 계집종과 사내종을 아울러 이르는 말.

낱말 이해 | 낱말 관계 | 낱말 적용 | 관용 표현

3 다음에서 말하는 '사람의 감정'과 관련된 한자성어로 알맞은 것은 무엇입니까?

( )

아, 사람의 감정이라는 것이 어쩌면 이렇게까지 달라지고 뒤바뀔 수가 있단 말인가.

① 요지부동(搖之不動)
② 비석지심(匪石之心)
③ 염량세태(炎涼世態)
④ 확고불발(確固不拔)
⑤ 확고부동(確固不動)

어휘력 ➕

• **요지부동** 흔들어도 꼼짝하지 아니함.

• **비석지심** 돌처럼 단단하여 어떤 일에 쉽게 동요하지 않는 마음을 이르는 말.

• **염량세태** 세력이 있을 때는 아첨하여 따르고 세력이 없어지면 푸대접하는 세상인심을 비유적으로 이르는 말.

• **확고불발** 튼튼하고 굳어 흔들림이 없음.

• **확고부동** 튼튼하고 굳어 흔들리거나 움직이지 아니함.

비유와 상징

'비유'와 '상징', 문학을 공부할 때 가장 많이 듣게 되는 표현 방법이지요. '비유'라는 것은 원래 표현하고 싶었던 대상(원관념)을 직접 설명하지 않고, 그것과 비슷한 성질을 지닌 다른 대상(보조 관념)에 빗대어 표현하는 방법이에요.

비유 중에서 가장 쉬운 편에 속하는 것은 '직유법'이에요. 직유법은 '~처럼, ~같이, ~듯이'와 같은 연결어를 사용해서 직접 비유를 하는 것이지요. '달덩이처럼 둥근 얼굴'이라고 하면 얼굴이 어떨지 느낌이 오죠?

그리고 조금 더 수준 높은 비유도 있지요. 바로 '은유법'이에요. 은유법은 연결어 없이 은근히 비유를 하는 거예요. '네 얼굴은 달덩이야'라고 말하는 건데, '네 얼굴'과 '달덩이'가 원래 똑같았다는 것처럼 슬쩍 이야기하는 거죠.

아, 그리고 사람이 아닌 것을 사람처럼 표현하는 '의인법'도 비유 중 하나예요. '달님이 속삭이네'라고 이야기하면, 마치 '달'이 사람인 것 같잖아요.

마지막으로 '상징'은 어떤 특징을 가지고 있을까요? '상징'은 원관념 없이 보조 관념만 보여 줘요. '희망을 갖고 살자'라는 말 대신 '푸른 별을 바라보자'라고 말하는 것처럼요.

강조하기·변화 주기

　'강조하기'는 선명한 인상을 주기 위해서 강하고 두드러지게 나타내는 표현 방법이에요. 가장 확실한 방법으로는 '반복법'이 있죠. 같은 말을 또 하고 또 하면 강조가 되겠죠? 다음으로 '대조법'도 있어요. 서로 상대되는 대상이나 내용을 함께 제시해서 차이점을 선명하게 드러내 보이는 거예요. '산은 옛 산이로되 물은 옛 물이 아니로다'라고 말하면 '산'의 성질과 '물'의 성질이 대조되면서 '물' 같이 쉽게 변해 버린 임이 미워지겠죠?

　그리고 '과장법'도 강조의 표현 방법이에요. 실제보다 매우 크거나 반대로 매우 작게 표현하는 방법이지요. '삼백예순 날 하냥 섭섭해 우옵내다'라고 말하면, 정말 많이 슬픈 것 같죠?

　'변화 주기'는 문장이 평범하게 이어지지 않도록 변화를 주는 방법이에요. 당연한 사실이나 분명한 결론을 물어보듯이 표현하는 '설의법'이 있고, 문장 속 말의 차례를 바꾸어 변화를 주는 도치법이 있지요. 비슷한 문장을 나란히 배열하는 '대구법'도 있고요. '인생은 짧고 예술은 길다'처럼 말이에요. 그리고 그 유명한 '반어법'과 '역설법'도 사실은 바로 '변화 주기'에 속하는 표현이랍니다.

메모

문학 독해 2

초크표 초등
고학년 필수

정답 및 풀이

동아출판

1 메밀꽃, 물방앗간, 제천   **2** ④   **3** ④   **4** ⑤   **5** ④

종류 현대 소설, 단편 소설

특징 이 소설은 장돌뱅이의 삶을 통해 인간 본래의 욕망과 삶의 애환을 그려 낸 작품입니다. 메밀꽃이 핀 달밤을 배경으로 허 생원이 봉평 장에서 대화 장으로 가는 과정과 그의 추억 속 성 서방네 처녀와의 사랑 이야기가 나타나 있습니다.

주제 장돌뱅이 삶의 애환과 인간 본연의 정

---

1 핵심 요약_내용 흐름 정리하기

현재	(메밀꽃)이 핀 밤길을 허 생원, 조 선달, 동이가 함께 걸어가는데, 허 생원이 추억 이야기를 함.
과거 (허 생원의 추억)	허 생원이 개울가에 목욕하러 갔다가 (물방앗간)에서 성 서방네 처녀를 만남.
	↓
	울고 있는 처녀를 달래며 하룻밤을 보냄.
	↓
	그다음 날 성 서방네 집안이 (제천)으로 도망감.

2 내용 이해_세부 내용 파악하기

'날 기다린 것은 아니었으나, 그렇다고 달리 기다리는 놈팽이가 있는 것두 아니었네.'라는 허 생원의 말로 보아, 성 서방네 처녀는 물방앗간에서 누군가를 기다리고 있었던 것은 아님을 알 수 있습니다.

3 내용 이해_인물의 태도 파악하기

조 선달이 장돌뱅이 생활을 가을까지만 하고 그만두겠다고 하자, 허 생원은 '난 거꾸러질 때까지 이 길 걷고 저 달 볼 테야.'라고 말하는데, 이는 늘 걸어 다니며 장사를 해야 하는 장돌뱅이 생활을 죽을 때까지 하겠다는 마음을 드러낸 것입니다. 장돌뱅이 생활이 자신의 운명이라는 허 생원의 태도가 드러나는 부분입니다.

4 감상_이론을 바탕으로 감상하기

'길이 좁은 까닭에'는 동이가 뒤에 떨어지게 함으로써, 동이에게 이야기가 들리지 않게 되는 결과를 가져옵니다. 인물들 사이에서 갈등이 발생하는 원인이라고 할 수는 없으며, 갈등의 원인을 제공한다는 것은 [보기]에서 이야기하는 배경의 역할과도 거리가 멉니다.

---

4 [보기]를 참고할 때, [가]의 역할로 적절하지 <u>않은</u> 것은 무엇입니까? (⑤)

> **보기**
>
> 소설의 배경은 사건이 일어나는 구체적인 시간과 장소를 말한다. 배경은 작품의 분위기를 형성하는 중심 요소로, 인물의 생각과 행동에 영향을 미치기도 하고, 사건이 나아갈 방향을 암시하기도 한다.

① '대화까지는 칠십 리의 밤길'은 이야기가 펼쳐지는 구체적인 (시간과 장소)를 나타낸다.   ┌장소 ┌시간

② '메밀밭'이라는 공간적 배경은 허 생원이 (옛날 기억)을 되살리게 만드는 데 영향을 미치고 있다.

③ '소금을 뿌린 듯이 흐붓한 달빛'은 작품의 (낭만적인 분위기)를 형성하는 역할을 한다.

④ '붉은 대궁이 향기같이 애잔하고'는 앞으로 (애틋한 사랑) 이야기가 펼쳐질 것을 암시한다.

✓⑤ '길이 좁은 까닭에'는 인물 사이에서 (갈등이 발생)하게 되는 원인을 제공한다. ─ 허 생원의 이야기가 동이에게 잘 들리지 않게 하는 장치임.

---

5 어휘·어법_관용어

'줄행랑을 놓다'는 '낌새를 채고 피하여 달아나다.'라는 뜻을 지닌 관용어입니다. 다음 장도막에는 벌써 온 집안이 사라진 뒤였다고 했으므로, 성 서방네가 제천으로 도망갔음을 알 수 있습니다.

어휘력 완성   017쪽

1 ㉠ 꿩 ㉡ 상수   **2** (1) ㉮ (2) ㉰ (3) ㉯   **3** ④

1 방금 전까지 있던 치킨이 흔적도 없이 사라진 상황입니다. ㉠에 들어갈 말은 '꿩'입니다. 옛날에 '꿩'은 고기는 물론 그 깃털까지도 쓸모가 있었기 때문에, 먹어 치운 후 흔적이 남지 않는다는 의미로 '꿩 구워 먹은 자리'라는 말이 나오게 됐습니다. 그리고 '정하여진 운명.'이라는 의미로 ㉡에 알맞은 말은 '상수'입니다.

2 (1) '항용'은 '흔히. 늘.'이라는 뜻이고, (2) '확적하다'는 '정확하게 맞아 조금도 틀리지 아니하다.'라는 뜻입니다. (3) '애잔하다'는 '애처롭고 애틋하다.'라는 뜻입니다.

3 '성 서방네'는 한창 어려운 처지로, '들고 날 판'이라고 했습니다. '들고 날 판'이라는 것은 짐을 싸들고 도망갈 상황이라는 의미로, 이와 의미가 통하는 것은 남의 눈을 피하여 한밤중에 도망함을 뜻하는 '야반도주'입니다.

봄봄

018~020쪽

1 뺨, 장가, 구장(님), 가슴 **2** ③ **3** ③ **4** ② **5** ④

종류 현대 소설, 단편 소설

특징 이 소설은 혼인 문제를 둘러싼 '나'와 장인의 갈등을 해학적으로 그리고 있는 작품입니다. '나'를 공짜로 부려 먹으려는 교활한 장인과 오직 점순이와의 혼인만을 원하는 순박한 '나'의 갈등이 우스꽝스럽게 전개되고 있습니다.

주제 순박한 데릴사위와 교활한 장인의 혼인을 둘러싼 갈등

---

1 핵심 요약_내용 흐름 정리하기

어제	장인이 뒷생각은 못하고 나의 (뺨)을 때렸음.
작년 회상	'나'는 (장가)들게 해 준다는 장인의 이야기에 속아서 일만 했음.
어제	'나'는 장인에게 성례를 요구하다 (구장(님))에게 판단 가자고 했음.
그 전날	'나'는 봄볕 속에서 몸이 나른하고 (가슴)이 울렁거리는 기분을 느꼈음.

2 내용 이해_시간의 흐름에 따른 사건 전개

㉠은 장인이 '나'의 뺨을 때리는 사건으로 어제 일어났던 일이고, ㉡은 작년 봄, ㉢은 작년 가을에 일어난 일입니다. ㉣은 어제 장인에게 뺨을 맞은 후에 벌어진 상황입니다.

3 내용 이해_인물의 심리 파악하기

작년 봄의 상황을 보아도 알 수 있듯이, 장인은 '나'를 달래서 계속 일을 시키려 하고 있습니다. 따라서 ㉯에서는 부드럽고 친근한 어조로 달래듯이 말하는 것이 어울립니다.

4 추론하기_이론을 바탕으로 추론하기

이 글의 서술자인 '나'는 '그 전날'의 앞 문장에서 '그러나 내 사실 참, 장인님이 미워서 그런 것은 아니다.'라고 말하고 있습니다. 그것은 '나'가 장인을 끌고 구장님에게 가게 된 것에는 다른 원인이 있음을 뜻합니다. 그런데 '그 전날'이라고 말하면서 과거의 상황을 이야기하는 것을 볼 때, '나'가 장인을 끌고 가게 된 진짜 원인이 나타날 것임을 알 수 있습니다.

---

4 보기 를 참고할 때, 그 전날 이후에 전개될 이야기로 가장 적절한 것은 무엇입니까? (②)

보기

시간의 흐름에 따라 사건이 전개되는 고전 소설과 달리, 현대 소설에서는 현재에서 과거로 시간이 뒤바뀌는 역순행적 구성이 자주 나타난다. 그것은 현대 소설이 사건들 사이의 인과 관계를 중요하게 생각하기 때문이다. 결국 역순행적 구성은 독자에게 사건의 원인을 구체적으로 제시하려는 의도에서 나오는 것이다.

① '내'가 장인을 미워할 수밖에 없게 되는 원인이 나올 것이다. ⌐미워하지 않음.
② 장인을 끌고 구장님에게 가게 된 진짜 원인이 나타날 것이다.
③ 장인이 성례를 시켜 주지 않는 진짜 원인이 드러나게 될 것이다. ⌐알 수 없음.
④ 장인을 끌고 가는 바람에 '내'가 겪게 되는 사건이 나타날 것이다. ⌐'그 전날'은 장인을 끌고 가기 전 상황
⑤ '나'와 장인이 갈등하게 된 원인과 그 결과가 모두 드러날 것이다. ⌐결과는 알 수 없음.

---

5 어휘·어법_속담

장인은 자신이 아쉬울 때는 점순이와 성례를 시켜 줄 것처럼 이야기하다가, 가을에 수확이 끝난 다음에는 성례를 시켜 줄 수 없다고 딱 잡아떼고 있습니다. 이런 상황에 어울리는 속담은 '뒷간에 갈 적 마음 다르고 올 적 마음 다르다'입니다. '뒷간'은 화장실을 의미하며, 이 속담은 급한 일이 끝나고 나면 언제 그랬냐는 듯이 모른 체하는 태도를 가리킵니다.

어휘력 완성

021쪽

1 ㉠ 사경 ㉡ 계제 **2** (1) ㉯ (2) ㉮ (3) ㉰ **3** ①

1 '사경'은 머슴이 주인에게서 한 해 동안 일한 대가로 받는 돈이나 물건을 뜻하는 말입니다. 따라서 ㉠에는 '사경'이 알맞습니다. 그리고 ㉡에 알맞은 말은 '계제'로, 어떤 일을 할 수 있게 된 형편이나 기회를 뜻합니다.

3 장인이 '나'에게 일을 시키기 위해 회유하는 말입니다. 이 말을 듣고 '귀가 번쩍 뜨였다'고 하는 것으로 볼 때, '나'에게 달콤한 이익이 되는 말임을 알 수 있습니다. '감언이설'은 귀가 솔깃하도록 남의 비위를 맞추거나 이로운 조건을 내세워 꾀는 말을 뜻합니다.

1 춘향, 수청, 얼굴, 어사또 **2** ② **3** ① **4** ④ **5** ②

종류 고전 소설

특징 이 소설은 성춘향과 이몽룡의 신분 차이를 극복한 사랑을 그린 작품입니다. 표면적으로는 지조와 절개를 중시하는 유교적 가치를 강조하면서, 그 이면에서는 신분 상승의 욕망과 탐관오리에 대한 비판을 드러내고 있습니다.

주제 신분을 초월한 사랑과 정절

1 핵심 요약_내용 흐름 정리하기

몽룡	(춘향)의 마음을 떠보기 위해 자신의 수청을 들라고 함.
춘향	어사또의 (수청) 요구를 거절하며 자신을 죽이라고 함.
몽룡	춘향에게 (얼굴)을 들어 자신을 보라고 함.
춘향	몽룡이 (어사또)임을 확인하고 기뻐함.

2 내용 이해_세부 내용 파악하기

춘향의 죄가 무엇이냐는 어사또의 물음에 형리는 "본관 사또를 모시라고 불렀더니 절개를 지킨다면서 사또 명을 거역하고 사또 앞에서 악을 쓴 춘향이로소이다."라고 대답하였습니다. 그러므로 춘향이는 본관 사또의 명을 거역하여 옥에 갇혀 있었던 것입니다.

오답 피하기

① 춘향은 수청을 들라는 어사또의 말에 차라리 자신을 죽이라고 하며 수청을 거절하고 있습니다.
③ 어사또와 춘향이 재회한 후에 춘향 모 월매가 왔으므로, 춘향 모 월매가 어사또의 정체를 먼저 안 것은 아닙니다.
④ 향단에게 몽룡을 찾아보라고 말한 사람은 어사또가 아니라 춘향입니다.
⑤ 어사또는 춘향이의 마음을 떠보기 위해 나라의 관리를 욕보였다고 거짓 호통을 치는 것입니다.

3 표현_서술상의 특징 파악하기

㉠은 춘향이 어사또와 대화를 나누는 가운데 나온 말로, 어사또를 듣는 사람으로 생각하고 하는 말입니다. 그러나 ㉡은 이 작품의 서술자가 독자에게 상황을 전달하는 말로, 독자를 듣는 사람으로 생각하고 하는 말로 볼 수 있습니다.

4 감상_이론을 바탕으로 감상하기

'춘향'과 '몽룡'은 작품 속에서 사건을 주도하여 이끌어 가는 주인공으로 '주동 인물'입니다. 그러나 본관 사또인 '변학도'는 주동 인물과 대립하면서 주인공을 괴롭히는 '반동 인물'로 볼 수 있습니다.

② 문제 돋보기

4 [보기]를 참고하여 이 글의 인물을 분류할 때, 가장 적절한 것은 무엇입니까? (④)

보기

소설의 인물은 중요도에 따라 '중심인물'과 '주변 인물'로 나눌 수 있으며, 작품 속에서 성격이 변하지 않는 '평면적 인물'과 사건의 진행에 따라 성격이 변하는 '입체적 인물'로 나눌 수도 있다. 또 작품 속에서의 역할에 따라, 사건을 주도하여 이끌어 가는 '주동 인물'과 그런 '주동 인물'과 대립하는 '반동 인물'로 나누기도 한다.

① '춘향'은 '입체적 인물'이지만, '몽룡'은 '평면적 인물'로 볼 수 있다. └ 평면적 인물(변치 않음.)
② '형리'는 '주변 인물'이지만, '월매', '향단'은 '중심인물'로 볼 수 있다. └ 주변 인물
③ '춘향'은 '중심인물'이지만, '몽룡'과 춘향 모 '월매'는 '주변 인물'로 볼 수 있다. └ 중심인물 └ 주변 인물
④ '춘향'과 '몽룡'은 '주동 인물'이지만, 본관 사또인 '변학도'는 '반동 인물'로 볼 수 있다.
⑤ '춘향', '몽룡', '월매', '향단', '형리'는 모두 작품 속에서 성격이 변하는 '입체적 인물'이다. └ 평면적 인물

5 어휘·어법_한자성어

㉮에서 춘향은 한편으로는 기뻐하면서도, 한편으로는 그동안의 고통과 자신을 떠본 몽룡에 대한 서운한 마음으로 인해 슬픔을 느끼고 있습니다. 따라서 한편으로는 기뻐하고 한편으로는 슬퍼함을 의미하는 '일희일비'와 어울린다고 볼 수 있습니다.

어휘력 완성 ─── 025쪽

1 ㉠ 본관 ㉡ 탐관오리 **2** (1) ㉯ (2) ㉱ (3) ㉮ **3** ②

3 춘향은 자신의 변함없는 마음을 '높은 절벽 높은 바위'와 '푸른 솔 푸른 대'에 비유하고 있습니다. 이는 자신의 마음이 결코 변하지 않을 것임을 강조하는 것으로, 이와 관련있는 한자성어는 '일편단심'입니다.

1 폴란드 역사, 전기 벨, 시학관(호른베르크), 러시아

2 ④ **3** ④ **4** ③ **5** ②

종류 전기 소설

특징 이 소설은 폴란드의 과학자 마리 퀴리의 딸 에브 퀴리가 어머니의 삶을 기록한 전기문 '퀴리 부인'의 일부입니다. 따라서 전기 소설의 성격을 지니고 있습니다. 러시아의 지배를 받고 있는 폴란드의 상황이 일제 강점기 우리 민족의 현실을 연상하게 만듭니다.

주제 나라 잃은 민족의 슬픔과 분노

---

1 핵심 요약_내용 흐름 정리하기

역사 수업 시간에 폴란드 말로 (폴란드 역사)를 배우고 있음.

↓

(전기 벨)이 울리자 선생님과 학생들이 교과서와 노트를 급히 치움.

↓

(시학관(호른베르크))이 마리아에게 폴란드를 다스리는 사람에 대해 질문함.

↓

마리아는 간신히 (러시아) 황제라고 대답함.

2 내용 이해_세부 내용 파악하기

마리아는 황실 가족의 이름과 존호를 말해 보라는 시학관의 질문을 받았습니다. 이 질문에 답을 하며 마리아는 고민, 반항심을 감추려는 노력으로 얼굴이 뻣뻣해졌습니다. 따라서 마리아는 시학관의 질문에 반항심을 억눌렀다고 볼 수 있습니다.

3 내용 이해_소재의 기능 파악하기

전기 벨이 울리기 전까지는 교실에서 학생들이 역사 수업에 열중하는 분위기였습니다. 그러나 전기 벨이 울리면서 다급하게 교과서와 노트를 치우는 등 긴장된 분위기로 바뀌게 됩니다.

4 감상_외부 정보를 바탕으로 감상하기

이 글에서 시학관은 마리아의 고민, 반항심을 감추려는 노력으로 뻣뻣해진 그의 얼굴을 보지 못하거나 보고도 못 본 체하는지도 모른다고 했습니다. 따라서 시학관이 마리아의 뻣뻣해진 얼굴에 불쾌감을 느꼈다는 것은 적절하지 않습니다.

---

4 다음 보기 를 참고하여 이 글을 감상한 내용으로 적절하지 않은 것은 무엇입니까? (③)

보기

「폴란드의 소녀」는 폴란드의 과학자 마리 퀴리(퀴리 부인)의 전기 소설의 일부이다. 퀴리 부인의 학창 시절, 폴란드는 러시아의 지배를 받고 있었으며 러시아는 학교에서 폴란드어를 가르치지 못하도록 하였다. 이에 폴란드 학교에서는 몰래 폴란드어와 역사를 가르치며 학생들에게 자긍심과 역사의식을 고취하고자 하였다. 이 소설은 이처럼 나라를 잃은 국민의 아픔과 빼앗긴 나라에 대한 애국심이 잘 드러나 있다.

① 시학관의 물음에 납덩이가 된 얼굴로 간신히 대답하는 마리아의 표정에서 나라를 잃은 국민의 아픔을 느낄 수 있군.
② 벨 소리에 교과서와 노트를 급히 감춘 것은 폴란드어와 역사 수업이 금지되어 있었던 당시 시대적 상황과 관련 있겠군. ─ 몰래 수업함.
③ 시학관이 마리아의 뻣뻣해진 얼굴에 불쾌감을 느낀 것은 폴란드 국민들의 애국심을 대수롭지 않게 여겼기 때문이겠군. └ 시학관이 불쾌감을 느낀 부분을 찾을 수 없음.
④ 폴란드 역사 수업이 열중한 분위기 속에서 진행된 것으로 보아 폴란드 국민으로서 역사의식을 고취하고자 하는 모습을 엿볼 수 있군.
⑤ 시학관이 '우리를 다스리시는 분은 누구시냐?'고 재차 물은 것은 러시아가 폴란드를 지배하고 있다는 사실을 확인시키기 위한 것이겠군.

---

5 어휘·어법_한자성어

ⓒ은 시학관이 도착하기 전에 폴란드 역사 교과서를 모두 치우고 교실 정리를 끝내야 하는 아주 위태롭고 긴박한 상황입니다. 그런데 '정저지와'는 우물 안의 개구리라는 뜻으로, 궁벽한 곳에서만 살아서 넓은 세상의 형편을 모르는 사람을 비유적으로 이르는 말입니다. 따라서 위태로운 상황과는 거리가 멉니다.

어휘력 완성 ───── 031쪽

1 ⊙ 뇌고 ⓒ 시시콜콜 **2** ⑤ **3** ②

1 그림에서 상유는 왕들의 이름을 반복하면서 중얼중얼 외우고 있고, 이 모습이 친구에게는 같은 말을 되풀이하는 것으로 보이는 것입니다. 이처럼 같은 말을 되풀이하는 것을 '뇌다'라고 말합니다. 그리고 역사 퀴즈의 문제처럼 자질구레한 것까지 낱낱이 따지거나 다루는 모양은 '시시콜콜'이라고 합니다.

032~034쪽

1 팔십, 폐쇄, 깨물고, 강습소 **2** ④ **3** ①, ④ **4** ③
5 ③

종류 현대 소설

특징 이 소설은 일제 강점기 농촌의 계몽을 위해 애쓰는 희생적인 지식인들의 이야기를 감동적으로 보여 주는 작품입니다. 일제의 탄압으로 인한 영신의 갈등 상황이 안타깝게 전개되고 있습니다.

주제 농촌 계몽 운동을 통한 일제에 대한 저항

1 핵심 요약_주요 내용 정리하기

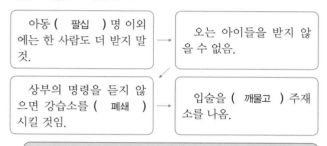

아동 (팔십) 명 이외에는 한 사람도 더 받지 말 것.	오는 아이들을 받지 않을 수 없음.
상부의 명령을 듣지 않으면 강습소를 (폐쇄) 시킬 것임.	입술을 (깨물고) 주재소를 나옴.

➡ (강습소) 운영을 둘러싼 영신과 주재소 주임의 외적 갈등

2 내용 이해_세부 내용 파악하기
영신이가 처음 내려오던 해부터 이 일 저 일에 줄곧 간섭을 받아 왔다고 했으므로, 주재소 주임이 영신이 하는 일에 간섭하지 않았다는 것은 적절하지 않습니다.

3 내용 이해_시대적 상황 파악하기
여자들이 학교에 다니는 것이 금지되었다는 내용은 확인할 수 없습니다. 또한 영신이 '보통학교를 졸업한 젊은 사람들의 응원을 얻어' 강습소를 운영했다고 했으나, 청년들이 보통학교를 졸업하면 고향에서 농사일을 했다는 내용은 확인할 수 없습니다.

오답 피하기
③ '상부의 명령이니까 말을 듣지 아니하면 강습소를 폐쇄시키겠다'는 주재소 주임의 말을 통해 알 수 있습니다.

4 감상_외부 정보를 바탕으로 감상하기
일제가 농촌 계몽 운동을 탄압한 것은 당시 지식인들이 농촌 계몽 운동을 통해 민족의식을 고취하고자 했기 때문입니다. 기부금 모금에 문제가 있는 것처럼 이야기하는 것은 핑계일 뿐입니다. 그리고 이 글에서 기부금을 강제로 모금했는지 그렇지 않은지는 확인할 수 없습니다.

? 문제 돋보기

4 다음 보기를 참고하여 이 글을 감상한 내용으로 적절하지 않은 것은 무엇입니까? (③)

보기
「상록수」는 일제가 식민 지배를 강화하기 위해 민족정신 말살 정책의 일환으로 한글 교육을 억압하던 1930년대를 배경으로 한 소설이다. 일제의 탄압에 맞서 지식인들은 농촌 계몽 운동을 통해 교육을 받지 못하는 농촌 사람들에게 한글을 가르치며 문맹 퇴치에 힘써 민족의식을 고취하고자 했다.

① 영신은 문맹 퇴치에 힘쓴 지식인을 대표하는 인물로 볼 수 있군.
② 농촌 아이들을 대상으로 한글을 가르친 것은 농촌 계몽 운동으로 볼 수 있군. ┌ 나와 있지 않음.
③ 강습소 기부금을 강제로 모금하려고 한 것은 일제가 농촌 계몽 운동을 탄압한 원인으로 볼 수 있군. ┌ 민족의식 고취를 막고자 한 것임.
④ 주재소 주임이 위험하다는 이유로 강습소 인원을 제한하려는 것은 한글 교육을 억압하는 일제의 정책으로 볼 수 있군.
⑤ 정규 학교가 아닌 강습소에 많은 아이들이 공부하러 온 것은 당시 농촌의 교육 환경이 제대로 갖춰지지 않았음을 알 수 있군.

5 어휘·어법_어휘의 사전적 의미
㉠은 필요가 없다는 의미로 쓰인 말이고 ①, ②, ④, ⑤도 소용이나 필요가 없다는 의미로 쓰인 것입니다. 그러나 ③은 걱정해 주지 않아도 괜찮다는 뜻의 말로, '걱정하거나 개의할 필요가 없다'의 의미로 볼 수 있습니다.

어휘력 완성
035쪽

1 ㉠ 보통학교 ㉡ 순사 **2** (1) ㉮ (2) ㉲ (3) ㉯ **3** ②

1 일제 강점기에, 우리나라 사람들에게 초등 교육을 하던 학교를 '보통학교'라고 했습니다. 1911년부터 1937년까지 쓰였습니다. 그리고 순경은 '순사'라고 했습니다. 이런 낱말들을 통해서 독자는 소설 속 이야기의 시대적 배경을 파악할 수 있게 됩니다.

2 (1)~(3)은 모두 앞에서 공부한 「상록수」에 나왔던 낱말들입니다. (1)의 '숭배'는 '우러러 공경함.'이라는 뜻입니다. (2)의 '요령'은 '가장 긴요하고 으뜸이 되는 골자나 줄거리.'라는 뜻입니다. (3)의 '저촉'은 '법률이나 규칙 따위에 위반되거나 어긋남.'이라는 뜻입니다.

1 다리, 외나무다리, 수난   **2** ①   **3** ②   **4** ③

5 ④

종류 현대 소설

특징 이 소설은 일제 강점기 때 징용에 끌려가 한쪽 팔을 잃은 아버지와 6·25 전쟁에 참전하여 한쪽 다리를 잃은 아들의 상처를 다룬 작품입니다. 역순행적 구성 방식을 활용해 민족의 수난사와 부자의 수난을 유기적으로 연결함으로써 민족의 역사적인 비극을 그려 내고 그 비극을 딛고 일어서려는 의지적인 삶의 자세를 보여 주고 있습니다.

주제 가족의 수난사와 극복 의지

1 핵심 요약_주요 내용 정리하기

만도	진수
일제 강점기에 강제 징용되었다가 한쪽 팔을 잃음.	전쟁에 나갔다가 한쪽 (다리)를 잃음.

만도가 진수를 업고 (외나무다리)를 건넘.

➡ 2대에 걸친 (수난)과 극복 의지

2 표현_서술상 특징 파악하기

이 글에서 만도와 진수는 경상도 사투리로 대화를 나누고 있으며 이를 그대로 제시하고 있어 실제 옆에서 이들의 대화를 듣는 듯한 생생한 현장감을 느낄 수 있습니다.

3 내용 이해_인물의 심리와 태도 파악하기

만도는 앞으로 살아갈 날을 걱정하는 아들에게 "우째 살긴 뭘 우째 살아? 목숨만 붙어 있으면 다 사는 기다."라고 하며 용기를 북돋워 주고 있습니다. 만도는 한쪽 다리를 잃은 아들의 처지를 안타까워하지만 그런 아들을 꾸짖고 있지는 않습니다.

오답 피하기

④ 진수는 "이래 가지고 우째 살까 싶습니더.", "걸어댕기기에 불편해서 똑 죽겠심더."라고 하여 앞으로 어떻게 살아가야 할지 걱정하고 있습니다.

⑤ '나꺼정 이렇게 되다니, 아부지도 참 복도 더럽게 없지. 차라리 내가 죽어 버렸더라면 나았을 낀데…….'라는 속마음을 보면, 진수가 힘이 되지 못하는 자신의 처지 때문에 아버지에게 죄송해하고 있음을 알 수 있습니다.

4 적용하기_소재의 기능 파악하기

'외나무다리'는 한쪽 팔이 없는 만도와 한쪽 다리가 없는 진수가 건너가야 할 다리라는 점에서 이들에게 닥친 시련을 상징한다고 할 수 있습니다. 동시에 만도가 진수를 업고 외나무다리를 건너는 장면에서 서로 힘을 합쳐 시련을 이겨 내려는 모습을 확인할 수 있습니다.

? 문제 돋보기

4 다음 보기 의 ㉮에 들어갈 말로 적절한 것은 무엇입니까?

(③)

> **보기**
>
> 소설에서 소재는 이야기를 전개해 나가기 위해 사용되는 글의 재료로, 작가는 자신이 표현하고자 하는 의도를 드러내기 위해 다양한 소재들을 사용한다. 「수난이대」에서 (㉮)은/는 만도 부자에게 닥친 시련을 상징하면서 동시에 그 시련을 극복해 낼 수 있는 희망을 보여 주기도 한다.

① 시냇물
② 용머리재
☑③ 외나무다리 ─ 만도 부자에게 닥친 시련이지만 서로 힘을 합쳐 건너감.
④ 고등어 묶음
⑤ 수류탄 조가리

5 어휘·어법_어휘의 사전적 의미

㉠은 '매우 다행스럽다'는 의미로 쓰인 말입니다. [보기]에 제시된 두 가지 뜻을 집어넣어 봤을 때, '아직 술기가 약간 있었으나, 재주가 뛰어나고 특이하게 몸을 가누며'는 말이 되지 않는다는 것을 알 수 있습니다. 따라서 '눈길에 넘겨졌지만 매우 다행스럽게도 아무런 상처를 입지 않았다.'와 같이, '매우 다행스럽다'는 말로 바꾸었을 때 문장이 자연스러운 것은 ④입니다.

오답 피하기

①, ②, ③, ⑤는 모두 재주가 뛰어나고 특이하다는 의미로 쓰인 예입니다.

어휘력 완성   039쪽

1 ㉠ 군의관 ㉡ 황송한   **2** ④   **3** ③

2 '나댕기메'는 '나다니며'의 사투리이며, '나다니며'는 '밖으로 나가 여기저기 다니며'라는 의미입니다. 따라서 '나다니며 할 일은 내가 하고'로 바꾸어야 합니다. '당기며'는 물건을 자기 쪽으로 오게 하거나 시간이나 날짜를 앞으로 옮긴다는 의미로, 문맥적으로 상황에 어울리지 않습니다.

1 설렁탕, 고함, 발길, 눈물   **2** ③   **3** ③   **4** ④

5 ④

종류 현대 소설

특징 이 소설은 인력거꾼 '김 첨지'의 하루를 통해 1920년대 도시 하층민의 삶을 사실적으로 그려 낸 작품입니다. 운수 좋은 하루가 아내의 죽음이라는 비극적 결말로 이어지는 극적인 반전과 반어적 제목을 통해 현실의 비극성을 극대화하고 있습니다.

주제 일제 강점기 하층민의 비참한 삶

---

1 핵심 요약_내용 흐름 정리하기

(설렁탕)을 사서 집에 다다름.

↓

대문에 들어서자마자 (고함)을 치고 방문을 왈칵 엶.

↓

방 안에 들어서서 호통을 치며 아내를 (발길)로 참.

↓

아내의 머리를 흔들다가 닭똥 같은 (눈물)을 흘림.

2 내용 이해_세부 내용 파악하기

김 첨지가 고함을 치며 누워 있는 아내에게 발길질을 하고 화를 내는 것은 혹시 아내가 죽었을까 봐 불길한 예감을 떨쳐 내기 위한 행동입니다. 아기에게 젖을 물리지 않아서 화를 내는 것은 아닙니다. 이 글에서 김 첨지는 행랑방 한 칸을 빌려 산다고 하였고, 방문을 열었을 때 갖가지 악취가 난다고 하였습니다.

3 표현_소재의 의미 파악하기

"설렁탕을 사다 놓았는데 왜 먹지를 못하니, 왜 먹지를 못하니?"라며 죽은 아내를 보고 눈물을 흘리는 모습으로 보아, 설렁탕은 아내가 먹고 싶어 했던 음식임을 알 수 있고, 취중에도 이것을 사 왔다는 것에서 아내를 생각하는 김 첨지의 마음(애정)을 확인할 수 있습니다.

4 감상_이론을 바탕으로 감상하기

김 첨지가 설렁탕을 사 올 수 있을 정도로 행운이 있었던 것과 아내가 죽는 것 사이에는 아무런 관계가 없습니다. 다만 [보기]에서 말했듯이 작가는 행운에 이어 불행한 사건을 제시하여 반전을 일으키고 이를 통해 비극적인 삶을 더욱 부각하려고 했던 것입니다.

---

4 보기 를 참고하여 이 글을 감상한 내용으로 적절하지 않은 것은 무엇입니까? (④)

> **보기**
>
> 「운수 좋은 날」은 1920년대 도시 하층민의 삶을 사실적으로 그려 낸 작품이다. 작가는 연이은 행운 뒤에 큰 불행이 닥치는 반전과, 가장 비참하고 슬픈 날을 반어적으로 표현하여 작품의 비극성을 잘 보여 주고 있다. "운수 좋은 날"

① 행랑방 한 칸을 빌려 살아가는 김 첨지는 도시 하층민의 삶을 보여 주는 인물이겠군. ○

② 이 글의 제목 「운수 좋은 날」은 김 첨지에게 가장 비참한 날을 반어적으로 표현한 것이겠군.

③ 김 첨지의 운수가 좋았던 날에 아내가 죽는다는 이야기의 설정을 통해 비극적인 삶을 강조하고 있군.

④ 설렁탕을 사 올 수 있었던 김 첨지의 행운은 아내의 죽음이라는 불행한 사건이 일어나게 된 원인으로 볼 수 있군.
    ×. 관련없음.

⑤ 빈 젖을 빨고 기운이 없어 울음소리도 제대로 내지 못하는 개똥이의 모습에서 하층민들의 참혹한 생활 모습을 확인할 수 있군. ○

---

5 어휘·어법_한자성어

평소와 다르게 큰소리치며 실속 없이 겉으로 과장된 행동을 하는 것은 '실속은 없으면서 큰소리치거나 허세를 부림.'을 뜻하는 허장성세로 나타낼 수 있습니다.

어휘력 완성   045쪽

1 ㉠ 정적 ㉡ 엄습   **2** (1) ㉮ (2) ㉰ (3) ㉯   **3** ④

1 복도가 쥐 죽은 듯이 고요한 상황입니다. ㉠에 알맞은 말은 '아주 고요함.'을 뜻하는 '정적'입니다. 그리고 그런 상황에서 ㉡에 알맞은 말은 '감정, 생각, 감각 따위가 갑자기 들이닥친다.'는 의미의 '엄습'입니다.

오답 피하기

· 정직: 마음에 거짓이나 꾸밈이 없이 바르고 곧음을 뜻합니다.

· 역습: 상대편의 공격을 받고 있던 쪽에서 거꾸로 기회를 보아 급히 공격하는 것을 뜻합니다.

· 관습: 사회에서 오래전부터 지켜 내려와 몸에 익은 질서나 규칙을 뜻합니다.

3 '생쥐 입가심 할 것도 없다'는 먹을 것이라고는 전혀 없고 살림이 몹시 궁함을 비유적으로 이르는 말입니다. 그러므로 '김 첨지'의 가난한 상황을 가리키는 속담으로 알맞습니다.

1 누이동생, 애물단지, 합의   **2** ②   **3** ②   **4** ⑤
5 ②

종류 현대 소설

특징 이 소설은 하루아침에 벌레로 변한 그레고르의 이야기를 통해 현대인의 고립과 소외를 그린 작품입니다. 작가는 인간이 인간 자체로 존중받지 못하고 관계로부터 소외되고 버려지는 인간성 상실의 시대에 대한 비판을 말하고 있습니다.

주제 현대인의 고립과 소외

1 핵심 요약_주요 내용 정리하기

(누이동생)	— 그레고르 —	아버지
'저것'을 없애 버려야 함.		딸의 주장에 망설이고 있음.
• 모두 어렵게 일하는 상황에서 이런 (애물단지)를 감당할 수 없음. • 저것이 그레고르라면 우리를 괴롭히지 않고 나갔을 것임.		• 그레고르와 (합의)할 수 있다면 그렇게 하고 싶음. • 자신의 바람이 실현될 가능성이 없음을 깨달음.

2 내용 이해_세부 내용 파악하기
어머니는 눈물을 닦고 있을 뿐, 그레고르가 누이동생을 괴롭혀서 화가 나 있다는 내용은 이 글에서 확인할 수 없습니다.

3 내용 이해_인물의 태도 파악하기
그레고르를 '저것'이라고 지칭하는 누이동생은 그레고르를 사람이 아닌 사물로 보는 태도를 지니고 있음을 알 수 있고, 그레고르를 '저 애'라고 지칭하는 아버지는 그래도 그레고르는 사람이며 자신의 가족으로 여기는 태도를 지니고 있음을 알 수 있습니다.

4 감상_이론을 바탕으로 감상하기
㉺는 누이동생이 한 말이며, [보기]의 설명을 참고할 때 인물의 말을 제시하는 것은 모두 '간접 제시'에 해당합니다. 또한 ㉺에서는 벌레가 된 오빠를 소중하게 여기는 마음을 찾아볼 수 없습니다. 결국 ㉺는 차라리 오빠가 없어지는 것이 낫다고 생각하는 누이동생의 마음이 드러나는 '간접 제시'로 볼 수 있습니다.

① ㉮는 누이동생의 행동을 보여 주는 '간접 제시'로, 어머니를 걱정하는 태도가 드러납니다.
② ㉯는 어머니의 행동을 보여 주는 '간접 제시'로 어머니가 특별한 감정을 보이고 있지 않음이 드러납니다.
③ ㉰는 그레고르를 안타깝게 생각하는 아버지의 마음이 서술자에 의해 직접 전달되는 '직접 제시'에 해당합니다.
④ ㉱는 확신에서 무력감으로 바뀌게 된 누이동생의 태도 변화를 서술자가 직접 설명하는 '직접 제시'에 해당합니다.

5 어휘·어법_어휘의 사전적 의미
누이동생의 말 "우리는 저것으로부터 벗어날 길을 찾아야 해요."에서 '벗어날'은 자신들의 삶을 구속하는 '그레고르'로부터 자유로워지고 싶은 마음을 드러낸 것으로 볼 수 있습니다.

어휘력 완성 ─────────── 049쪽

1 ㉠ 무력감 ㉡ 와중   **2** (1) ㉯ (2) ㉰ (3) ㉮   **3** ④

1 왼쪽에 있는 친구는 아무것도 할 수가 없는 상태라고 합니다. 이러한 상태를 가리키는 말로 ㉠에 알맞은 말은 '스스로 힘이 없음을 알았을 때 드는 허탈하고 맥 빠진 듯한 느낌.'을 의미하는 '무력감'입니다. 그리고 ㉡에 알맞은 말은 '-에'의 형태로 쓰여 '일이나 사건 따위가 시끄럽고 복잡하게 벌어지는 가운데.'를 의미하는 '와중'입니다.

• 무료감: 흥미 있는 일이 없어 심심하고 지루한 느낌을 뜻합니다. 그렇지만 아무것도 할 수 없는 허탈한 느낌과는 다른 감정입니다.
• 안중: 주로 '안중에'의 꼴로 쓰이며, 관심이나 의식의 범위 내를 뜻하는 말입니다.
• 위중: '병세가 위험할 정도로 중함.' 또는 '어떤 사태가 매우 위태롭고 중함.'의 뜻으로 쓰이는 말입니다.

2 '노숙자'는 '길이나 공원 등지에서 잠을 자며 생활하는 사람.'을 뜻하고, '애물단지'는 '몹시 애를 태우거나 성가시게 구는 물건이나 사람.'을 뜻합니다. 그리고 '유별나다'는 '보통의 것과 아주 다르다.'라는 뜻입니다.

3 가족들은 그레고르가 자신들에게 도움이 되는가 그렇지 않은가에 따라 전혀 다른 태도를 보이고 있습니다. 이러한 태도에 알맞은 한자성어로는 이익과 손해의 관계를 이모저모 따져 본다는 의미의 '이해타산'이 적절합니다. ③의 '시시비비'는 옳고 그름을 따지며 다툰다는 뜻으로 '시시비비를 따지다.'와 같이 쓰입니다.

소설 09 표구된 휴지

1 편지, 표구사, 전근, 화실 **2** ② **3** ⑤ **4** ④ **5** ②

종류 현대 소설

특징 이 소설은 아들에게 쓴 아버지의 편지를 소재로 한 작품입니다. 볼품없는 종이에 서툰 글씨로 쓴 아버지의 편지를 통해 자식에 대한 부모의 소박하면서도 진솔한 사랑을 전달함으로써 독자들에게 감동과 여운을 주고 있습니다.

주제 아들에 대한 아버지의 소박하고 따뜻한 사랑, 사소한 것에서 오는 삶의 위안

---

1 핵심 요약_내용 흐름 정리하기

> 친구가 건네준 (편지)를 읽고 비시시 웃음이 새어 나옴.

↓

> 친구의 부탁으로 편지를 (표구사)에 맡김.

↓

> 친구가 (전근) 가게 되자 편지가 떠올라 표구사에 가서 표구된 편지를 찾음.

↓

> 편지를 (화실)에 걸어 두고 간간이 바라보며 친구의 심정을 알게 됨.

2 내용 이해_세부 내용 파악하기

이 글은 상황이 전개되는 중간중간에 편지의 내용을 직접 인용하고 있습니다. 이는 일반적인 소설의 서술 방식에서 벗어난 것으로, 이러한 서술 방식을 통해 '편지의 내용은 무엇일까?', '편지를 통해 서술자는 무엇을 이야기하려 하는 걸까?'와 같은 독자들의 관심과 궁금증을 이끌어 낼 수 있습니다.

오답 피하기

③ 이 글의 '나'는 서술자이자 주인공입니다. 이 소설은 '나'의 생각이 변화되는 과정을 보여 주고 있으며, 이때 '나'의 변화를 유발하는 것이 친구가 가져다준 편지입니다. 따라서 중심인물인 '나'가 중심인물의 행동과 말을 관찰한다는 설명은 타당하지 않습니다.

3 표현_소재의 의미 파악하기

편지에서 아버지는 엄마가 돈보다 자식('너')이 더 좋다는 말을 반복하고 있습니다. 이는 돈보다 자식이 건강하게 잘 지내기를 바라는 부모의 마음을 드러낸 것으로 볼 수 있습니다. 따라서 편지에서 자식이 돈 많이 벌어 오기를 바라는 마음은 확인할 수 없습니다.

4 감상_이론을 바탕으로 감상하기

시골에서 아버지가 서울에서 지게꾼으로 일하는 아들에게 보낸 편지는 사소한 고향 마을 이야기를 담고 있지만 자식에 대한 부모의 사랑을 진솔하게 담고 있습니다. 이러한 편지를 표구하고 자신의 화실에 걸어 두어 간간이 보는 '나'의 모습에서 편지의 가치를 깨닫고 있음을 알 수 있으며, 이를 통해 우리는 사소한 것에서도 가치 있는 삶을 발견할 수 있다는 사실을 깨달을 수 있습니다.

오답 피하기

① 매일 저금하러 오는 청년의 모습에서 돈밖에 모르는 인간의 삶을 발견하는 것은 적절한 반응이 아닙니다.

② 외국으로 전근을 간 친구는 편지의 상태를 이미 확인했습니다.

③ 아들에게 보낸 편지에 부모의 뜻에 따라 결혼하는 이야기는 나오지 않습니다.

⑤ 처음 표구사 주인에게 '국보급'이라고 말하는 '나'는 친구의 표현을 그대로 말한 것으로, 사람들이 국보를 알아보지 못하는 것을 안타까워하는 마음은 찾을 수 없습니다.

5 어휘·어법_맞춤법

'메칠'을 맞춤법에 맞게 표기한 것은 '며칠'입니다. '몇일'은 '며칠'의 잘못된 표기입니다.

어휘력 완성

1 ㉠ 이태 ㉡ 주변 **2** (1) ㉰ (2) ㉮ (3) ㉯ **3** ②

1 '두 해째'라는 환경 미화원 아저씨의 말을 통해 ㉠에 알맞은 말은 2년을 의미하는 '이태'임을 알 수 있습니다. 그리고 스스로 문제를 해결하려 노력하지 않고 있는 청년의 소극적인 태도에 대한 평가로 ㉡에 알맞은 말은 '일이 잘되도록 애쓰거나 상황에 맞게 해결함. 또는 그런 재주.'를 뜻하는 '주변'입니다.

오답 피하기

• 이틀: 2일을 의미합니다.

• 주객: 주인과 손님을 뜻하는 말입니다.

• 주권: 국가의 의사를 최종적으로 결정하는 최고의 권력을 뜻하는 말입니다.

2 '치장'은 '잘 매만져 곱게 꾸밈.'을 뜻하고, '표구'는 '그림의 뒷면이나 테두리에 종이나 천을 발라 꾸미는 일.'을 뜻합니다. 그리고 '창호지'는 '빛깔이 누르스름하고 줄 진결이 또렷한 재래식 종이.'를 뜻합니다.

3 아버지가 순이의 이야기를 자꾸 하는 것으로 보아, 아들이 순이와 결혼하기를 바라는 것 같다고 하였습니다. '화촉'이란 빛깔을 들인 초로 흔히 혼례 의식에 쓰입니다. 그래서 혼례를 치르는 것을 '화촉을 밝히다'라고 합니다.

1 만 냥, 안성, 열 배, 말총 **2** ④ **3** ② **4** ⑤ **5** ⑤

종류 고전 소설

특징 이 작품은 실학자 박지원이 쓴 한문 소설입니다. 작가는 '허생'이라는 인물과 허생의 아내, 이완 대장 간의 갈등을 통해 당시 조선의 취약한 경제 구조와 지배 계급의 무능함을 비판하고 있습니다.

주제 양반 계층의 무능함과 허위의식 비판

---

1 핵심 요약_내용 흐름 정리하기

변 부자를 찾아가 당당하게 (만 냥)을 빌려 달라고 요구함.

↓

만 냥을 가지고 (안성)으로 내려가 과일을 몽땅 사들임.

↓

나라 안의 과일이 동나자 처음 값의 (열 배)를 받고 과일을 되팖.

↓

제주도로 내려가 (말총)을 몽땅 사들이고 되팔아 많은 돈을 벎.

2 내용 이해_세부 내용 파악하기

허생은 단지 돈을 빌려 달라고만 했지 자신의 계획을 밝히거나 반드시 갚겠다는 약속 따위는 하지 않았습니다. 그래서 사람들이 이런 허생에게 선뜻 만 냥을 빌려준 변 부자의 모습에 놀란 것입니다.

3 표현_소재의 기능 파악하기

허생은 '뭘 좀 해 보고 싶은데 밑천이 없어서' 변 부자에게 만 냥을 빌립니다. 그리고 빌린 만 냥을 가지고 안성에 가서 과일을 모조리 사들이고 이를 열 배 넘게 되팔아 큰 이익을 얻습니다. 이는 허생이 해 보려고 했던 것이므로, 만 냥은 이를 실행할 수 있는 수단으로 볼 수 있습니다.

4 감상_이론을 바탕으로 감상하기

허름한 차림의 허생에게 변 부자가 선뜻 만 냥을 빌려주자 주위 사람들은 이상하게 생각하여 변 부자에게 그 이유를 묻습니다. 이는 가난한 사람에게 돈을 빌려주는 것이 이상하다고 생각했기 때문입니다. 따라서 가난한 사람에게 이자를 받지 않고 돈을 빌려주었다는 것은 당시 사회·문화적 배경을 잘못 이해한 것입니다.

4 다음 선생님의 질문에 대한 답으로 적절하지 <u>않은</u> 것은 무엇입니까? (⑤)

선생님: 문학 작품은 당시의 사회·문화적 배경을 반영하여 창작됩니다. 그래서 문학 작품에 반영된 사회·문화적 배경을 이해하면 작품을 깊이 있게 감상할 수 있지요. 그럼 「허생전」에서 확인할 수 있는 당시 사회·문화적 배경은 무엇일까요?

① 잔치나 제사를 위해 상을 차릴 때 과일을 올렸다.
② 상품을 모조리 사들이는 사재기를 규제하지 않았다.
③ 말총으로 만든 망건으로 머리를 묶는 풍습이 있었다.
④ 상품의 유통이 제대로 되지 않는 경제 구조를 지녔다.
⑤ 가난한 사람에게는 이자를 받지 않고 돈을 빌려주었다.
　　└ 만 냥으로 과일 사재기 → 과일 동남.
　　　✕　└ 허생이 만 냥을 빌렸을 때 사람들
　　　　　　대화를 통해 알 수 있음.

5 어휘·어법_한자성어

허생이 과일과 말총을 모조리 사들이자 나라 안의 과일 값과 갓, 망건 값이 크게 올라 허생은 큰돈을 벌 수 있었습니다. 허생이 적은 돈으로도 나라의 경제를 마음대로 움직인 것입니다. 이처럼 허생이 나라의 경제를 마음대로 다룬 상황을 '이리저리 제 마음대로 휘두르거나 다룸.'을 뜻하는 '좌지우지'로 표현할 수 있습니다.

어휘력 완성 ──────── 059쪽

1 ㉠ 통사정 ㉡ 동나 **2** (1) ㉮ (2) ㉰ (3) ㉯ **3** ③

1 학생은 당장 내일 쓸 마스크가 없는 형편을 이야기하고 있지만, 이미 마스크는 다 팔린 상태입니다. 따라서 ㉠에 들어갈 말은 딱하고 안타까운 형편을 털어놓고 말한다는 의미의 '통사정'이고, ㉡에 알맞은 말은 물건 따위가 다 떨어져서 남아 있는 것이 없다는 의미의 '동나'입니다.

오답 피하기

• 속사정: 겉으로 드러나지 아니한 일의 형편을 뜻하는 말입니다.
• 덧나다: 병이나 상처 따위를 잘못 다루어 상태가 더 나빠진다는 말입니다.
• 축나다: 일정한 수나 양에서 모자람이 생긴다는 말입니다.

2 (1) 어른이 된 남자가 머리에 쓰던 의관으로, '갓'이라고 합니다. (2) 상투를 튼 사람이 머리카락을 걷어 올려 흘러내리지 않도록 머리에 두르는 그물처럼 생긴 물건으로, '망건'이라고 합니다. (3) 말의 꼬리의 털로, '말총'이라고 합니다.

3 자신의 분수에 만족하는 삶을 의미하는 한자성어로는 '안분지족'이 대표적입니다.

1 시집, 사람 **2** ⑤ **3** ① **4** ③ **5** ⑤

종류 현대 소설

특징 이 소설은 1910년대 일본 여자 유학생의 갈등과 고뇌를 그린 단편 소설입니다. 인물의 심리에 초점을 맞추어 감각적이고 생동감 있는 문장을 사용하였으며, 근대적 신여성으로서 부모와의 관계 속에서 갈등하는 당대 여성 지식인들의 고민과 현실을 잘 보여 주고 있습니다.

주제 근대 지식인 여성의 자아 정체성 확립

1 핵심 요약_주요 내용 정리하기

```
              계집애
     ┌──────────┴──────────┐
  아버지의 생각          경희의 생각
┌──────────────┐   ┌──────────────┐
│ 계집애는 ( 시집 )가서 │   │ 계집애도 ( 사람 )이며, │
│ 아들딸 낳고 시부모 섬기고│←→│ 사내가 하는 것은 무엇이든 │
│ 남편을 공경하면 그만임. │   │ 할 수 있음.      │
└──────────────┘   └──────────────┘
```

2 표현_서술상의 특징 파악하기
'어찌하려고 그런 대담스러운 대답을 하였나', '그렇다. 먹고 죽으면 그것은 하등동물이다. ~' 등에서 아버지의 요구대로 결혼을 해야 할지, 스스로의 삶을 개척해 나가야 할지 고민하는 경희의 내면 심리를 혼잣말하는 듯한 말투로 서술하고 있습니다.

3 표현_소재의 기능 파악하기
경희는 '지금은 계집애도 사람이라 해요. 사람인 이상에는 못할 것이 없다고 해요.'라고 아버지에게 말하는 인물입니다. 결국 경희는 '체경'에 자신의 모습을 비추어 보고, 자신이 개, 까마귀 등의 하등동물과 달리 분명한 사람임을 확인하면서 자신의 신념을 굳게 다지게 된다고 볼 수 있습니다.

4 감상_이론을 바탕으로 감상하기
아버지는 '계집애라는 것은 시집가서 아들딸 낳고 시부모 섬기고 남편을 공경하면 그만'이라고 하는 구시대적인 가치를 지키고자 하는 인물이고, 경희는 요즘은 여자도 하고 싶은 일을 하면서 살 수 있는 세상이라고 말하고 있습니다. 따라서 이 글에는 구시대적 가치를 중요시하는 아버지와 새로운 가치를 추구하는 경희 사이에서 발생하는 인물과 인물의 갈등이 나타나 있습니다.

? 문제 돋보기

4 보기를 참고할 때, 이 글의 ⭐주된 갈등은 무엇이겠습니까?

(③)

보기

소설의 인물은 자신의 내면과 갈등하기도 하고, 자신을 둘러싼 외부적 요인과 갈등하기도 한다. 외부적 요인과의 갈등에는 인물들 사이의 가치관 차이 때문에 발생하는 <u>인물과 인물의 갈등</u>, 인물이 자신이 처한 사회·문화적 상황과 대립하는 <u>인물과 사회의 갈등</u>, 인물이 생존을 위해 자연과 싸우는 <u>인물과 자연의 갈등</u>, 인물이 타고난 운명에 맞서는 <u>인물과 운명의 갈등</u>이 있다.

① 외국에서 공부를 계속할 것을 권하는 <u>사회·문화</u>와의 갈등 ✕
② 공부를 그만두고✕ 싶으면서도 쉽게 결정하지 못하는 내면과의 갈등 └아버지 때문에 어쩔 수 없는 것임. ✕
✓③ 서로 다른 가치를 추구하는 <u>아버지와 대립하는 인물과 인물의 갈등</u> ○
④ 부모의 뜻대로 시집가서 살 것이 이미 결정되어 있는 <u>운명과의 갈등</u> ✕. 아버지의 뜻일 뿐임.
⑤ 사람으로서 하등동물처럼 살아갈 수 없음을 드러내는 <u>자연과의 갈등</u> ✕. 아버지와 대립

5 어휘·어법_한자성어
⊙에서 아버지는 좋은 옷을 입는 것과 배불리 먹는 것을 중요하게 생각하고 있습니다. 이러한 의미를 지니는 한자성어는 '좋은 옷을 입고 좋은 음식을 먹음.'을 뜻하는 '호의호식'입니다.

어휘력 완성 ─── 063쪽

1 ⊙ 금수 ⊙ 영장 **2** (1) ㉓ (2) ㉔ (3) ㉕ **3** ①

1 인간으로서 해서는 안 될 행동을 할 때, '금수만도 못하다'라는 표현을 씁니다. ⊙에 알맞은 낱말인 '금수'는 날짐승과 길짐승을 모두 이르는 말입니다. 그리고 다른 짐승과 달리 특별한 존재인 인간을 '만물의 영장'이라고 합니다. ⊙에 알맞은 낱말인 '영장'은 신령스러운 힘을 가진 우두머리라는 뜻입니다. '야수'는 야생의 사나운 짐승을 뜻하고, '맹수'는 육식을 하는 사나운 짐승을 뜻합니다.

3 경희는 사람이 금수와 다른 것은 보잘것없는 밥이라도 자신의 노력으로 이루어 낼 수 있기 때문임을 이야기하고 있습니다. 결국 스스로의 노력 없이 주어진 삶에만 만족하며 살아가는 태도를 비판한다고 볼 수 있습니다. 이러한 태도를 의미하는 한자성어는 '하는 일 없이 놀고먹음.'을 뜻하는 '무위도식'입니다.

소설 12 상국지

1 조조, 관우, 보은, 간청　**2** ④　**3** ⑤　**4** ⑤　**5** ⑤

종류 고전 소설

특징 이 소설은 후한 말에서 위, 촉, 오의 3국 정립을 거쳐 진나라의 성립까지의 역사를 소설화한 작품입니다. 웅대한 규모, 수많은 등장인물, 파란만장한 전투 장면 등으로 가장 널리 읽히는 역사 소설입니다.

주제 영웅들의 천하 쟁패

---

1 핵심 요약_내용 흐름 정리하기

(조조)가 풀밭에서 공명과 주유를 비웃다가 적들에 에워싸임.

↓

적의 장수가 (관우)임을 알고 지난날의 정리를 생각해 보내 주기를 간청함.

↓

관우가 조조에 대한 (보은)은 이미 끝났다고 하며 간청을 거절함.

↓

조조의 거듭된 (간청)에 마음이 흔들린 관우가 조조 일행을 풀어 줌.

2 내용 이해_세부 내용 파악하기

조조는 관우에게 지난날의 정리를 생각하여 그냥 보내 줄 것을 간청하고 있습니다. 관우가 지난날의 은혜는 이미 갚았다고 냉담한 어조로 말해도 조조는 계속하여 간절하게 청하고 있습니다. 따라서 조조가 관우의 냉담한 태도에 살 희망을 버린 것은 아닙니다.

3 표현_말하기 방식 파악하기

[가]에서 관우는 지난날 안량과 문추를 베는 것으로 보은을 다했다고 함으로써, 조조도 알고 있는 사건을 언급하며 조조를 풀어 줄 생각이 없음을 밝히고 있습니다. [나]에서 조조도 지난날 현덕 공의 두 부인을 자신이 구해 주었다는 사실을 언급하며 관우에게 자신을 보내 줄 것을 간청하고 있습니다.

오답 피하기

① [가]에서 관우는 '공사를 그르치리오.'라고 함으로써 자신의 입장을 바꿀 생각이 없음을 밝히고 있습니다.
④ [나]에서 상대와 관계있는 유현덕의 두 부인에 대한 정보가 나타나 있지만, 상대의 약점을 비난하고 있지는 않습니다.

4 추론하기_외부 자료를 바탕으로 추론하기

'조조'는 '공명'과 '주유'의 지모가 부족하다며 비웃고 있다가, 아무도 없을 것으로 생각했던 풀밭에서 오백여 군사가 뛰어나오자 당황하게 됩니다. 따라서 '조조'가 '공명'과 '주유'의 계획을 파악하고 있었다는 설명은 적절하지 않습니다.

? 문제 돋보기

4 **보기**를 참고할 때, 이 글의 인물들에 대한 설명으로 적절하지 않은 것은 무엇입니까? (⑤)　조조 정욱

보기

　고전 소설의 감상에서는 인물 사이의 관계 파악과 인물을 가리키는 말에 대한 이해가 중요하다. 이 글에서 대립하고 있는 인물은 '조조'와 '관우'이며, '조조'는 '정욱'에 의해 '승상'으로 불린다. '관우'는 촉나라의 '유비'를 주군으로 모시고 있으며, '관우'와 '유비'의 또 다른 이름은 '관운장'과 '유현덕'이다. '공명'은 촉나라의 전략가로 오나라의 '주유'와 함께 적벽의 싸움에서 조조의 군사에 큰 승리를 거둔다.　유비(유현덕) 관우(관운장)

① '조조'와 부하 '정욱'은 '적벽의 싸움'에서 패하였었군.
② '정욱'은 과거 다른 지역에서 '관우'와 가깝게 지낸 적이 있었군.　○. '허도'에 있을 때 가깝게 지냄.
③ '관우'가 '조조'를 죽이려 하는 것은 '유비'의 명에 의한 것이군.　○. '주군의 명을 받고 ~'
④ '유비'의 부인이 '조조'에 의해 도움을 받았던 사건이 있었군.　○. 두 부인 구출
⑤ '조조'가 풀밭에 앉아 산천을 살펴볼 때 이미 '공명'과 '주유'의 계획을 파악하고 있었군.　×. 생각 못함.

5 어휘·어법_한자성어

갑자기 숲에서 나타난 오백여 군사들에 의해 포위되었을 때 군사들의 상태는 몹시 놀라 넋을 잃음을 이르는 말인 '혼비백산'으로 표현할 수 있습니다.

어휘력 완성

1 ㉠ 별고　㉡ 목전　**2** (1) ㉰ (2) ㉯ (3) ㉮　**3** ③

1 그동안의 안부를 여쭈어보고 싶을 때 쓰는 말로 ㉠에 들어갈 낱말은 '특별한 사고'라는 의미의 '별고'입니다. 그리고 과거 시험일이 얼마 남지 않았다는 훈장 선생님의 말에서 ㉡에 들어갈 낱말은 '눈의 앞'이라는 의미의 '목전'입니다.

3 조조는 죽음을 각오하고 싸우려 하고 있습니다. 이러한 태도와 관련있는 한자성어는 죽고 사는 것을 돌보지 않고 끝장을 내려고 한다는 의미의 '사생결단'입니다.

시 01 진달래꽃

072~073쪽

1 진달래꽃, 꽃, 눈물 **2** ③ **3** ③

이 시의 화자: 임과의 이별을 가정하고 있는 사람

나 보기가 역겨워

가실 때에는
이별의 상황 가정
말없이 고이 보내 드리우리다
원망의 말을 하지 않고
▶ 1연: 이별의 상황에 대한 체념

■ : 동일한 종결 어미 '-우리다'의
반복 → 운율 형성

영변(寧邊)에 약산(藥山)
① 임에 대한 사랑과 정성의 상징 ② 시적 화자의 분신
진달래꽃

아름 따다 가실 길에 뿌리우리다
두 팔 가득 – 임에게 드리는 사랑의 크기
▶ 2연: 떠나는 임에 대한 축복

가시는 걸음걸음

놓인 그 꽃을
화자의 마음
사뿐히 즈려밟고 가시옵소서.
임에 대한 화자의 희생적 사랑 ▶ 3연: 임에 대한 희생적 사랑

나 보기가 역겨워

가실 때에는

죽어도 아니 눈물 흘리우리다
도치법을 통한 강조 → 슬픔의 반어적 표현
▶ 4연: 고통의 인내를 통한 슬픔 극복

1연의 변형 반복 –
변형된 수미상관의 구조

글의 종류 현대시

글의 특징 이 시는 우리 민족의 전통적 정서라고 할 수 있는 이별의 정한을 노래한 작품입니다. 화자는 이별의 상황에 대해 원망하고 좌절하기보다는 슬픔을 받아들이고 인내하겠다고 말하고 있습니다. 그러나 이 시의 내용은 모두 속마음을 반대로 이야기하는 반어적 표현으로 볼 수 있으며, 그것이 가장 두드러지게 드러나는 부분이 4연의 마지막 행입니다.

주제 이별의 정한과 그 극복

---

1 핵심 요약_내용 흐름 정리하기

1연	이별의 상황을 받아들임.
2연	임이 떠나는 길에 (진달래꽃)을 뿌림.
3연	임이 (꽃)을 밟고 가기를 바람.
4연	임이 가면 죽어도 (눈물) 흘리지 않을 것임.

2 내용 이해_시어의 의미 파악하기

이 시에서 '진달래꽃'은 떠나는 임에 대한 '나'의 사랑을 상징하는 소재이며, '아름'은 두 팔을 벌려 껴안은 둘레의 길이를 뜻하는 말로, 사랑의 크기를 형상화한 표현입니다.

3 표현_반어적 표현 이해하기

이 시에서 화자는 이별의 상황을 체념한 듯이 말하고 있지만, 그 속에 숨겨진 마음은 임이 떠나지 않기를 바라고 있습니다. 3연에서 겉으로 드러난 태도는 '마음껏 꽃을 밟고 가셔도 좋아요.'이지만, 속에 숨어 있는 마음은 그와는 정반대인 '제발 밟고 가지 마세요. 이 꽃이 바로 저의 사랑이에요.'와 같은 말이 될 것입니다. '앞으로는 꽃길만 걸어가세요.'는 속에 숨어 있는 마음이 아니라 겉으로 드러난 태도와 일치하는 말로 볼 수 있습니다.

? 문제 돋보기

3 보기를 바탕으로 화자의 태도를 정리한 것 중 적절하지 않은 것은 무엇입니까? (③)

보기

4연 마지막 행에서는 '아니'를 '눈물' 앞에 써서 표현함으로써 울지 않겠다는 것을 강조하고 있다. 지나친 부정은 긍정의 의미가 되기도 한다는 점에서, 화자가 슬프게 울 것임을 짐작할 수 있다. 그러면 1연~3연은 모두 진심으로 한 말일까? 이 시는 처음부터 끝까지 화자의 마음을 반대로 이야기하는 반어적 표현으로 이루어진 작품이다.
└ 속마음과 반대로 말함.

	겉으로 드러난 태도	속에 숨어 있는 마음
1연	① 기꺼이 당신을 보내 드릴게요.	제발 가지 마세요.
2연	당신의 앞길을 축복해 드릴게요.	② 정말 가실 건가요?
3연	마음껏 저를 밟고 가셔도 좋아요.	③ 앞으로는 꽃길만 걸어 가세요. └→ 제발 가지 마세요.
4연	④ 꼭 슬픔을 이겨 낼 거예요.	⑤ 저는 피눈물을 흘릴 거예요.

1 호수, 촛불, 나그네, 낙엽   **2** ③   **3** ②

내 마음은 호수요,
고요하고 평화로운 상태
그대 노 저어 오오.
'그대'가 '내 마음' 속으로 들어오기를 바람.
나는 그대의 흰 그림자를 안고, 옥같이
화자: '그대'에게 사랑을 표현하는 사람   '옥'처럼 희고 고결하게
그대의 뱃전에 부서지리다.
'그대'를 향한 열정적·헌신적 사랑
▶ 1연: 그대를 향한 '나'의 열정적인 사랑

■ : '내 마음은 ~요' / '그대 ~오' / '나는 ~리다'
– 동일한 문장 구조의 반복 → 운율 형성

내 마음은 촛불이요,
자신을 태워 밤을 밝히는 희생적 존재
그대 저 문을 닫아 주오.
'그대'와 단둘이 함께 있기를 바람.
나는 그대의 비단 옷자락에 떨며, 고요히

최후의 한 방울도 남김 없이 타오리다.
'그대'를 향한 희생적 사랑
▶ 2연: 그대를 향한 '나'의 헌신적인 사랑

내 마음은 나그네요,
외롭게 방황하는 존재
그대 피리를 불어 주오.
외로운 '나'를 위로해 주기를 바람.
나는 달 아래 귀를 기울이며, 호젓이

나의 밤을 새이오리다.
'그대'를 향한 끝없는 그리움
▶ 3연: 그대로 인한 '나'의 외로움과 그리움

내 마음은 낙엽이요,
쓸쓸하게 떠도는 존재
잠깐 그대의 뜰에 머무르게 하오.
쓸쓸한 '나'를 잠시라도 받아 주기를 바람.
이제 바람이 일면 나는 또 나그네같이, 외로이

그대를 떠나오리다.
'그대'를 떠나야 하는 안타까움, 슬픔
▶ 4연: 그대를 떠나야 하는 '나'의 안타까움과 슬픔

글의 종류 현대시

글의 특징 이 시는 다양한 비유적 표현을 통해 '그대'를 향한 '나'의 마음을 표현하고 있는 작품입니다. 은유의 효과를 가장 잘 살린 작품으로 평가되며, '내 마음은 ~요', '그대 ~오', '나는 ~리다'라는 동일한 문장 구조의 반복을 통해 운율을 형성하고 있습니다.

주제 '그대'에 대한 사랑과 애달픈 마음

---

1 핵심 요약_내용 흐름 정리하기

'내 마음'

1연	옥같이 그대의 뱃전에서 부서지는 (호수)
2연	고요히 최후의 한 방울도 남김 없이 타는 (촛불)
3연	달 아래 귀를 기울이며 호젓이 밤을 새는 (나그네)
4연	바람이 일면 외로이 그대를 떠나는 (낙엽)

2 내용 이해_시어의 의미 파악하기

㉠은 옥같이 부서지는 물결처럼 '그대'를 위해 희생하고 헌신하는 '나'의 열정적인 사랑을 의미합니다. ㉠에서 쉽게 변해버리는 사랑이라는 의미는 찾아볼 수 없습니다. 그리고 나머지 선택지와 비교해 볼 때 ③만이 부정적인 의미를 뜻하고 있으므로, 이 시에서 노래하는 '내 마음'의 의미로 가장 적절하지 않은 표현임을 알 수 있습니다.

3 적용하기_이론을 바탕으로 적용하기

이 시의 '나'는 2연에서 '내 마음'을 '촛불'에 비유하고 있습니다. 그런데 '촛불'은 작은 움직임에도 떨리는 여린 존재이며, 자신을 태워서 어둠을 밝히는 희생적인 존재입니다. '최후의 한 방울'이라는 표현은 자신을 끝까지 아낌없이 희생한다는 의미이지, 영원히 빛나는 존재라는 의미는 아닙니다.

？ 문제 돋보기

3 보기를 참고하여 '내 마음'의 특징을 파악할 때, 적절하지 않은 것은 무엇입니까? (②)

보기

시는 '나'의 마음을 노래하는 문학이다. 그런데 마음은 눈에 보이거나 귀에 들리지 않는다. 그래서 나의 마음이 어떠한가를 전달하기 위해 우리가 잘 아는 대상에 빗대어 표현하며, 이러한 방법을 비유라고 한다. 이 시에서 '호수, 촛불, 나그네, 낙엽' 등은 모두 '나'의 마음을 비유하는 대상이다.

① '그대'를 기다리는 잔잔하고 평화로운 존재이다.
 └ 호수
② '그대'와 최후의 순간까지 빛날 영원한 존재이다.
 └ 끝까지 희생하는 존재
③ '그대'의 작은 움직임에도 떨리는 여린 존재이다.
 └ 촛불
④ '그대'의 피리 소리에 귀 기울이는 외로운 존재이다.
 └ 나그네
⑤ '그대' 곁에 잠시 머물다가 떠나는 쓸쓸한 존재이다.
 └ 낙엽

오답 피하기

① 고요하고 잔잔한 '호수'의 특징입니다.
③ 비단 옷자락에 떠는 '촛불'의 특징입니다.
④ 외롭게 방황하는 '나그네'의 특징입니다.
⑤ 쓸쓸하게 떠도는 '낙엽'의 특징입니다.

1 봄, 보람, 봄 **2** ① **3** ⑤

화자가 소망하는 절대적 아름다움의 대상
(모란)이 피기까지는,
화자: 모란을 기다리는 사람   ▶ 1~2행: 모란이 피기를 기다림.
(나)는 아직 (나)의 봄을 기다리고 있을 테요.
　　　모란이 피는 계절 – 모란이 피어야 진정한 봄이 됨.
모란이 뚝뚝 떨어져 버린 날,
　　　모란이 지는 슬픔과 절망감 강조
나는 비로소 봄을 여읜 설움에 잠길 테요.
　　　모란(=봄)이 떨어진 것에 대한 슬픔과 상실감
오월 어느 날, 그 하루 무덥던 날,
　　　모란과의 이별로 인한 괴로움 부각
떨어져 누운 꽃잎마저 시들어 버리고는

천지에 모란은 자취도 없어지고,
　　　모란이 완전한 사라짐.
뻗쳐 오르던 (내 보람) 서운케 무너졌으니,
　　　모란의 의미 – 모란이 삶의 가장 큰 보람임.
모란이 지고 말면 그뿐, 내 한 해는 다 가고 말아,
　　　모란의 절대성 – 모란이 인생의 의미 그 자체임.
삼백예순날 하냥 섭섭해 우옵내다. ▶ 3~10행: 모란이 진
실제 날짜가 아닌 화자가 느끼는 슬픔의 크기를 과장함.　후의 슬픔과 절망감
모란이 피기까지는,

「나는 아직 기다리고 있을 테요, 찬란한 슬픔의
봄을.」
　　　　　　모란이 피는 기쁨(찬란한)과
『 』: 문장의 순서를 바꾸는 표현(도치법)　모란이 지는 슬픔을 동시에
→ '찬란한 슬픔의 봄' 강조　　나타내는 표현 (역설법)
　　　　　　▶ 11~12행: 모란이 다시 피기를 기다림.

글의 종류 현대시

글의 특징 이 시는 화자가 지향하는 절대적 아름다움의
상징인 '모란'을 상실한 슬픔과 반복되는 기다림을 노래하
고 있는 작품입니다. '봄'은 '모란'이 피는 기쁨의 계절인
동시에 '모란'이 지고 마는 슬픔의 계절이기도 하며, 이 시
에서는 이러한 '봄'의 모순된 속성을 '찬란한 슬픔의 봄'이
라는 역설적 표현으로 드러내고 있습니다.

주제 '모란'에 대한 간절한 기다림

---

1 핵심 요약_내용 흐름 정리하기

1~2행	모란이 피기까지 (봄)을 기다림.
3~10행	모란이 사라지면 내 (보람)이 무너짐.
11~12행	모란이 피기까지 찬란한 슬픔의 (봄)을 기다림.

2 내용 이해_시의 주제 파악하기

'모란이 피기까지' 기다리는 것으로 시작하여, 다시 '모
란이 피기까지' 기다리는 것으로 끝나는 이 시는, 원하는
것을 간절히 소망하고 기다리며 인내하는 삶의 모습을 우
리에게 보여 주고 있습니다.

오답 피하기

② 모란이 다 져 버린 슬픔 때문에 울지만 다시 모란이 피
기를 기다리고 있으므로, 비극적인 삶과는 거리가 멉니다.
③ 화자가 모란이 피는 것을 기다리며 계획적인 준비를
하는 것은 아닙니다.
④ 모란이 지는 것에 대해 섭섭해하며 운다는 것으로 보
아, 모든 것을 받아들인다고 볼 수 없습니다.
⑤ 화자는 모란이 피고 지는 것에 대해 적극적으로 행동
하는 것은 아닙니다. 모란이 피기를 간절히 기다리고, 모
란이 피면 기뻐하고, 모란이 지면 슬퍼하면서 또 기다릴
뿐입니다.

3 표현_역설적 표현 이해하기

'찬란한 슬픔의 봄'은 '찬란한'이라는 긍정적 의미의 시어
와 '슬픔'이라는 부정적 의미의 시어가 함께 쓰였습니다.
모란이 피면 찬란한 기쁨을 느끼게 해 주지만 금방 져 버
리면 커다란 슬픔에 빠지게 만드는 '봄'의 이중적 성격을
역설법을 사용하여 드러내고 있습니다.

? 문제 돋보기

3 **보기**에서 설명하는 표현이 쓰인 부분으로 적절한 것은 무엇입
니까? (⑤)

보기

우리는 가끔 시에서 앞뒤가 맞지 않는 표현을 볼 때가
있다. 이를테면 '얻는다는 것은 곧 잃는 것이다' 같은 구
절은 반대되는 의미의 두 시어가 함께 쓰여 앞뒤가 맞지
않는다. 이처럼 앞뒤가 맞지 않는 말을 연결하는 표현을
'역설법'이라고 한다.

① 모란이 피기까지는
② 봄을 여읜 설움
③ 그 하루 무덥던 날　　　역설법과 관련 ×
④ 내 한 해는 다 가고 말아
⑤ 찬란한 슬픔의 봄 → 앞뒤가 맞지 않음.

「열무 삼십 단을 이고

시장에 간 우리 엄마」 『 』: 시장에서 열무를 파는 엄마

안 오시네, 해는 시든 지 오래
해가 지는 것을 열무가 시드는 것에 비유 - 어둡고 쓸쓸한 분위기
나는 찬밥처럼 방에 담겨
외롭고 쓸쓸했던 어린 시절의 모습 비유 - 촉각적 형상화
아무리 천천히 숙제를 해도
어린 시절의 화자
엄마 안 오시네, 배추 잎 같은 발소리 타박타박
고달픈 삶에 지친 엄마의 모습 비유 - 청각적 형상화
안 들리네, 어둡고 무서워
화자의 정서 직접 제시
금 간 창틈으로 고요히 빗소리
화자의 가난한 처지를 드러냄. 외로움과 쓸쓸함 고조
빈방에 혼자 엎드려 훌쩍거리던 - 과거임을 알 수 있음.
엄마를 기다리는 어린 화자의 외로움과 두려움
▶ 1연: 시장에 간 엄마를 기다리는 '나'의 외로움과 두려움(과거)

아주 먼 옛날
어른이 된 '내'가 기억하는 어린 시절
지금도 내 눈시울을 뜨겁게 하는
어른이 된 현재, 어린 시절을 회상하는 화자의 슬픔 - 촉각적 형상화
그 시절, 내 유년의 윗목
어린 시절의 외롭고 쓸쓸한 모습을 비유 - 촉각적 형상화
어른이 된 화자 - 어린 시절을 돌아봄.
▶ 2연: 외로웠던 어린 시절에 대한 회상(현재)

글의 종류 현대시

글의 특징 이 시는 화자가 어머니를 기다렸던 가난한 어린 시절을 돌아보고 있는 작품입니다. 시각, 청각, 촉각 등의 다양한 감각적 이미지를 이용하여, 외롭고 쓸쓸했던 어린 시절의 기억을 구체적으로 형상화하고 있습니다.

주제 빈방에서 홀로 엄마를 기다리던 어린 시절의 외로움

1 핵심 요약_내용 흐름 정리하기

	시간	상황
1연	과거	어린 시절의 '내'가 시장에 가서 해가 지도록 돌아오지 않는 (엄마)를 기다림.
2연	현재	어른이 된 '내'가 외롭고 쓸쓸했던 (유년) 시절을 돌아봄.

2 내용 이해_시어의 의미 파악하기

'오래'는 어린 시절 '엄마'를 기다리던 상황에서 이미 한참 전에 해가 저물었음을 알게 해 주는 시어일 뿐, 어린 시절을 돌아보는 것을 알게 해 주지는 않습니다.

오답 피하기

② '-던'은 과거의 상태를 나타내는 어미로, 어른이 된 화자가 어린 시절을 돌아보고 있음을 알게 해 줍니다.
③, ⑤ '먼 옛날', '그 시절'은 어린 시절을 회상하고 있음을 직접적으로 드러내는 시어입니다.
④ '지금도'는 현재 시점을 의미하는 시어로, 이를 통해 화자가 과거 어린 시절을 돌아보고 있음을 알 수 있습니다.

3 표현_표현 방식 이해하기

ⓒ에서는 '금 간 창틈'이라는 시각적 심상이 '나'의 가난하고 어두운 처지를 생생하게 표현하는 역할을 합니다.

문제 돋보기

3 보기를 바탕으로 하여 ㉠~㉤을 이해한 것으로 적절하지 않은 것은 무엇입니까? (③)

보기

시에서 화자의 생각이나 감정 등을 독자에게 생생하고 구체적인 모습으로 드러내기 위한 작업을 '형상화'라고 한다. 형상화는 특정 상황을 구체적인 대상에 비유하거나 그림 그리듯이 묘사하는 것이다. 특히 시각, 청각, 촉각 등의 감각적 심상(이미지)을 활용하여 독자에게 선명한 이미지를 떠올리게 하는 경우가 많다.

① ㉠에서는 '해'가 저무는 것을 열무가 시드는 것에 비유하여, 어두운 분위기를 더 생생하게 표현하고 있다.
② ㉡에서는 '타박타박'이라는 청각적 심상을 사용하여, '엄마'의 지치고 고달픈 모습을 더 선명하게 표현하고 있다.
③ ㉢에서는 '금 간 창틈'이라는 시각적 심상을 사용하여, 포근하고 아늑한 '나'의 마음을 생생하게 표현하고 있다. 가난한 처지 강조
④ ㉣에서는 '뜨겁게'라는 촉각적 심상을 사용하여, 어린 시절을 돌아보며 슬픔을 느끼는 '나'의 감정을 생생하게 표현하고 있다. 눈물 / 차가움.
⑤ ㉤에서는 '윗목'이라는 촉각적 심상을 사용하여, 외롭고 쓸쓸했던 '나'의 어린 시절에 대한 안타까움을 선명하게 표현하고 있다.

1 이름, 꽃, 눈짓 **2** ① **3** ②

인식의 대상
내가 그의 이름을 불러 주기 전에는
인식의 주체   인식 이전의 상태 = 의미를 부여하기 이전
그는 다만

하나의 몸짓에 지나지 않았다.
의미 없는 존재   ▶ 1연: 인식 이전의 무의미한 '그'

내가 그의 이름을 불러 주었을 때
     존재를 인식하는 행위 = 의미를 부여했을 때
그는 나에게로 와서

꽃이 되었다.
의미 있는 존재   ▶ 2연: 이름을 불러서 의미 있는 존재가 된 '그'

내가 그의 이름을 불러 준 것처럼

나의 이 빛깔과 향기에 알맞은
      존재의 본질 = '나'만의 고유한 성질
누가 나의 이름을 불러 다오.
  누군가 자신을 인식해 주기를 소망함.
그에게로 가서 나도

그의 꽃이 되고 싶다.
누군가에게 의미 있는 존재가 되고 싶음.
          ▶ 3연: 의미 있는 존재가 되고 싶은 '나'

우리들은 모두
인식의 주체와 대상
무엇이 되고 싶다.
의미 있는 존재
너는 나에게 나는 너에게

잊혀지지 않는 하나의 눈짓이 되고 싶다.
         서로에게 의미 있는 존재
          ▶ 4연: 서로에게 의미 있는 존재가 되고 싶은 '우리'

글의 종류 현대시

글의 특징 이 시는 '꽃'을 통해 '존재의 본질 인식에 대한 소망'이라는 어려운 주제를 다루고 있는 작품입니다. '이름'을 불러 줌으로써 서로 의미 있는 존재가 되고 싶다고 말하며, 사람과 사람 사이의 진정한 관계를 맺고 싶은 소망을 노래하고 있습니다.

주제 서로에게 의미 있는 존재가 되고 싶은 소망

---

1 핵심 요약_내용 흐름 정리하기

몸짓 → (꽃) = (눈짓)

(이름)을 부름.

너와 내가 서로에게 의미 있는 존재가 됨.

2 내용 이해_시어의 의미 파악하기

'몸짓'은 '이름을 불러 주기 전' 즉 '의미를 부여하기 전'의 상태이므로, '의미 없는 존재'를 뜻한다고 볼 수 있습니다. '꽃'은 이름을 불러 준 후 '의미 있는 존재'로 변화된 상태를 의미하며, '그의 꽃', '무엇', '눈짓' 역시 '나(우리)'가 되고 싶은 상태이므로 '의미 있는 존재'로 볼 수 있습니다.

3 적용하기_구체적인 상황에 적용하기

㉮ '빛깔과 향기'는 어떤 존재의 본질, 즉 그 존재만의 고유한 성질을 뜻하며, '나'는 '이름'을 부를 때는 이 '빛깔과 향기'에 알맞은 이름을 불러야 한다고 말하고 있습니다. 따라서 [보기]에서 내가 만난 고양이의 특징이자 이름을 붙이게 된 이유에 해당하는 ⓑ가 바로 '빛깔과 향기'와 의미가 통한다고 볼 수 있습니다.

? 문제 돋보기

3 보기의 ⓐ~ⓔ 중, 이 시의 ㉮와 의미가 통하는 것은 무엇입니까? (②)
                                        └ 그 존재만의 고유한 성질

보기

갑자기 이사 오게 된 동네는 모든 것이 낯설었지. 전학한 학교에서도 아직 마음이 통하는 친구를 사귀지 못했어. 그러던 어느 날 아파트 현관 근처에 있는 고양이를 보았어. ⓐ처음에는 날 보자마자 도망가 버렸는데,
                    └ 의미 없는 존재
그 후로 며칠 동안 계속 마주치게 되는 거야. 고양이는 내가 익숙해졌는지 가까이 다가가도 도망가지 않더라고. ⓑ가만히 보니까 검은 털이 너무 예뻐서 ⓒ'까미'라고 불
      └ 고양이의 특징   └ 이름
러 주고 먹을 것도 갖다주게 되었어. 이제 내가 집에 올 때쯤이면 까미가 아파트 현관 근처로 마중을 나와. ⓓ귀여운 울음소리로 '냐옹' 하고 인사를 하지. ⓔ이제
      └ 존재로 인식함.
우리는 진짜 친구가 된 것 같아. ─ 서로에게 의미 있는 존재가 됨.

① ⓐ   ② ⓑ   ③ ⓒ   ④ ⓓ   ⑤ ⓔ

오답 피하기

① 서로에게 아무 의미가 없는 사이일 때의 행동입니다.
③ 내가 고양이에게 알맞은 '까미'라는 이름을 불러 준 것입니다.
④ 고양이 까미도 나의 존재를 인식하고 부른 것입니다.
⑤ 나와 까미가 서로에게 의미 있는 존재가 된 것입니다.

1 가을, 매미, 울음, 노래 **2** ① **3** ①

높은 가지를 흔드는 매미 소리에 묻혀
〔시끄럽고 우렁찬 울음〕

내 울음 아직 노래 아니다.
귀뚜라미의 울음 다른 사람에게 감동을 주는 노래가 되지 못함.
▶ 1연: 아직은 '노래'가 아닌 '나'의 울음

차가운 바닥 위에 토하는 울음,

풀잎 없고 이슬 한 방울 내리지 않는

지하도 콘크리트벽 좁은 틈에서
숨 막힐 듯 답답한 공간
숨 막힐 듯, 그러나 나 여기 살아 있다.
강인한 생명력과 노래에 대한 의지
귀뚜르르 뚜르르 보내는 타전 소리가
무전을 발신하는 소리와 비슷한 점을 이용한 표현임.
누구의 마음 하나 울릴 수 있을까.
누군가의 마음을 울릴 수 있는 노래를 부르고 싶은 소망을 표현함.
▶ 2연: 고통스러운 현실 속에서도 살아서 '노래'가 되고 싶은 소망

지금은 매미 떼가 하늘을 찌르는 시절
뜨겁고 시끄러운 여름
그 소리 걷히고 맑은 가을이
매미 소리   화자가 기다리는 귀뚜라미의 계절
「어린 풀숲 위에 내려와 뒤척이기도 하고
「 」: 가을의 의인화. 가을이 깊어 가는 상황을 감각적으로 표현함.
계단을 타고 이 땅 밑까지 내려오는 날」

발길에 눌려 우는 내 울음도
가장 낮고 차가운 곳에서 울려 퍼지는 귀뚜라미의 울음
누군가의 가슴에 실려 가는 노래일 수 있을까.
의문문 형식, 비슷한 문장 구조의 반복
→ 누군가의 마음을 울릴 수 있는 노래를 부르고 싶은 소망을 강조함.
▶ 3연: 맑은 가을, 누군가에게 감동을 주는 '노래'가 되고 싶은 소망

글의 종류 현대시

글의 특징 이 시는 뜨거운 여름 높은 가지에서 큰 소리로 울고 있는 '매미' 소리와 낮고 차가운 곳에서 서러운 울음을 토하고 있는 '나(귀뚜라미)'의 울음을 대조적으로 보여 주고 있는 작품입니다. 화자인 귀뚜라미는 여름이 가고 가을이 오면 자신의 울음도 누군가에게 감동을 주는 노래가 되었으면 좋겠다는 소망을 의문문의 형식으로 2연과 3연에서 반복하고 있습니다.

주제 누군가에게 감동을 주고 싶은 간절한 소망

1 핵심 요약_내용 흐름 정리하기

지금 = 여름	(가을)

(매미) 소리	'나'(귀뚜라미)의 울음	
높은 가지를 흔들고, 하늘을 찌름.	차가운 바닥, 지하도 콘크리트벽 좁은 틈에서 (울음)을 토함.	누군가의 가슴에 실려 가는 (노래)가 되고 싶음.

2 내용 이해_시어의 성격 파악하기

'높은 가지'는 '매미'가 울고 있는 좋은 환경으로, '귀뚜라미'가 처한 환경과는 대조가 되는 곳입니다. '차가운 바닥 위', '지하도 콘크리트벽 좁은 틈', '어린 풀숲 위', '이 땅 밑'은 '귀뚜라미'의 울음이 울려 퍼지는 가장 낮은 곳을 의미합니다.

3 감상_다른 작품과 비교하기

이 시에서 ㉮는 울음으로 누군가의 마음을 울리고 감동을 주고자 하며, [보기]의 ㉯는 울음으로 자신을 잊고 잠든 얄미운 임의 잠을 깨우고 싶어 합니다.

❓ 문제 돋보기

3 이 시의 ㉮와 보기 의 ㉯를 비교한 설명으로 가장 적절한 것은 무엇입니까? (①)

> 보기
>
> 임 그리워 꾸는 꿈에 ㉯귀뚜라미 넋이 되어
> 화자의 마음을 전해 주는 매개체
> 가을밤 깊은 밤에 임의 방에 들어가서
> 외롭고 쓸쓸한 시간적 배경
> 날 잊고 깊이 든 잠을 깨워 볼까 하노라.
> 자신을 잊은 임에 대한 야속함
> – 박효관의 시조

✓① ㉮는 누군가에게 감동을 주고 싶어 하지만, ㉯는 임을 깨우고 싶어 한다.

② ㉮의 울음을 들을 사람은 정해져 있지만, ㉯의 울음을 들을 사람은 정해져 있지 않다.
└ 들을 사람: 임

③ ㉮의 울음은 맑은 가을 하늘 위에서 들리지만, ㉯의 울음은 깊은 가을밤에 들을 수 있다.
└ 매미 소리

④ ㉮의 울음은 그리움의 감정을 지닌 것이지만, ㉯의 울음은 반가움의 감정을 지닌 것이다.
└ 누군가의 마음을 울리고 싶은 마음
└ 그리움

⑤ ㉮의 울음은 아직 누구의 마음도 울리지 못했지만, ㉯의 울음은 임에게 내 마음을 전달했다.
└ 아직 전달 ×

오답 피하기

② ㉮의 울음은 들을 사람이 정해져 있지 않지만, ㉯의 울음은 들을 사람이 '임'으로 정해져 있습니다.

③ ㉮의 울음은 '땅 밑'에서 들리는 소리입니다.

④ ㉯의 울음이 그리움의 감정을 지닌 것입니다.

⑤ ㉯ 또한 아직 자신의 마음을 전달하지는 못했습니다.

1 청포, 청포도, 흰 돛단배, 은쟁반, 모시 수건   **2** ④

3 ③

화자: '손님'을 기다리는 사람
내 고장 칠월은

청포도가 익어 가는 시절.
평화롭고 풍요로운 세계 상징

이 마을 전설이 주저리주저리 열리고
과거의 평화롭던 삶이 다시 열매 맺음.
먼 데 하늘이 꿈꾸며 알알이 들어와 박혀
이상과 소망이 현실로 다가와 열매 맺음.
'청포도'가 익는 상황의 의미
▶ 1~2연: '청포도'가 익어 가는 고향의 모습

하늘 밑 푸른 바다가 가슴을 열고
푸른색 이미지
흰 돛단배가 곱게 밀려서 오면
흰색 이미지
푸른색과 흰색의 대비를 통한 희망적 분위기 부각

내가 바라는 **손님**은 고달픈 몸으로
화자가 간절히 기다리는 대상 – 조국 광복
청포를 입고 찾아온다고 했으니,
조국 광복을 위해 헌신하는 모습
푸른색 이미지 – 고귀하고 희망적인 느낌
'손님'
▶ 3~4연: '손님'이 찾아올 때의 모습과 상황

내 **그**를 맞아 이 포도를 따 먹으면

두 손은 함뿍 적셔도 좋으련.
'손님'을 맞는 기쁨과 자기희생적 태도
▶ 5연: '손님'을 맞는 기쁨을 누리고 싶은 마음

아이야 우리 식탁엔 은쟁반에
전통적 분위기를 고조시키는 역할   흰색 이미지 – 정성
하이얀 모시 수건을 마련해 두렴.
흰색 이미지 – 정성   '손님'이 올 것에 대한 확신
▶ 6연: '손님'을 기다리는 정성스러운 자세

글의 종류 현대시

글의 특징 이 시는 화자가 기다리는 대상인 '손님'이 찾아올 상황과 분위기, 그리고 '손님'을 맞는 화자의 정성과 기쁨을 노래하고 있는 작품입니다. 다양한 상징적 표현의 사용, 푸른색과 흰색의 선명한 색채 대비를 통해 주제 의식을 형상화하고 있습니다.

주제 조국 광복과 평화로운 세계에 대한 소망

---

1 핵심 요약_내용 흐름 정리하기

기다림의 대상 = (청포)를 입고 찾아오는 '손님'

'손님'을 기다리는 상황	'손님'을 맞는 태도	'손님'을 맞을 준비
• (청포도)가 익어 가는 시절 • 푸른 바다 사이로 (흰 돛단배)가 곱게 밀려오는 때	두 손은 함뿍 적셔도 좋음.	(은쟁반)과 하이얀 (모시 수건)을 마련해 둠.

2 내용 이해_시어의 의미 파악하기

㉠은 '내가 바라는 손님'이 찾아올 때의 모습입니다. '내가 바라는 손님'은 긍정적인 기다림의 대상인데, '고달픈 몸으로' 돌아온다는 것은 '조국 광복'이라는 꿈을 이루기 위해 그동안 많은 고난을 겪었음을 의미하는 것입니다. 꿈을 잊어버렸거나 꿈을 이루지 못해 실패하고 포기한 모습으로 볼 수는 없습니다.

3 감상_상징적 의미 파악하기

3연의 '푸른 바다'와 색채 대비를 이루는 소재는 '흰 돛단배'로, 푸른색 이미지와 흰색 이미지의 대비를 통해 '손님'을 맞이할 수 있으리라는 희망적 분위기를 부각시키고 있습니다. 이 시의 '손님'은 '조국의 광복'을 상징하고, 화자는 독립을 맞이하는 기쁨을 '은쟁반', '모시 수건' 같은 정성을 상징하는 시어로 표현하고 있습니다.

❓ 문제 돋보기

3 이 시를 **보기** 와 같이 이해할 때, ㉮~㉲에 들어갈 말로 적절하지 **않은** 것은 무엇입니까? (③)

> **보기**
>
> 이 시는 우리나라가 일제의 식민 지배로 고통 받던 때 지어진 작품으로, 작가인 이육사는 일제에 저항한 시인이자 독립운동가이다. 따라서 화자가 바라고 기다리는 4연의 '손님'은 (㉮)을 상징한다고 할 수 있다.
> 조국의 독립
> '손님'이 찾아올 그날의 상황을 표현한 1연의 '청포도'는 (㉯)를 의미하며, 3연의 '푸른 바다'는 (㉰)
> 평화롭고 풍요로운 세계   흰 돛단배
> 와 색채 대비를 이루어 선명한 인상을 준다. 또한 5연의 '두 손은 함뿍 적셔도 좋으련'이라는 말은 (㉱)을 의미하는 것으로 볼 수 있고, 6연의 '하이얀 모시 수건'
> 독립을 맞은 기쁨
> 은 '손님'을 맞기 위한 (㉲)을 상징한다.
> 정성

① ㉮ – 조국의 독립
② ㉯ – 평화롭고 풍요로운 세계
③ ㉰ – 청포 – 흰 돛단배
④ ㉱ – 독립을 맞은 기쁨
⑤ ㉲ – 정성

1 해, 앳되고, 달밤, 골짜기　**2** ③　**3** ④

광명, 생명력, 희망, 평화 등의 긍정적 의미
해야 솟아라. 해야 솟아라. 말갛게 씻은 얼굴 고
운 해야 솟아라. 산 넘어 산 넘어서 어둠을 살라 먹
　　　　　　　　　　　절망, 슬픔 등의 부정적 의미
고 산 넘어서 밤새도록 어둠을 살라 먹고, 이글이
글 앳된 얼굴 고운 해야 솟아라.
　순수한　　　　　　　▶ 1연: 광명의 세계(밝음)에 대한 소망

달밤이 싫어, 달밤이 싫어, 눈물 같은 골짜기에
절망과 고통의 시간　　　　　슬픔과 고통이 가득한 현실
달밤이 싫어, 아무도 없는 뜰에 달밤이 나는 싫
　　　고독과 허무의 세계　화자: 새로운 세계를 기다리는 사람
어…….
　　　　　　　　　　▶ 2연: 절망의 세계(어둠)에 대한 거부

해야, 고운 해야, 네가 오면, 네가사 오면, 나는
화합과 공존의 이상적 세계　의인법
나는 청산이 좋아라. 훨훨훨 깃을 치는 청산이 좋
　　　　　　활유법 – 역동적 이미지
아라. 청산이 있으면 홀로라도 좋아라.
　　　　　　　　　　▶ 3연: 새로운 세계에 대한 염원

「사슴을 따라 사슴을 따라, 양지로 양지로 사슴을
　약자　　　　　　　　밝은 세상
따라, 사슴을 만나면 사슴과 놀고,
　　　　　　「 」: 약자와 강자의 화합과 공존
　　　　　　 – 화자가 지향하는 이상 세계 '청산'의 모습
칡범을 따라 칡범을 따라, 칡범을 만나면 칡범과
　강자
놀고…….」　　　　　　　▶ 4~5연: 화합하고 공존하는 삶

해야, 고운 해야. 해야 솟아라. 꿈이 아니래도 너
를 만나면, 꽃도 새도 짐승도 한자리 앉아, 워어이
워어이 모두 불러 한자리 앉아, 앳되고 고운 날을
　모두가 하나 되는 조화로운 삶　　순수하고 아름다운 이상 세계
누려 보리라.
화자의 의지적 태도　　　　▶ 6연: 화합과 평화의 세계에 대한 소망

글의 종류 현대시

글의 특징 이 시는 해방 직후의 어지럽고 혼란스러운 현
실을 배경으로, 화합과 공존이 이루어질 수 있는 평화로운
세계에 대한 소망을 노래하는 작품입니다. 밝음과 어둠의
이미지를 지닌 시어들의 대조를 통해 화자가 지향하는 새
로운 세상에 대한 간절한 염원을 표현하고 있습니다.

주제 화합과 평화의 세계에 대한 소망

---

1 핵심 요약_내용 흐름 정리하기

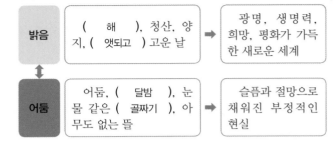

| 밝음 | (해), 청산, 양지, (앳되고) 고운 날 | ➡ | 광명, 생명력, 희망, 평화가 가득한 새로운 세계 |
| 어둠 | 어둠, (달밤), 눈물 같은 (골짜기), 아무도 없는 뜰 | ➡ | 슬픔과 절망으로 채워진 부정적인 현실 |

2 내용 이해_시구의 의미 파악하기

㉠에서 '사슴'은 연약한 존재로 약자를, '칡범'은 무서운
존재로 '강자'를 의미합니다. 그런데 때로는 약자와도 때
로는 강자와도 함께 어울릴 수 있는 세상이라는 것은, 모
두가 평화롭게 함께 살아가는 화합과 공존의 세계를 의미
합니다.

3 적용하기_이론을 바탕으로 적용하기

'같은 말 – 같은 말 – 다른 말 – 같은 말'로 이루어져 있는
지 살펴봅니다. ①, ②, ③, ⑤에서는 모두 'AABA 구조'
가 나오는 것을 확인할 수 있습니다. 그러나 ④는 '나두
야 간다'가 앞뒤에 한 번 반복되고 있을 뿐, 'AABA 구
조'라고는 볼 수 없습니다. ①은 「시집살이 노래」, ②는
사설시조, ③은 김소월의 「산유화」, ④는 박용철의 「떠나
가는 배」, ⑤는 홍사용의 「나는 왕이로소이다」입니다.

? 문제 돋보기

3 보기 에서 설명하는 내용의 예로 적절하지 **않은** 것은 무엇입니
까? (④)

> **보기**
>
> 이 시에서 가장 두드러지는 운율 형성의 요소는
> 'AABA 구조'라고 할 수 있다. '해야 솟아라. 해야 솟아
> 　　　　　　　　　　　　　　A　　　　　A
> 라. 말갛게 씻은 얼굴 고운 해야 솟아라.'에서 볼 수 있듯
> 　　　B　　　　　　　　　A
> 이, '같은 말–같은 말–다른 말–같은 말'로 이루어진
> AABA 구조의 반복은 우리 문학에서 가장 자주 찾아볼
> 수 있는 반복 구조이다.

① 형님 온다 형님 온다 분고개로 형님 온다.
② 창 내고자 창을 내고자 이 내 가슴에 창 내고자.
　　　A　　　　　A　　　　　　　B　　　　　A
③ 산에는 꽃 피네. / 꽃이 피네. / 갈 봄 여름 없이 / 꽃이 피
　　　A　　　　　A　　　　　B　　　　　A
네.
✓④ 나두야 간다. / 나의 이 젊은 나이를 / 눈물로야 보낼 거
　　A　　　　　　　B　　　　　　　　C
냐. / 나두야 가련다.
　　　A
⑤ 나는 왕이로소이다. / 나는 왕이로소이다. / 어머님의 가
　　　A　　　　　　　　A
장 어여쁜 아들, 나는 왕이로소이다.
　　　B　　　　　　A

1 동풍, 바람, 풀 **2** ② **3** ⑤

시적 대상: 연약하지만 강인한 생명력을 지닌 존재(민중)

<u>풀</u>이 눕는다

비를 몰아오는 <u>동풍</u>에 나부껴
'풀'을 억압하는 부정적 존재
풀은 눕고
드디어 울었다 ┐
고통받는 '풀'의 나약한 모습
날이 흐려서 더 울다가
부정적 현실 상황
다시 누웠다
반복되는 '풀'의 시련과 고통 - 수동적 ▶ 1연: 풀의 나약함(수동성)

풀이 눕는다

<u>바람</u>보다도 더 빨리 눕는다
=동풍
바람보다도 더 빨리 울고

바람보다 먼저 일어난다
'풀'의 강인한 모습 - 능동적 ▶ 2연: 풀의 강인함(능동성)

날이 흐리고 풀이 눕는다

발목까지 ┐
발밑까지 눕는다. ┘ 철저하게 고통받는 '풀'의 모습

바람보다 늦게 누워도

바람보다 먼저 일어나고
시련을 이겨 내는 '풀'의 강인함
바람보다 늦게 울어도

바람보다 먼저 웃는다
시련에 굴하지 않는 '풀'의 당당함
날이 흐리고 풀뿌리가 눕는다
'풀'이 고통받는 부정적 현실의 지속
▶ 3연: 풀의 끈질긴 생명력(능동성 강조)

글의 종류 현대시

글의 특징 이 시는 부정적 현실에도 굴하지 않고 시련을 이겨 내는 강인한 의지적 존재의 모습을, 대립 구조의 시어를 통해 노래하고 있는 작품입니다. 중심 소재인 '풀'은 1960년대의 시대적 상황 속에서 독재 권력에 억압받는 민중으로 해석할 수도 있고, 인간 내면의 근원적 갈등 속에서 방황하는 존재로 볼 수도 있습니다.

주제 풀의 끈질긴 생명력

---

1 핵심 요약_내용 흐름 정리하기

수동적 태도	→	능동적 태도
(동풍)에 나부껴 눕고 우는 풀		(바람)보다 먼저 일어나고 먼저 웃는 풀

(풀)의 끈질긴 생명력 강조

2 내용 이해_시어의 의미 파악하기

'동풍'은 '비'를 몰아오는 존재이므로, 두 대상은 비슷한 의미를 지닌 소재입니다.

오답 피하기

① '바람'은 '동풍'과 같은 의미를 지니는 소재로, '풀'을 눕게 만드는 부정적 기능을 하므로 '풀'과 대조적인 의미를 가집니다.
③, ⑤ '바람보다 늦게 누워도 / 바람보다 먼저 일어난다'를 통해 바람에 굴하지 않는 강인한 풀의 모습을 알 수 있습니다.
④ '바람보다 늦게 울어도 / 바람보다 먼저 웃는다'는 구절을 통해 바람에 대립되는 풀의 강인함을 알 수 있습니다.

3 적용하기_창작 의도 확인하기

이 시의 마지막 행 '날이 흐리고 풀뿌리가 눕는다'에서는, '날이 흐리고'라는 부정적 현실과 '풀뿌리가 눕는다'라는 시련의 상황이 드러나고 있습니다. 이것은 시련을 이겨 내는 '풀'의 강인한 의지에도 불구하고 부정적인 상황이 쉽게 변하지는 않는다는 것을 보여 주는 것으로 이해할 수 있습니다. 그러므로 밝고 희망적인 상황으로 시를 끝낸다고 할 수는 없습니다.

⑦ 문제 돋보기

3 보기 는 작가가 시를 창작하기 전에 생각했을 내용을 예상한 것입니다. ㉠~㉤ 중, 적절하지 <u>않은</u> 것은 무엇입니까? (⑤)

보기

[창작 노트]
┌ 풀, 바람
• 주변에서 쉽게 발견할 수 있는 소재를 이용할 것 … ㉠
• 부정적인 상황을 날씨를 통해 드러낼 것 ………… ㉡
┌ 흐림, 비
• 시련에 굴하는 듯하지만 결국 이겨 내는 의지적인 모습
을 표현할 것 …………………………… ㉢
└ 2연, 3연
• 시의 중간 부분에서 대상의 태도 변화가 나타나도록
구성할 것 ………………………………… ㉣
└ 수동적 ┘ 능동적
• 밝고 희망적인 상황을 보여 주면서 시를 끝낼 것 … ㉤
└ 부정적 현실이 지속됨.

① ㉠ ② ㉡ ③ ㉢ ④ ㉣ ⑤ ㉤

1 알맹이, 아우성, 맞절, 쇠붙이　**2** ③　**3** ④

불의, 허위, 비리 등의 부정적 존재
껍데기는 가라.　　　　　　　　　■ : 명령형 종결 → 화자의
　　　　　　　　　　　　　　　　의지와 간절함 강조
사월도 알맹이만 남고
　　　　4·19 혁명의 순수한 정신
껍데기는 가라.
　　　　　　　　　▶ 1연: 4·19 혁명의 순수한 정신 추구

껍데기는 가라.

동학년(東學年) 곰나루의, 그 아우성만 살고
　　　　　　　　　　　　동학 농민 운동의 숭고한 정신
껍데기는 가라.
　　　　　　　　　▶ 2연: 동학 농민 운동의 숭고한 정신 추구

그리하여, 다시
　　　　　강조
껍데기는 가라.

이곳에선, 두 가슴과 그곳까지 내논
한반도　　　　　가식을 벗어 버린 순수한 모습
아사달 아사녀가
　순수한 우리 민족
중립의 초례청 앞에 서서
이념 대립을 뛰어넘은 화합의 공간
부끄럼 빛내며
　순수한 아름다움
맞절할지니
민족의 화합과 통일　　　▶ 3연: 민족의 화합과 통일에 대한 소망

껍데기는 가라.

한라에서 백두까지
　우리 국토 전체＝대유법
향그러운 흙가슴만 남고
　　　　순수한 민족애
그, 모오든 쇠붙이는 가라.
　시적 허용　전쟁, 폭력 등 통일을 가로막는 장애 요소 ＝ 껍데기
　　　　　　　▶ 4연: 분단 현실의 극복에 대한 소망

글의 종류 현대시

글의 특징 이 시는 온갖 부정적인 존재들이 사라지고 민족의 순수한 아름다움으로 빛나는 통일과 화합의 시대가 돌아올 것에 대한 소망을 노래한 작품입니다. 상징적이고 대립적인 이미지의 시어를 통해 시적 긴장감을 조성하며 주제를 강조하고 있습니다.

주제 순수한 민족의 삶과 통일에 대한 소망

---

1 핵심 요약_내용 흐름 정리하기

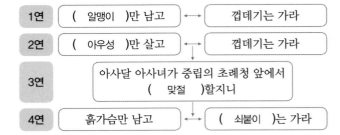

1연	(알맹이)만 남고	↔	껍데기는 가라
2연	(아우성)만 살고	↔	껍데기는 가라
3연	아사달 아사녀가 중립의 초례청 앞에서 (맞절)할지니		
4연	흙가슴만 남고	↔	(쇠붙이)는 가라

2 내용 이해_시어의 기능 파악하기

'아우성'은 역사적 사건인 동학 농민 운동의 의미를 성난 민중들의 함성으로 표현한 것입니다.

오답 피하기

① '가라'는 명령형 종결 표현으로 '껍데기'와 '쇠붙이'를 거부하는 화자의 단호한 태도를 드러냅니다.
② '알맹이'는 4·19 혁명의 순수한 정신을 의미합니다.
④ '다시'는 '껍데기'를 거부하는 화자의 의지를 거듭 강조하는 역할을 합니다.
⑤ '모오든'은 '모든'을 늘려 쓴 시적 허용으로, '쇠붙이'의 부정적 의미를 강조하는 역할을 합니다.

3 감상_상징적 의미 파악하기

ⓔ '한라에서 백두까지'는 남쪽 끝에서 북쪽 끝까지 우리 국토 전체를 가리키는 표현으로 볼 수 있으며, '향그러운 흙가슴'만 남아야 될 아름다운 공간입니다.

❓ 문제 돋보기

3 보기 를 바탕으로 이 시를 감상할 때, ㉠~㉤에 대한 이해로 적절하지 않은 것은 무엇입니까? (④)

보기
　이 시는 이 땅에 가득한 온갖 부정적인 존재들을 극복하고자 하는 바람을 드러낸 작품이다. 특히 이념의 차이로 인해 남한과 북한이 분단된 현실에서, 민족의 순수함을 되찾고 통일과 화합의 시대를 이룰 것에 대한 간절한 소망을 노래하고 있다.
　　　　　　　　　이 시의 주제

① ㉠은 우리 민족의 삶의 터전인 한반도를 의미한다고 볼 수 있다.
② ㉡은 갈라진 남한과 북한의 우리 민족을 가리킨다고 볼 수 있다.
③ ㉢은 이념 대립을 뛰어넘은 화합의 공간을 뜻한다고 볼 수 있다.
④ ㉣은 온갖 부정적인 존재들이 가야 할 곳을 가리킨다고 볼 수 있다.
　　　↳ 우리 국토 전체
⑤ ㉤은 무서운 상처를 남기는 전쟁과 폭력을 의미한다고 볼 수 있다.
　　　＝ 껍데기

1 묏버들, 임, 물, 사람 **2** ④ **3** ④

가

글의 종류 고시조, 평시조

글의 특징 이 시조는 임에 대한 그리움과 사랑을 노래하고 있는 작품입니다. 화자의 분신이라 할 수 있는 '묏버들'을 임에게 선물함으로써 임과 다시 만날 것을 기대하고 있습니다.

주제 임에 대한 사랑과 그리움

나

글의 종류 고시조, 평시조

글의 특징 이 시조는 '산'과 '물'의 대조를 통해 인생의 허무함을 노래하고 있는 작품입니다. '물'처럼 돌아오지 않는 '사람'은 보편적인 인간의 모습일 수도 있지만 화자가 사랑하는 임일 수도 있습니다.

주제 ① 인생의 허무함 ② 임에 대한 그리움

1 핵심 요약_내용 흐름 정리하기

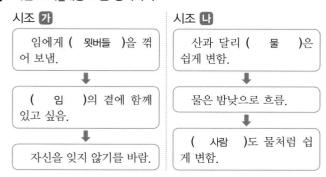

시조 **가**

임에게 (묏버들)을 꺾어 보냄.
↓
(임)의 곁에 함께 있고 싶음.
↓
자신을 잊지 않기를 바람.

시조 **나**

산과 달리 (물)은 쉽게 변함.
↓
물은 밤낮으로 흐름.
↓
(사람)도 물처럼 쉽게 변함.

2 내용 이해_소재의 기능 파악하기

㉠은 '임'에게 화자의 사랑과 그리움을 전하는 선물이며, '가려 꺾어'라는 표현에서 화자의 정성을 알 수 있습니다. '주무시는 창밖에 심어 두고'에서 '임'의 곁에 있고 싶은 마음이 잘 드러나며, '나인가도 여기소서'에서는 '임'이 화자를 떠올리게 만드는 매개체의 역할을 합니다. '임'에 대한 원망과 슬픔의 감정은 찾아볼 수 없습니다.

3 감상_이론을 바탕으로 감상하기

시조 **나**의 화자는 '사람'을 쉽게 변하는 존재인 '물'에 빗대어 노래하고 있습니다. '산'은 언제나 변함없는 존재를 의미하므로, 쉽게 변하는 '물'이나 '사람'과는 상반된 존재로 보아야 합니다.

---

1 냇가, 물, 촛불, 속 **2** ② **3** ⑤

가

글의 종류 고시조, 평시조

글의 특징 이 시조는 임(단종)과 헤어진 뒤 느끼는 비통한 마음을 노래한 작품입니다. 흘러가는 냇물에 화자의 감정을 이입함으로써 슬픔을 심화하고 있습니다.

주제 임(단종)과 이별한 비통한 마음

나

글의 종류 고시조, 평시조

글의 특징 이 시조는 임(단종)과 이별한 슬픔을 애절하게 노래하고 있는 작품입니다. 화자는 심지가 새까맣게 타면서 촛농을 흘리고 있는 '촛불'과 자신을 동일시함으로써 슬픔과 안타까움을 효과적으로 전달하고 있습니다.

주제 임(단종)과 이별한 애절한 슬픔

1 핵심 요약_내용 흐름 정리하기

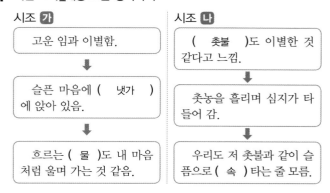

시조 **가**

고운 임과 이별함.
↓
슬픈 마음에 (냇가)에 앉아 있음.
↓
흐르는 (물)도 내 마음처럼 울며 가는 것 같음.

시조 **나**

(촛불)도 이별한 것 같다고 느낌.
↓
촛농을 흘리며 심지가 타 들어 감.
↓
우리도 저 촛불과 같이 슬픔으로 (속) 타는 줄 모름.

2 내용 이해_시어의 의미 파악하기

시조 **가**의 화자는 '저 물'이 자신의 슬픈 마음처럼 울며 흐른다고 하였고, 시조 **나**의 화자는 '저 촛불'이 자신과 마찬가지로 속 타는 줄 모른다고 하였습니다. 따라서 두 작품에서 '물'과 '촛불'은 사람처럼 의인화된 존재이며, 화자의 슬픔을 효과적으로 부각시키기 위해 사용된 소재로 볼 수 있습니다.

3 감상_배경 지식을 바탕으로 감상하기

[보기]를 참고할 때, ㉡에서 '속'이 탄다는 것은 '단종'과의 이별로 인한 애타는 슬픔을 의미합니다. 작가가 자신의 죽음에 대해 분노의 감정을 느낀다는 것은 시조 **나**의 내용이나 [보기]의 설명 모두에서 확인할 수 없습니다.

1 매미, 거미줄, 홍시, 유자 **2** ③ **3** ④

가
글의 종류 고시조, 평시조

글의 특징 이 시조는 높은 관직에 오르는 것을 '굼벵이'가 '매미'가 되어 날아오르는 모습에 빗대어 노래한 작품입니다. 높은 자리에 있을수록 항상 행동을 조심해야 한다는 교훈을 제시하고 있습니다.

주제 항상 행동을 조심할 것에 대한 경고

나
글의 종류 고시조, 평시조

글의 특징 이 시조는 홍시를 보고 돌아가신 부모님에 대한 그리움을 노래한 작품입니다. 중국 '육적'의 고사를 인용하여 부모님이 계시지 않은 슬픔을 강조하고 있습니다.

주제 돌아가신 부모님에 대한 그리움

1 핵심 요약_내용 흐름 정리하기

시조 가
굼벵이가 (매미)가 되어 날아오름.
↓
| 높은 나무에 올라 소리 좋게 읊. |
↓
| 그 위에 있는 (거미줄)을 조심해야 함. |

시조 나
소반에 놓인 (홍시)를 봄.
↓
| 오나라 육적의 (유자)처럼 품어 가고 싶음. |
↓
| 품어 가도 반겨 주실 부모님이 안 계셔서 슬픔. |

2 내용 이해_작품의 주제 파악하기
시조 가 의 화자는 '매미'가 된 '굼벵이'에게 항상 조심해야 함을 이야기하고 있습니다. '매미'가 되었다는 것이 '굼벵이'에게는 최고의 기쁨이겠지만, 그런 순간일수록 '거미줄'과 같은 위험이 도사리고 있음을 경계해야 한다는 교훈을 이야기하고 있습니다.

3 감상_배경 지식을 바탕으로 감상하기
시조 나 의 화자가 슬퍼하는 것은, 홍시를 품어 가도 반겨 줄 사람(부모)이 안 계시기 때문입니다. '품어 가 반길 이 없으니'를 통해 이를 확인할 수 있습니다. 용기와는 관련이 없습니다.

1 어버이, 벗(님), 논, 늙은이 **2** ⑤ **3** ①

글의 종류 고시조, 평시조, 연시조

글의 특징 이 시조는 전 16수로 이루어진 연시조로, 유교적 윤리의 실천을 통해 백성들을 가르치고 이끌 목적으로 지은 작품입니다. 부모에 대한 효, 벗의 소중함, 노인에 대한 공경 등 오륜(五倫)과 관련된 내용 및 근면과 상부상조를 권장하는 내용으로 되어 있습니다.

주제 유교적 윤리의 실천 권장

1 핵심 요약_내용 흐름 정리하기

훈민가(백성을 가르치는 노래)

제4수	제10수	제13수	제16수
(어버이)가 살아 계실 때 잘 섬겨야 함.	잘못을 말해 주는 (벗(님))을 소중히 해야 함.	(논)도 매고 누에도 먹이면서 근면하게 살아야 함.	(늙은이)의 짐을 대신 짊어지며 노인을 공경해야 함.

2 내용 이해_세부 내용 파악하기
제16수에서는 짐을 '이고 진 늙은이'의 모습을 확인할 수 있을 뿐, 젊은이가 돌을 지고 있는 모습은 찾아볼 수 없습니다. 젊은이가 돌을 지고 있는 것이 아니라, 자신은 돌도 무겁지 않을 정도로 젊다는 점을 부각하며 늙은이에게 짐을 풀어 달라고 하는 것입니다.

3 적용하기_관련 내용에 적용하기
제10수의 내용은 믿음직한 벗의 소중함이며, 이와 관련된 '오륜'의 항목은 '벗과 벗 사이에는 믿음이 있어야 한다.'라는 뜻을 가진 '붕우유신'입니다.

오답 피하기
② '군신유의'와 관련된 것은 제시된 부분에는 나타나지 않습니다.
③ '부부유별'과 관련된 것은 제시된 부분에는 나타나지 않습니다.
④ '부자유친'과 관련된 것은 부모에 대한 효도를 이야기하는 제4수입니다.
⑤ '장유유서'와 관련된 것은 노인에 대한 공경을 이야기하는 제16수입니다.

100점과 양과자 104~106쪽

1 양과자, 100점, 자는, 처량함 **2** ③ **3** ⑤ **4** ④
5 ①

종류 수필

특징 이 수필은 글쓴이가 초등학교 시절의 기억을 떠올리며 어른이 된 지금 곁에 있지 않은 아버지를 그리워하는 글입니다. 어린 시절에 겪었던 일상의 경험을 서술하여, 아버지에 대한 글쓴이의 느낌을 진솔하게 드러내고 있습니다.

주제 어린 시절 아버지에 대한 기억과 그리움

---

2 표현_서술상 특징 파악하기
이 글에서 글쓴이는 어린 시절에 아버지에 얽힌 추억을 떠올리며 자식에 대한 아버지의 애정을 느끼고 있습니다. 그러나 현재 아버지가 안 계신다는 사실을 깨닫고는 처량함을 느낍니다.

3 내용 이해_인물의 성격 파악하기
아버지는 '나'에게 100점을 받으면 기다리라고 하며 양과자를 사 주실 정도로 자상한 면모를 지녔습니다. 그러나 100점을 받지 못한 '나'가 아버지의 뒤를 졸졸 따라오는 걸 보고 '100점을 맞으면 과자를 사 준다고 했지. 오지 말라는 뜻은 아니었다.'고 말합니다. 그러므로 100점을 받았을 때만 기다리라고 한 것은 아닙니다.

4 감상_이론을 바탕으로 감상하기
이 글에서 글쓴이는 어린 시절 아버지에 얽힌 이야기를 서술하고 있습니다. 또한 어른이 된 지금 아버지가 곁에 없음을 깨달으며 아버지에 대한 그리움을 표현하고도 있습니다. 따라서 글쓴이의 심정을 고백하듯이 서술한 글이라고 할 수 있습니다.

오답 피하기
⑤ 양과자를 사 주시는 것은 아버지의 사랑이 드러난 행동일 뿐, 사회에 대한 비판을 드러내고 있지는 않습니다.

5 어휘·어법_문맥적 의미
㉠과 ㉡은 모두 '심리적으로 불안하거나 불행한 상태.'라는 뜻으로 쓰였습니다.

어휘력 완성 107쪽

1 ㉠ 재차 ㉡ 철없이 **2** ⑤ **3** ①

속는 자와 속이는 자 108~110쪽

1 기다리라고, 택시, 자괴감 **2** ③ **3** ④ **4** ⑤ **5** ④

종류 수필

특징 이 수필은 과거 자신이 겪은 경험을 바탕으로 우리 사회에서 속는 자와 속이는 자에 대한 생각을 담아내고 있는 글입니다. 글쓴이는 자신의 이익을 위해 다른 사람을 속이는 삭막한 세태에 크게 실망하지만, 신의와 책임감을 지닌 택시 기사의 배려를 통해 새로운 깨달음을 얻고 있습니다.

주제 신의와 책임감 있는 사회에 대한 소망

---

2 내용 이해_세부 내용 파악하기
'나'는 택시 기사가 약속 시간이 지나도 오지 않자 택시 기사가 자신을 골탕 먹이려 했거나 혹은 재미로 자신을 속였다고 생각하며 자괴감에 빠졌습니다.

3 내용 이해_인물의 태도 파악하기
어수룩하고 융통성 없게 생겼다는 말은 '의리 있게 생겼다.'는 택시 기사의 말에 대해 '나'가 추측한 내용으로, 자신의 성격에 대한 '나'의 생각을 나타낸 말입니다.

4 감상_외부 정보를 바탕으로 감상하기
글쓴이가 얼었던 마음이 녹았다고 표현한 것은 세상을 불신하는 마음이 녹고 다시 믿음을 갖게 되었음을 나타내는 것입니다. 여기에서 다른 사람을 속이는 자들을 용서해야겠다는 의지는 드러나 있지 않습니다.

5 어휘·어법_어휘의 사전적 의미
㉮의 '지나가는'은 택시가 글쓴이의 주위를 지나쳐 갔다는 의미로 사용된 것입니다.

어휘력 완성 111쪽

1 ㉠ 호락호락 ㉡ 회심 **2** (1) ㉯ (2) ㉰ (3) ㉮ **3** ③

---

1 왼쪽에 있는 친구는 상대 팀에게 만만하게 보이고 싶지 않다는 생각인 것 같습니다. 이런 상황에서 ㉠에 알맞은 말은 '일이나 사람이 만만하여 다루기 쉽다.'는 의미의 '호락호락하다'입니다. 그리고 오른쪽에 있는 친구는 상대 팀을 제압할 수 있는 확실한 방법이 있음을 이야기하는 것 같습니다. ㉡에 알맞은 말은 '마음에 흐뭇하게 들어맞음.'을 의미하는 '회심'입니다.

1 보자기, 무겁게, 눈물, 그리워짐 **2** ② **3** ③ **4** ②
5 ②

종류 수필

특징 이 수필은 글쓴이가 어린 나이에 동생의 엄마 역할을 하면서 힘들었던 경험을 쓴 글입니다. 글쓴이는 자신의 소풍을 포기하고 동생을 따라갔던 일과 그때 느꼈던 서글픔, 그리고 어른이 되어 그때를 그리워하는 마음을 진솔하게 드러내고 있습니다.

주제 어린 날의 서글픈 기억과 그때에 대한 그리움

2 내용 이해_세부 내용 파악하기
동생은 '나'가 학부형의 자격으로 자신을 따라오는 것에 대해 별다른 반응을 보이지 않고 있습니다. 점심도 재잘거리며 먹고 친구들과도 즐겁게 놀았습니다. 오히려 '나'가 학부형의 자격으로 동생의 소풍을 따라가는 것에 대해 부끄러움을 느꼈습니다.

3 내용 이해_인물의 심리 파악하기
글쓴이는 자신도 기껏해야 초등학교 3학년의 어린 학생이었습니다. 자신도 친구들과 소풍 장소에서 즐겁게 놀고 싶었지만 동생을 위해 자신의 소풍을 포기해야 했습니다. 그런 자신의 마음을 아는지 모르는지 재잘거리며 점심을 맛있게 먹고 동무들에게 가는 동생을 보며 혼자 도시락 보따리를 챙겨야 하는 자신의 상황에 대해 서글픔을 느꼈을 것입니다.

4 감상_이론을 바탕으로 감상하기
이 글에서 글쓴이는 자신과 동생의 소풍 장소가 다르다는 것을 알고 나서, 자신의 소풍을 포기하고 동생을 따라가기로 결정합니다. 이러한 '나'의 모습에서 자신만 생각하지 않고 동생을 위하는 마음을 헤아릴 수 있습니다.

5 어휘·어법_관용 표현
㉮는 '매우 안타까워하거나 다급해하다.'라는 의미의 관용 표현으로 쓰였으나, ②에서 '발을 동동 구르며'는 실제로 아이들이 발로 바닥을 동동 구르는 동작을 나타낸 것입니다.

어휘력 완성 ———— 115쪽

1 ㉠ 난감한 ㉡ 흔쾌히 **2** (1) ㉯ (2) ㉰ (3) ㉮ **3** ⑤

---

1 여유, 끝나 버린 / 크고 / 아홉 **2** ③ **3** ③ **4** ②
5 ⑤

종류 수필

특징 이 수필은 '열'과 '아홉'에 대한 생각을 바탕으로 청소년들을 위로하고 격려하기 위해 쓴 글입니다. 글쓴이는 사람들은 '열'이라는 완벽한 수를 향해 노력하지만 아직 열이 되지 못한 '아홉'의 가치도 크다는 점을 독자에게 말하듯이 서술하고 있습니다.

주제 청소년은 아홉이라는 수처럼 무한한 가능성이 있는 존재임.

2 내용 이해_글쓴이의 생각 파악하기
글쓴이는 청소년은 무엇 한 가지도 완벽할 수가 없으며, 항상 어딘가가 부족하고 어설픈 것이 오히려 정상적인 학생이라고 말하고 있습니다. 그렇게 때문에 스스로 괴로워하지 말고 아홉이란 수의 의미를 다시 생각해 볼 것을 권유하고 있습니다. 즉 청소년들은 아홉이라는 수처럼 미래의 꿈과 가능성이 있는 존재라는 것을 강조하고 있습니다.

3 내용 이해_세부 내용 파악하기
이 글에 따르면 넘치지도 않고 모자라지도 않는 수는 아홉이 아니라 열입니다.

4 감상_이론을 바탕으로 감상하기
설의법은 당연한 사실을 의문문의 형식으로 표현하여 글쓴이가 말하고자 하는 내용을 강조하는 표현 방법입니다. 예를 들어, 수업에 지각한 학생에게 "매일 지각하면 되겠니?"처럼 말함으로써, 매일 지각하면 안 된다는 것을 강조하는 표현이 이에 해당합니다. 그런데 ㉡은 독자의 궁금증을 유발하고 관심을 집중시키기 위해 질문 형식을 이용한 것으로, 설의법과는 거리가 멉니다.

5 어휘·어법_한자성어
'죽을 고비를 수도 없이 넘기고 살아난 것.'을 뜻하는 한자성어는 '구사일생(九死一生)'입니다. '구우일모'는 아홉 마리의 소 가운데 박힌 하나의 털이란 뜻으로, 매우 많은 것 가운데 극히 적은 수를 이르는 말입니다.

어휘력 완성 ———— 119쪽

1 ㉠ 정녕 ㉡ 이룩할 **2** (1) ㉰ (2) ㉯ (3) ㉮ **3** ①

1 씨, 눈, 물결 **2** ② **3** ④ **4** ④ **5** ②

종류 수필

특징 이 수필에서는 보리의 순박함과 강인한 생명력을 농부의 덕성에 비추어 말하고 있습니다. 글쓴이는 보리의 일생을 통해서 성실과 끈질김으로 고난을 견디면 환희와 보람이 반드시 따른다는 삶의 교훈을 제시하고 있습니다.

주제 고난을 견디며 끈질기게 살아가는 보리의 강한 생명력 예찬

---

2 표현_표현상 특징 파악하기

이 글은 보리를 푸른색이라는 시각적 이미지로 표현하여 보리의 강인한 생명력에 대한 글쓴이의 긍정적 인식을 드러내고 있습니다.

오답 피하기

① 늦가을에서 겨울을 거쳐 봄으로 변화하는 계절의 흐름이 제시되어 있을 뿐, 밤에서 낮으로의 시간의 변화는 확인할 수 없습니다.

3 적용하기_구절의 의미 파악하기

보리가 처한 현실은 아직 겨울입니다. 유월의 훈풍과 새파란 하늘, 태양은 보리가 꿈꾸는 자연으로, 아직은 실현되지 않은 자연의 모습입니다.

4 적용하기_새로운 상황에 적용하기

이 글에서 글쓴이는 추운 겨울의 날씨에도 참고 꿋꿋이 견디어 낸 보리가 봄이 되어 논과 밭과 산등성이에 푸른 물결을 일고 봄의 춤을 벌이는 모습에 주목하고 있습니다. 이처럼 우리의 삶에서 힘든 과정을 참고 견딜 때 환희와 보람을 얻을 수 있다는 교훈을 전달하고 있습니다. 따라서 [보기]의 학생에게도 힘든 시간을 참고 견디면 좋은 결과가 올 것이라는 조언을 해줄 수 있습니다.

5 어휘·어법_한자어

㉮에서 농부는 보리를 심으며 정성을 다하고 있습니다. 이처럼 어떤 대상에 대하여 정성을 다하는 태도가 있음을 의미하는 한자어는 '극진'입니다.

어휘력 완성 ——————— 123쪽

1 ㉠ 길 ㉡ 고무래 **2** (1) ㉮ (2) ㉰ (3) ㉯ **3** ②

---

1 낙랑 공주, 영웅, 평화(화평), 열녀 **2** ④ **3** ③ **4** ⑤ **5** ⑤

종류 희곡

특징 이 희곡은 '호동 왕자와 낙랑 공주' 설화를 바탕으로 하여 그 이후의 사건을 새롭게 창작한 작품입니다. 낙랑 공주가 자명고를 찢어 아버지로부터 죽임을 당하게 된 사실을 알게 된 호동의 죄책감을 그리고 있습니다.

주제 호동 왕자와 낙랑 공주의 비극적인 사랑과 갈등

---

1 핵심 요약_주요 내용 정리하기

호동	• 자명고를 찢다 죽은 (낙랑 공주)에 대한 죄책감으로 괴로워함. • 공주의 덕으로 (영웅)이 된 것이 옳은 것인가에 대해 갈등함.
부장	• 고구려와 낙랑의 (평화(화평))를 위해 어쩔 수 없는 일임을 강조하여 왕자를 위로함. • 사랑하는 사람을 위해 자신을 희생한 공주를 (열녀)로 칭송함.

2 내용 이해_세부 내용 파악하기

호동은 부장의 말에 대해 '…….'와 같은 침묵을 반복하고 있습니다. 이것은 부장의 말을 부정할 수 없는 호동의 태도를 보여 주는 것일 뿐, 분노를 드러낸 것은 아닙니다.

3 내용 이해_대사의 의미 파악하기

㉡ 뒤에 이어지는 대사를 볼 때, ㉡은 과거에 낙랑 공주가 했던 말의 의미를 깨닫게 된 호동의 반응으로 볼 수 있습니다. 따라서 '(무엇인가 생각이 난 듯)'이 적절합니다.

4 감상_이론을 바탕으로 감상하기

현재는 이미 낙랑과의 전투가 고구려의 승리로 끝나고 낙랑 공주가 죽은 상황입니다. 그러므로 '정벌군을 이끌고 낙랑으로 떠나게 되어도'는 ㉠에 해당합니다.

5 어휘·어법_속담

부장은 적의 침입을 알리는 자명고를 그냥 두고 고구려군이 싸움을 벌였다면 매우 위험한 상황이 되었을 것임을 이야기하고 있습니다.

어휘력 완성 ——————— 129쪽

1 ㉠ 자명고 ㉡ 화평 **2** (1) ㉯ (2) ㉮ (3) ㉰ **3** ④

1 조항, 차용 증서, 원금   **2** ⑤   **3** ③   **4** ③   **5** ②

종류 희곡

특징 이 희곡은 영국의 극작가 셰익스피어를 대표하는 작품으로, 16세기 후반 상업이 발달하고 기독교인과 유대인이 서로 미워하던 시절을 배경으로 합니다. 우정과 사랑, 복수와 자비의 본질이 무엇인지 보여 주는 작품입니다.

주제 인간 내면의 욕망과 그로 인한 갈등

---

1 핵심 요약_주요 내용 정리하기

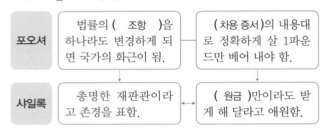

포오셔: 법률의 (조항)을 하나라도 변경하게 되면 국가의 화근이 됨. ━ (차용 증서)의 내용대로 정확하게 살 1파운드만 베어 내야 함.

샤일록: 총명한 재판관이라고 존경을 표함. ━ (원금)만이라도 받게 해 달라고 애원함.

2 내용 이해_세부 내용 파악하기

'위약'은 앤토니오가 돈을 못 갚은 일을 말하며, '위약에 대한 벌금'은 그로 인해 앤토니오의 살 1파운드를 베기로 한 계약의 실현을 의미합니다. 다만 그러한 벌금은 정확히 1파운드의 살만을 베어야 한다는 어려움 때문에 잘못받을 경우 샤일록의 생명이 없어질 수 있음을 앞 문장에서 강조하고 있습니다.

3 내용 이해_ 세부 내용 파악하기

㉯는 그라쉬아노가 샤일록의 말을 듣고 그 말을 그대로 빌려서 말한 것입니다.

4 감상_이론을 바탕으로 감상하기

[보기]의 밑줄 그은 부분은 작품이 창작된 시대 상황을 중심으로 감상하는 관점입니다. 유대인을 배척하고 증오하는 태도가 뿌리 깊었던 당시 유럽의 분위기를 통해 작품을 감상하는 ③이 '반영론적 관점'에 해당합니다.

5 어휘·어법_어휘의 사전적 의미

㉫는 '~입니다.'라는 말을 통해 「1」 듣는 이를 조금 높여 가리키는 말임을 알 수 있습니다.

어휘력 완성 ──────── 133쪽

1 ㉠ 담보   ㉡ 의인   **2** (1) ㉰ (2) ㉮ (3) ㉯   **3** ④

---

1 한, 소리, 닭, 닭 주인, 심 봉사   **2** ④   **3** ④   **4** ③

5 ②

종류 시나리오

특징 이 시나리오는 이청준의 소설 「서편제」를 각색한 작품으로, 수양딸의 눈을 멀게 해서라도 득음의 경지에 다다르게 만들려는 한 소리꾼의 모습에서 진정한 예술이란 무엇인가를 생각하게 하는 작품입니다.

주제 한 맺힌 삶의 예술적 승화

---

2 내용 이해_세부 내용 파악하기

닭 주인은 자신의 씨암탉을 잡아먹은 유봉에게 화를 내고 있을 뿐, 송화에게 분노하는 모습은 확인할 수 없습니다.

3 내용 이해_소재의 의미 파악하기

시래기 죽은 궁핍한 형편을 의미하는 음식이고, 닭다리는 송화를 걱정하는 유봉의 마음이 담긴 음식입니다. 시래기 죽과 닭다리 모두 앞을 못 보는 송화를 보살피는 유봉의 정성이 담긴 음식입니다.

4 감상_이론을 바탕으로 감상하기

㉠은 송화가 판소리 연습하는 장면을 배경으로 들리는 유봉의 대사이고, ㉡은 닭털을 꺼내는 손만, ㉢은 유봉의 얼굴만 화면에 보이는 상태에서 들리는 닭 주인의 대사입니다. 반면 ㉣과 ㉤은 모두 송화의 얼굴이 화면에 등장한 상태에서 이루어지는 대사입니다.

5 어휘·어법_한자성어

㉮의 상황은 송화에게는 사람의 가슴을 칼로 저미는 것처럼 한스러운 일이 될 수 있는 것들입니다. 따라서 '각골통한'과 관련이 있습니다.

어휘력 완성 ──────── 137쪽

1 ㉠ 폐가   ㉡ 한   **2** ⑤   **3** ①

2 '수-' 또는 '암-'이 결합할 때 형태가 거센소리로 바뀌는 낱말은 다음과 같습니다. 수캐/암캐, 수캉아지/암캉아지, 수탉/암탉, 수평아리/암평아리, 수퇘지/암퇘지, 수탕나귀/암탕나귀, 수컷/암컷, 수키와/암키와, 수톨쩌귀/암톨쩌귀입니다. '암-'+'고양이'는 그냥 '암고양이'가 됩니다.

1 술래잡기, 눈가리개, 인당수, 선인　　**2** ②　　**3** ①

4 ③　　**5** ①

가 술래잡기

종류 현대시

특징 이 시는 「심청전」에 나오는 '심청'의 상황과 술래잡기라는 놀이를 결합하여 심청의 한과 슬픔을 노래하였습니다.

주제 타인의 슬픔에 대한 동정과 연민

나 심청전

종류 고전 소설

특징 이 글은 아버지를 위해 인당수 제물로 가게 된 심청의 이야기를 통해 효를 강조한 판소리계 소설입니다.

주제 심청의 지극한 효성

---

1 핵심 요약_내용 흐름 정리하기

글 **가**

| 심청이 아이들과 (술래잡기)를 하게 됨. |
| ⬇ |
| 술래가 된 심청은 (눈가리개) 형겊을 맨 채 아버지를 생각함. |

글 **나**

| 행선 날 심청은 (인당수) 제물로 팔려 가게 된 처지를 말함. |
| ⬇ |
| 심청의 말을 듣고 놀란 심 봉사는 (선인)들에 대한 분노를 드러냄. |

2 표현_서술상의 특징 파악하기

가의 화자는 작품 밖에서 '심청'을 둘러싸고 전개되는 상황을 제시하고 있습니다. 그러나 **가**에 '심청'의 대화가 나타나 있지는 않습니다.

오답 피하기

① **가**는 「심청전」의 '심청'이 친구들과 술래잡기 하는 상황을 상상하여 나타냈습니다.
③ **나**에는 '심청'이 선인들에게 팔려 가는 '행선' 날이 배경으로 제시됨으로써 긴장감이 높아지고 있습니다.
④ **나**에는 '심청'과 '심 봉사'가 주고받는 대화와 행동을 통해 '심청'이 처한 상황이 구체적으로 나타나 있습니다.
⑤ **나**의 서술자는 '사람이 슬픔이 극진하면 가슴이 막히는 법이라'와 같이 자신의 생각을 덧붙여 표현했습니다.

3 표현_말하기 방식 파악하기

[가]에서 심 봉사는 '나더러 묻지도 않고 네 마음대로 한단 말가?'라고 말하면서 이처럼 중요한 일을 혼자 결정한 심청을 나무라고 있습니다.

4 감상_외부 정보를 바탕으로 감상하기

가에서 심청이 아버지와 이별하는 상황이라는 근거는 **가**의 내용에서도, [보기]의 설명에서도 확인할 수 없습니다. 심청은 앞을 못 보는 아버지의 불편함을 자신이 직접 경험하며 그 슬픈 삶에 공감하고 있는 것이고, 애들은 그런 심청의 한과 아픔에 대해 연민과 공감의 태도를 가지고 심청을 위로하는 것으로 이해하는 것이 적절합니다.

? 문제 돋보기

4 보기를 참고할 때, 글 **가**와 **나**에 대한 설명으로 적절하지 않은 것은 무엇입니까? (　③　)

보기

　아버지를 위해 인당수 제물이 되기로 한 '심청'은 '효'의 본보기로 알려진 인물이다. 앞을 못 보는 아버지를 모시기 위해 한시도 쉬지 못하는 심청의 처지는 안타까움을 불러일으킨다. 그러나 그전에 불편한 몸으로 아내를 잃고 갓난아이를 기르기 위해 온갖 고생을 했던 '심 봉사' 또한, 자식을 사랑하는 아버지의 본보기라 할 수 있다. 「술래잡기」에는 이런 아버지의 사랑에 대한 심청의 깨달음이 드러난다.

① **가**에서 애들이 심청과 술래잡기를 하게 된 것은 고달픈 심청을 즐겁게 해 주려는 마음 때문이겠군. ○. [보기]에서 제시
② **가**에서 심청이 '눈가리개'를 하고 서 있는 것은 아버지의 불편한 처지를 직접 느꼈기 때문이겠군. ○
③ **가**에서 애들이 심청을 위로해 주는 것은 아버지와 이별하는 심청에게 연민을 느꼈기 때문이겠군. ✕ └[보기]와 시에서 알 수 없음.
④ **나**에서 아버지를 위해 인당수 제물로 가는 상황을 통해 심청의 지극한 효성이 드러나는군. ○
⑤ **나**에서 '동냥젖'은 불편한 몸으로도 자식을 위해 헌신한 심 봉사의 사랑을 보여 주는군. ○

---

5 어휘·어법_한자성어

㉠에서 심 봉사는 심청을 유인하여 제물로 삼는 죄에 대한 앙갚음을 선인들이 반드시 받게 될 것임을 이야기하고 있습니다. 이와 관련 깊은 한자성어는 '인과응보'입니다.

어휘력 완성　　　145쪽

1 엿새, 이레, 여드레, 아흐레, 열흘　　**2** ②　　**3** ②

3 ② '봉사 개천 나무란다'는 자기 결함은 생각지 않고 애꿎은 사람이나 조건만 탓하는 경우를 비유적으로 이르는 말입니다.

1 미움, 그리움, 맑은, 거사, 흐린　**2** ④　**3** ⑤　**4** ③
5 ③

가 자화상

종류 현대시

특징 이 시는 우물을 통해 식민지 현실을 살아가고 있는 화자의 모습을 객관적으로 성찰하며, 자신에 대한 애증을 노래하고 있는 작품입니다.

주제 자아 성찰과 자신에 대한 애증

나 경설

종류 고전 수필

특징 이 글은 세상에는 완벽한 사람보다 흠이 있는 사람이 많다는 것을 이야기하면서 타인의 허물까지 너그럽게 수용하는 자세가 필요함을 말하고 있습니다.

주제 결점을 대하는 포용적 태도의 필요성

---

1 핵심 요약_내용 흐름 정리하기

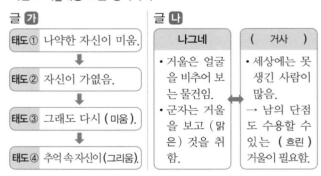

글 **가**
- 태도① 나약한 자신이 미움.
- 태도② 자신이 가엾음.
- 태도③ 그래도 다시 (미움).
- 태도④ 추억 속 자신이 (그리움).

글 **나**

나그네	(거사)
• 거울은 얼굴을 비추어 보는 물건임. • 군자는 거울을 보고 (맑은) 것을 취함.	• 세상에는 못생긴 사람이 많음. → 남의 단점도 수용할 수 있는 (흐린) 거울이 필요함.

2 표현_서술상의 특징 파악하기

나에서 극적 반전은 드러나지 않습니다. '나그네'나 '거사'의 태도와 입장이 극적으로 뒤바뀌는 것이 아니라, 고정관념을 지닌 인물인 '나그네'에게 '거사'가 자신의 생각을 전달하고 있는 상황일 뿐입니다.

3 적용하기_인물을 대화 상황에 적용하기

가의 화자가 들여다보는 '우물'에 있는 '사나이'는 화자 자신의 모습을 객관적인 태도로 표현한 것이고, '추억처럼 사나이가 있습니다.'라는 구절은 자신의 추억 속 모습과 같은 순수했던 자신의 과거를 의미하는 것입니다. 그러므로 **가**의 화자가 다른 사람들을 모두 감싸 주기로 다짐했다고 설명하는 것은 적절하지 않습니다.

오답 피하기

②, ④ **나**의 거사의 말에서 '잘생기고 예쁜 사람'은 완벽한 소수의 사람을, '얼굴이 못생긴 사람'은 결점을 지니고 살아가는 대다수의 사람을 가리키는 말입니다. 결국 거사는 세상에는 못난 사람들이 많기 때문에 때로는 그러한 결함을 감추어 주는 포용력이 필요하다는 점을 이야기하고 있습니다.

4 감상_이론을 바탕으로 감상하기

'**나**의 '거사'는 '나그네'가 생각하는 '거울'의 일반적 기능뿐 아니라'라는 [보기]의 구절을 통해 거사가 거울이 지니는 일반적 기능을 인정하고 있음을 알 수 있습니다. 다만 거사는 그러한 일반적 기능뿐 아니라 못난 사람의 결점도 감싸 줄 수 있는 태도가 필요함을 이야기하였습니다.

오답 피하기

② **가**의 화자는 우물을 들여다보며 자신의 밉고, 가엾고, 그리운 모습을 발견하고 있습니다.
⑤ **가**의 화자가 우물을 들여다보고 자신을 발견하는 것처럼 **나**의 거사 역시 거울을 통해 자신의 얼굴을 가다듬고 있습니다.

5 어휘·어법_어휘의 사전적 의미

㉠의 대상이 되는 것은 '얼굴'입니다. 그러므로 [보기]의 「1」, 「2」, 「3」 중에서 「2」의 의미와 가장 가깝습니다. '얼굴'은 「2」처럼 겉으로 드러난 모습에 해당하기 때문입니다. 따라서 이와 같은 의미로 사용된 것은 '옷매무새'가 대상이 되는 ③입니다.

오답 피하기

①, ② '정신'과 '마음'이 그 대상이 되고 있으므로, 「1」의 의미로 쓰였다고 볼 수 있습니다.
④, ⑤ '호흡'과 '목'이 그 대상이 되고 있으므로, 「3」의 의미로 쓰였다고 볼 수 있습니다.

어휘력 완성
149쪽

1 ㉠ 군자　㉡ 취할　**2** (1) ㉢　(2) ㉮　(3) ㉯　**3** ②

1 ㉠에는 행실이 점잖고 어질며 덕과 학식이 높은 사람을 뜻하는 '군자'가 알맞고, ㉡에는 '일정한 조건에 맞는 것을 골라 가지다.'의 뜻인 '취하다'가 알맞습니다.

오답 피하기

• 소인: 도량이 좁고 간사한 사람을 이르는 말로, '군자'와는 정반대라고 할 수 있습니다.
• 소인배: '소인'의 무리를 뜻합니다.
• 득하다: 무엇을 얻거나 이익을 얻는다는 의미입니다. 그러나 '바른 마음 자세와 끝없는 학문 수양의 자세'를 득한다고 표현하지는 않습니다.

1 마누라, 톱질, 웃음살, 구슬　　**2** ②　　**3** ①　　**4** ①

5 ③

가 흥부가

종류 판소리

특징 이 작품은 고전 소설 「흥부전」으로 기록되기 이전에 소리꾼에 의해 공연되던 판소리로, 착한 흥부가 복을 받게 된다는 내용입니다.

주제 형제간의 우애와 권선징악

나 흥부 부부상

종류 현대시

특징 이 시는 고전 소설 「흥부전」에서 소재를 빌려 온 작품으로, 가난하지만 웃음과 사랑을 잃지 않고 살아가는 흥부 부부의 모습을 노래하고 있습니다.

주제 가난을 사랑으로 극복하는 삶의 자세

1 핵심 요약_내용 흐름 정리하기

글 가

| 배가 고파 울고 있는 (마누라)를 흥부가 위로함. |
| ↓ |
| 박을 사이에 두고 (톱질)을 하면서 신세를 한탄함. |
| ↓ |
| 박이 터지기 직전 긴박한 분위기로 박을 탐. |

글 나

| 박 덩이를 사이하고 (웃음살)을 주고받는 흥부 부부의 모습 |
| ↓ |
| 가난하지만 서로 이해하고 사랑하는 흥부 부부 |
| ↓ |
| 흘러내리는 (구슬) 같은 눈물을 극복한 흥부 부부의 참다운 사랑 |

2 내용 이해_세부 내용 파악하기

'금이 문제리, / 황금 벼 이삭이 문제리'라는 구절의 의미는 '금'과 '벼 이삭'은 문제가 될 수 없음을 이야기하는 것입니다. 즉, 흥부 부부에게 '금'과 '벼 이삭'은 중요한 것이 아니라는 의미가 됩니다.

3 적용하기_이론을 바탕으로 적용하기

가는 흥부의 신세 한탄과 배고픈 흥부 부부의 안타까운 모습을 애절하게 표현하고 있습니다. 슬픈 분위기가 두드러지기 때문에 진양조의 장단이 잘 어울립니다.

4 감상_외부 정보를 바탕으로 감상하기

추석 명절에 먹을 것이 없어서 어쩔 수 없이 박을 타고 있는 **가**의 상황을 볼 때, **나**의 '박 덩이'는 흥부 부부의 가난한 삶을 의미하는 것으로 볼 수 있습니다.

❓ 문제 돋보기

4 보기를 참고할 때, 글 **가**와 **나**에 대한 이해로 적절한 것은 무엇입니까? (①)

> **보기**
>
> 판소리 「흥부가」에는 추석 명절날 먹을 것이 없어 울고 있는 흥부 아내와 이를 위로하며 박을 타는 흥부의 안타까운 처지가 드러나 있다. 그러나 「흥부가」의 내용을 빌려 온 현대시 「흥부 부부상」은, 흥부 부부를 가난하지만 웃음을 잃지 않고 사랑을 나누는 참다운 부부의 모습으로 새롭게 해석하여 노래하고 있다.

① **가**를 통해, **나**의 '박 덩이'는 흥부 부부의 가난한 삶을 의미하는 것으로 볼 수 있겠군.

② **가**에서 흥부 부부가 박을 타는 상황은 **나**에 제시된 상황을 빌려 온 것으로 볼 수 있겠군.
└ **나**가 **가**의 상황을 빌려 옴.

③ **가**와 달리, **나**에 제시된 흥부 부부는 서로 웃음을 주고받는 즐거운 상황으로 볼 수 있겠군.
└ 가난하고 슬픈 상황

④ **나**에 나오는 흥부 부부는, **가**의 흥부 부부와는 전혀 상관없는 새로운 인물로 볼 수 있겠군.
└ 동일 인물을 새롭게 해석한 것

⑤ **가**와 **나**의 배경인 추석 명절은, 흥부 부부가 사랑을 깨닫는 계기가 되고 있다고 볼 수 있겠군.
└ 흥부 부부의 가난을 부각

5 어휘·어법_속담

'오뉴월 개 팔자'는 하는 일 없이 놀고먹는 편한 팔자를 비유적으로 이르는 말입니다. '오뉴월'은 음력 5월과 6월(양력 6월~7월 경)을 이르는 말로, 초여름의 따뜻한 날씨를 뜻합니다.

어휘력 완성 ───── 153쪽

1 ㉠ 팔자 ㉡ 영화　**2** ⑴ ㉰ ⑵ ㉯ ⑶ ㉺　**3** ②

1 ㉠에는 사람의 한평생의 운수를 뜻하는 '팔자'가 알맞습니다. 그리고 ㉡에 들어갈 낱말로는 몸이 귀하게 되어 이름이 세상에 빛남을 의미하는 '영화'가 알맞습니다.

2 '부귀'는 '재산이 많고 지위가 높음.'이라는 뜻이고, '보명'은 '목숨을 보전하다.'라는 뜻입니다. 그리고 '포한'은 '한을 품음.'을 뜻하는 말입니다.

3 '삼순구식'은 삼십 일 동안 아홉 끼니밖에 먹지 못한다는 뜻으로, 몹시 가난함을 이르는 말입니다.

1 소중하게, 아끼고, 사랑, 준마, 감정, 빌린　**2** ②　**3** ⑤　**4** ⑤　**5** ①

가 결혼

종류 희곡

특징 이 희곡은 빈털터리인 '남자'와 '여자'가 결혼을 약속하는 과정에서 소유의 의미와 진정한 사랑을 깨닫게 된다는 내용의 작품입니다.

주제 소유의 본질과 진정한 사랑의 의미

나 차마설

종류 고전 수필

특징 말을 빌려 탔던 경험을 바탕으로, 모든 것은 빌린 것이라는 소유의 본질에 대한 깨달음을 전하는 작품입니다.

주제 소유의 의미에 대한 깨달음

1 핵심 요약_내용 흐름 정리하기

글 가	글 나
남자 나와 당신이 가진 것은 모두 빌린 것임. 빌린 것은 (소중하게) 사용함. 당신을 (아끼고) 사랑할 것임.	늙고 둔한 말과 (준마)를 빌려 탔던 대조적인 경험 제시
여자 당신의 (사랑)을 받아들일 것임.	사람의 (감정)이 쉽게 달라진다는 것에 대한 깨달음 사람이 가지고 있는 것은 모두 남에게 (빌린) 것임.

2 내용 이해_공통 주제 파악하기

가에서 '남자'는 '무엇이 정말 당신 겁니까?'라는 말을 통해, 우리가 가진 것은 빌린 것임을 이야기하고, '언젠가 그 시간이 되면 공손하게 되돌려 줄 테요.'라는 말을 통해 빌린 것에는 정해진 시간이 있음을 이야기합니다. 또 나의 '나'는 자신의 경험과 다양한 예를 통해 우리가 가진 모든 것이 빌린 것임을 이야기하고 있습니다. 이 또한 자기가 본래 가지고 있는 것은 없다는 의미로, 빌린 것은 언젠가 돌려주게 된다는 깨달음을 드러내는 것입니다.

3 표현_서술상의 특징 파악하기

나는 글쓴이인 '나'의 깨달음을 주제로 제시하는 수필이며, 문제에 대한 해결 방안을 찾고자 하는 글은 아닙니다.

4 감상_이론을 바탕으로 감상하기

가는 일반적인 희곡과 달리 배우가 관객에게 질문을 거듭하고 관객을 '증인'의 형식으로 극중 상황에 참여시킴으로써, 관객들에게 주제를 실감 나게 전달하고 있습니다.

? 문제 돋보기

4 보기를 참고할 때, 글 가와 나에 대한 이해로 적절한 것은 무엇입니까? (⑤)

보기
「차마설」과 같은 수필에서는 작품의 주제가 글쓴이의 말을 통해 독자에게 직접 제시되지만, 「결혼」과 같은 희곡에서는 배우의 대사를 통해 간접적으로 제시된다. 그런데 「결혼」은 일반적인 희곡과 달리 배우가 관객에게 질문을 하거나 관객을 작품에 참여시킴으로써 주제를 더욱 실감 나게 전달하고 있다.

① 가와 같은 희곡은 나와 달리 주제를 더 분명하게 전달할 수 있는 장점이 있다. └ 간접적인 전달이므로 분명하지는 않음.

② 가에서는 '여자'의 대사를 통해, 나에서는 '나'의 말을 통해 주제가 제시되고 있다. └남자

③ 가의 '남자'는 관객 앞에서 자신이 '증인'이 됨으로써 주제를 직접 전달하고 있다. └ 관객이 증인임.

④ 나의 '나'는 작품의 주제를 전달하기 위해 글쓴이가 만들어 낸 인물로 볼 수 있다. └수필의 '나' = 글쓴이

⑤ 가에서는 '남자'가 '관객'에게 질문을 거듭함으로써, 주제를 더욱 실감 나게 전달하고 있다.

5 어휘·어법_속담

㉮는 늙고 둔한 말이 죽게 되면 곤란한 상황이 되기 때문에 차라리 내려서 걸어갈 정도로 조심하는 상황입니다. 이런 상황에 어울리는 속담으로는 매우 조심하여 다룬다는 의미의 '달걀 섬 모시듯'이 있습니다.

어휘력 완성 ─── 157쪽

1 ㉠ 권세　㉡ 총애　**2** (1) ㉲　(2) ㉮　(3) ㉯　**3** ③

1 날아가는 새도 떨어뜨릴 정도의 대단한 위세를 가리키는 말로는 '권세'가 알맞고, ㉡에는 들어갈 낱말로는 남달리 귀여워하고 사랑함을 의미하는 '총애'가 알맞습니다.

3 글쓴이는 사람의 감정이 너무나도 쉽게 변하는 것에 대한 안타까움을 드러내고 있습니다. 이와 의미가 통하는 한자성어로, 세력이 있을 때는 아첨하여 따르고 세력이 없어지면 푸대접하는 세상인심을 비유적으로 이르는 말인 '염량세태'가 있습니다.

초고필 국어 | 수학 | 한국사

중학교 공부,
초고필 시리즈로 완벽하게 준비 끝!

초고필 시리즈는 중학교 국어, 수학, 한국사를 연계하여
초등학생 눈높이에 맞게 구성한 초등 고학년 필수 학습서입니다.

■ 초고필 국어 (비문학 독해/문학 독해/문법/어휘)

- 중학 국어부터 수능 국어 영역까지 대비하는 영역별 교재
- 비문학과 문학 영역별 독해부터 문법, 어휘까지 깊이 있게 학습
- 국어 영역을 제대로 학습할 수 있는 동영상 강의 제공

  (권장 5~6학년, 예비 중등)

■ 초고필 수학 (유리수의 사칙연산/방정식/도형의 각도)

- 초등학생 눈높이에 맞춰 25일만에 끝내는 중등 수학 기초 학습
- 초등 수학과 연결하여 쉽게 중등 수학 개념 설명
- 짧고 재미있는 개념 동영상 강의 제공

  (권장 5~6학년, 예비 중등)

■ 초고필 한국사 (시대별 1~2권)

- 다양한 자료를 읽고 해석하는 '한국사 독해' 학습
- 중학교 가기 전, 중등 한국사 대비 개념 학습
- 한국사 자료 분석 동영상 강의 + 한국사능력검정시험 동영상 강의 제공

  (권장 5~6학년, 예비 중등)

동아출판

초고필

문학 독해 2

정답 및 풀이